DICIONÁRIO GLOBAL

INFANTIL

ILUSTRADO

SILVEIRA BUENO

DA LÍNGUA PORTUGUESA

DICIONÁRIO GLOBAL INFANTIL ILUSTRADO SILVEIRA BUENO DA LÍNGUA PORTUGUESA

Ilustrações
Lúcia Brandão

global
editora

© Global Editora, 2009
1ª Edição, Global Editora, São Paulo 2009
1ª Reimpressão, 2019

Jefferson L. Alves – diretor editorial
Flávio Samuel – gerente de produção
Dida Bessana – coordenadora editorial
Alessandra Biral e João Reynaldo de Paiva – assistentes editoriais
Lúcia Brandão – ilustrações
Estúdio Soares – revisão
A+ Desenho Gráfico e Comunicação – projeto gráfico e capa

Obra atualizada conforme o
NOVO ACORDO ORTOGRÁFICO DA LÍNGUA PORTUGUESA

Dados Internacionais de Catalogação na Publicação (CIP)
(Câmara Brasileira do Livro, SP, Brasil)

Bueno, Silveira, 1898-1989.
 Dicionário Global infantil ilustrado Silveira Bueno da língua portuguesa. – 1.ed. – São Paulo : Global, 2009.

 ISBN 978-85-260-1433-6

 1.Português – Dicionários. I.Título

09-11600 CDD-469.3

Índice para catálogo sistemático:
1. Português : Dicionários   469.3

global editora
Direitos Reservados

global editora e distribuidora ltda.
Rua Pirapitingui, 111 – Liberdade
CEP 01508-020 – São Paulo – SP
Tel.: (11) 3277-7999
e-mail: global@globaleditora.com.br
www.globaleditora.com.br

Colabore com a produção científica e cultural.
Proibida a reprodução total ou parcial desta obra
sem a autorização do editor.

Nº de Catálogo: **2763**

Apresentação

Este dicionário foi elaborado especialmente para crianças em fase de alfabetização e contém três mil verbetes.

A seleção dos vocábulos e das acepções obedeceu aos critérios de pertinência ao universo do leitor e relevância para a etapa cognitiva de aquisição da leitura. A elaboração da obra reflete também a proposta da Global Editora em participar ativamente da preservação e da divulgação da cultura popular brasileira.

As definições usam linguagem simples e direta, sempre de acordo com as características do gênero lexicográfico. Acreditamos que, para os nossos leitores, seja mais importante aprender a pesquisar no dicionário as palavras indicadas pela professora ou pelo professor do que encontrar uma explicação conceitual ou definição rigorosa para essas palavras. Consideramos o conhecimento prévio da língua portuguesa e o vocabulário que nossos leitores, como falantes nativos do português do Brasil, já construíram e utilizam com proficiência.

As definições são complementadas por exemplos pertinentes ao universo infantil e aos textos com que as crianças têm contato, na escola e fora dela.

Evitamos o uso de abreviaturas, substituindo-as por informações por extenso a respeito de classificação gramatical e níveis de linguagem – ainda que essas informações estejam um pouco acima do nível cognitivo dos leitores, que só as compreenderão plenamente em etapas posteriores à alfabetização.

Esta obra contempla alguns casos de gíria, linguagem figurada e popular, assim como de locuções e expressões, para que os leitores descubram que esse tipo de informação é apresentado em dicionários, a título de um primeiro contato com o gênero.

A ortografia está completamente atualizada segundo o Acordo Ortográfico e o *Vocabulário Ortográfico da Língua Portuguesa* (*Volp*), quinta edição.

Esperamos, assim, colaborar para a formação do leitor e para o desenvolvimento de sua autonomia na compreensão das obras escritas, bem como para a descoberta do prazer que acompanha o letramento: um aprendizado para toda a vida.

O alfabeto e a ordem alfabética

O alfabeto da língua portuguesa é um conjunto de 26 (vinte e seis) letras, que se apresentam em uma sequência fixa, chamada **ordem alfabética**.

Cada letra tem um ou mais nomes, e uma forma minúscula mais outra maiúscula.

letra minúscula	letra maiúscula	nome(s)	posição na ordem alfabética
a	A	á	primeira letra
b	B	bê	segunda letra
c	C	cê	terceira letra
d	D	dê	quarta letra
e	E	ê ou é	quinta letra
f	F	efe (é) ou fê	sexta letra
g	G	gê ou guê	sétima letra
h	H	agá	oitava letra
i	I	i	nona letra
j	J	jota	décima letra
k	K	cá	décima primeira letra
l	L	ele (é) ou lê	décima segunda letra
m	M	eme ou mê	décima terceira letra
n	N	ene ou nê	décima quarta letra
o	O	ó ou ô	décima quinta letra
p	P	pê	décima sexta letra
q	Q	quê	décima sétima letra
r	R	erre (é) ou rê	décima oitava letra
s	S	esse (é)	décima nona letra
t	T	tê	vigésima letra
u	U	u	vigésima primeira letra
v	V	vê	vigésima segunda letra
w	W	dáblio	vigésima terceira letra
x	X	xis	vigésima quarta letra
y	Y	ípsilon ou ipsilone	vigésima quinta letra
z	Z	zê	vigésima sexta letra

As formas do alfabeto

O alfabeto também pode ser escrito com formas ou desenhos diferentes.

As **letras cursivas**, também chamadas *letras de mão*, ligam-se umas às outras na mesma palavra.

As letras **cursivas minúsculas** são:

*a b c d e f g h i j k l
m n o p q r s t u v w x y z*

As letras **cursivas maiúsculas** são:

*A B C D E F G H I J K L
M N O P Q R S T U V W X Y Z*

As **letras em bastão**, também chamadas *letras de fôrma* e *letras de imprensa*, são separadas umas das outras, e entre uma palavra e outra há um espaço maior.

As letras em **bastão minúsculas** são:

a b c d e f g h i j k l
m n o p q r s t u v w x y z

As letras em **bastão maiúsculas** são:

A B C D E F G H I J K L
M N O P Q R S T U V W X Y Z

Como procurar palavras no dicionário

Este livro é um **dicionário**, um tipo de livro criado para apresentar as palavras. Você já reparou que existem vários tipos de livros, sobre assuntos diferentes, cada um com sua forma. Existem livros que contam histórias, livros que descrevem animais ou máquinas, livros que ensinam sobre números...

O dicionário é um livro sobre palavras.

O dicionário informa como as palavras são escritas, o que elas significam, que é mais ou menos o que elas querem dizer ou o que as pessoas querem dizer quando as escolhem. O dicionário pode informar também como uma palavra deve ser pronunciada, como é sua forma no feminino e no plural, ou com que outras palavras são usadas.

As palavras escolhidas para aparecer neste dicionário são de vários tipos.

- Os nomes de coisas, animais, atividades, sensações e outros são os **substantivos**, como *bola, minhoca, brincadeira, alegria*.

- As palavras que determinam o significado de nomes, que expressam qualidades como tamanho, cor, estados ou relações, são os **adjetivos**, como *redondo, colorido, pequeno, grande, alegre, novo, infantil*.

- As palavras que expressam ações, estados ou processos são os **verbos**, como *rodar, brincar, ler, escrever*.

Para encontrar uma palavra no dicionário

Procure a palavra na forma neutra, que é quase sempre o masculino e singular ou infinitivo dos verbos. Por exemplo:

para encontrar	procure
bolas	bola
minhoquinha	minhoca
redondas	redondo
rodou	rodar
brincamos	brincar
li	ler
escreveu	escrever

Os verbetes deste dicionário

Cada palavra que você encontrar no dicionário, seja este ou outro, está tratada em um *verbete*. Verbete é o nome das partes ou seções que formam um dicionário. Algumas pessoas e obras também chamam os verbetes de artigos.

Os verbetes deste dicionário informam:

> A palavra é mostrada com pontinhos que indicam sua divisão silábica, ou partição em sílabas. A cor mais escura, ou **negrito**, assinala a sílaba tônica, que é a sílaba pronunciada com mais força.

> Entre [colchetes] algumas vezes há uma indicação de como pronunciar ou ler em voz alta a palavra.

caneta (ca.**ne**.ta) [ê] substantivo feminino Tubo de metal ou plástico, que contém tinta, usado para escrever ou desenhar.

> A classificação gramatical será usada em aulas de Português.

> A definição é uma frase equivalente à palavra, tanto em sentido quanto em valor gramatical.

pintar (pin.**tar**) verbo **1.** Cobrir de tinta: *pintar um muro*. **2.** Colorir, tingir: *pintar os cabelos*. **3.** Reproduzir por linhas e cores: *pintar um quadro*.

> Os exemplos mostram como a palavra se combina com outras.

> Veja o apêndice indicado. No final do dicionário, há quadros temáticos com interessantes tabelas e grupos de ilustrações. Assim, fica fácil compreender as relações entre as espécies e as categorias de seres.

pirâmide (pi.**râ**.mi.de) substantivo feminino
1. Objeto de base quadrada ou retangular e quatro faces triangulares, que se unem no ponto mais alto. (Veja apêndice da página 256)
2. Monumento egípcio em que os faraós eram sepultados.

Aa

a, A substantivo masculino Primeira letra do nosso alfabeto, vogal, chamada "á".

abacate (a.ba.**ca**.te) substantivo masculino Fruta de polpa amarela e macia, com um grande caroço no meio, e casca verde. (Veja apêndice da página 249)

abacaxi (a.ba.ca.**xi**) substantivo masculino Fruta de polpa amarela e suculenta, com gosto um pouco ácido.

ábaco (**á**.ba.co) substantivo masculino Instrumento para fazer contas ou cálculos, formado por contas presas em vários fios, que são deslocadas de um lado para outro.

abaixo (a.**bai**.xo) advérbio **1.** Em lugar mais baixo, em posição inferior, embaixo, para baixo: *a boca fica abaixo do nariz; a bola rolou ladeira abaixo*. **2.** A seguir, seguinte: *os alunos abaixo indicados estão convidados para o passeio*.

abdome (ab.**do**.me) [ô] substantivo masculino Parte do corpo entre o fim das costelas e a bacia; ventre, barriga. O mesmo que abdômen. (Veja apêndice da página 261)

abelha (a.**be**.lha) [ê] substantivo feminino Inseto de asas transparentes, que produz mel e vive em colmeias.

aberto (a.**ber**.to) adjetivo Que se abriu; que não está fechado: *deixe a porta aberta para o gato entrar*.

abóbora (a.**bó**.bo.ra) substantivo feminino Fruto de polpa alaranjada, que se cozinha para fazer pratos doces e salgados. Outro nome da abóbora é jerimum.

abraço (a.**bra**.ço) substantivo masculino Ato de apertar entre os braços, para mostrar carinho e amizade.

abrir (a.**brir**) verbo **1.** Separar as partes que fechavam: *o nenê abre a boca para tomar sopa; eu abri o livro*. **2.** Inaugurar: *abriu uma lanchonete na esquina*.

acabar (a.ca.**bar**) verbo **1.** Terminar, concluir. **2.** Completar, ultimar. **3.** Finalizar, morrer.

academia (a.ca.de.**mi**.a) substantivo feminino **1.** Grupo ou associação de artistas: *a Academia Brasileira de Letras; Academia de Ciências*. **2.** Escola de nível superior. **3.** Lugar onde se faz ginástica ou se pratica esporte; ginásio: *academia de judô*.

açaí (a.ça.**í**) substantivo masculino **1.** Fruto de uma palmeira comum no Norte do Brasil, usado para fazer refresco, suco, sorvete etc. e que tem uma polpa de tom castanho bem escuro, quase roxo, e sabor marcante. **2.** Essa palmeira, também chamada açaizeiro. (Veja apêndice da página 249)

ação (a.**ção**) substantivo feminino Ato de agir, de fazer alguma coisa: *estudo é a ação de estudar, leitura é a ação de ler*. ▶ Plural: *ações*.

acender (a.cen.**der**) verbo **1.** Pôr fogo em: *acendeu o fogo; acendeu a vela*. **2.** Brilhar, emitir luz: *as luzes se acenderam*.

acento (a.**cen**.to) substantivo masculino
Sinal escrito sobre as vogais para indicar a pronúncia, como em *pé, chulé, nenê, mãe, mão, vovô*.

achar (a.**char**) verbo **1.** Encontrar, localizar: *achou o brinquedo que estava perdido*. **2.** Descobrir, encontrar. **3.** Julgar, supor: *acho que ele é um gênio*.

acidente (a.ci.**den**.te) substantivo masculino **1.** Acontecimento que não se esperava: *encontrei essas pessoas na rua por acidente*. **2.** Acontecimento ruim ou prejudicial: *cair da bicicleta é um acidente; um acidente de carro pode ser perigoso*.

acima (a.**ci**.ma) advérbio Em lugar mais alto, em posição superior: *as sobrancelhas ficam acima dos olhos*.

acordar (a.cor.**dar**) verbo **1.** Tirar do sono, despertar: *fizeram tanto barulho que acordaram o irmão*. **2.** Sair do sono, despertar: *acordei muito feliz hoje*.

acreditar (a.cre.di.**tar**) verbo Achar que é verdade; pôr fé, crer, confiar: *acreditavam em tudo o que liam no jornal*.

açúcar (a.**çú**.car) substantivo masculino Pó doce produzido da cana-de-açúcar ou da beterraba, usado para fazer doces e adoçar alimentos: *colocou uma colher de açúcar no café*.

adesivo (a.de.**si**.vo) adjetivo **1.** Que adere, cola ou gruda: *usei fita adesiva colorida para fechar o embrulho do presente*. ★substantivo masculino **2.** Imagem em plástico ou papel, que se pode colar em vidro ou outra superfície: *colou o adesivo na capa do caderno*.

adição (a.di.**ção**) substantivo feminino **1.** Acréscimo, aumento, soma. **2.** A primeira operação aritmética: *o resultado da adição de dois mais dois é quatro*. ▶ Plural: *adições*.

adicionar (a.di.ci.o.**nar**) verbo **1.** Fazer a adição; somar. **2.** Acrescentar, juntar: *adicionou uma colher de chocolate ao leite*.

adivinha (a.di.**vi**.nha) substantivo feminino Pergunta ou frase para se adivinhar; enigma, charada, adivinhação: *uma adivinha quase sempre começa com as palavras "o que é? o que é?"*.

adjetivo (ad.je.**ti**.vo) substantivo masculino Palavra que atribui qualidades ao que o substantivo expressa: *as palavras "novo" e "branca" são adjetivos em "o uniforme novo é uma camiseta branca"*.

admirar (ad.mi.**rar**) verbo **1.** Olhar com aprovação, apreciar: *admirar a paisagem*. **2.** Causar espanto ou estranheza a: *seu ato admirou a todos*. **3.** Sentir espanto ou estranheza: *todos se admiraram de vê-la ali*.

adolescência (a.do.les.**cên**.cia) substantivo feminino Período da vida entre a infância e a idade adulta, mais ou menos entre os 12 e os 20 anos, quando acontecem mudanças na mente e no corpo, como crescimento de barba e seios.

adolescente (a.do.les.**cen**.te) substantivo de dois gêneros Pessoa que está na adolescência: *nossa prima era uma adolescente engraçada; eles eram adolescentes felizes*.

adulto (a.**dul**.to) substantivo masculino Pessoa que já terminou de crescer, que já passou pela adolescência; pessoa madura.

advérbio (ad.**vér**.bio) substantivo masculino
Palavra que modifica o modo como uma ação ocorre: *as palavras "bem" e "depressa" são advérbios em "andamos depressa e chegamos bem"*.

aéreo (a.**é**.reo) adjetivo Relacionado ao ar, que se move no ar: *o avião é um veículo aéreo*.

aeronave (a.e.ro.**na**.ve) substantivo feminino
Veículo que voa, que se desloca no ar, como avião e helicóptero.

aeroporto (a.e.ro.**por**.to) [ô] substantivo masculino Estação com pista de pouso e garagem para aviões, local para embarque e desembarque de passageiros e de cargas.
▸ Plural: *aeroportos* [ó].

afilhado (a.fi.**lha**.do) adjetivo Pessoa em relação a seus padrinhos.

afirmação (a.fir.ma.**ção**) substantivo feminino
1. Ato de afirmar, de dizer sim. **2.** Aquilo que se afirma; declaração. ▸ Plural: *afirmações*.

afirmar (a.fir.**mar**) verbo Dizer que sim, garantir que é certo ou verdadeiro: *afirmou que ia fazer a lição e fez mesmo*.

africano (a.fri.**ca**.no) adjetivo **1.** Da África: *regiões africanas*. **2.** Relacionado à África, que tem influência da África; afro: *estilo africano*. ★ substantivo masculino **3.** Pessoa que nasceu nesse lugar ou que vive nele.

agachar-se (a.ga.**char**-se) verbo Abaixar-se dobrando as pernas.

agarrar (a.gar.**rar**) verbo Segurar com força: *o goleiro agarrou a bola*.

agasalho (a.ga.**sa**.lho) substantivo masculino
Roupa para conservar o calor do corpo e proteger do frio ou da chuva: *doamos roupas para a campanha do agasalho*.

agenda (a.**gen**.da) substantivo feminino
Caderno onde se anota diariamente o que se tem a fazer, aniversários, acontecimentos.

ágil (**á**.gil) adjetivo Que se move com grande facilidade; rápido, ligeiro: *o gato deu um pulo ágil; o mágico tem mãos ágeis*. ▸ Plural: *ágeis*.

agir (a.**gir**) verbo Entrar em ação, atuar, trabalhar: *a turma agiu depressa para arrumar as coisas e ir viajar*.

agora (a.**go**.ra) advérbio Neste instante, neste momento.

agradar (a.gra.**dar**) verbo **1.** Fazer carinho, acariciar: *agradou o gatinho*. **2.** Satisfazer, contentar: *o presente agradou a todos*.

agradecer (a.gra.de.**cer**) verbo Dizer obrigado, reconhecer um favor ou uma gentileza: *agradecemos à tia pelo passeio*.

agrado (a.**gra**.do) substantivo masculino
1. Ação de agradar; carinho: *fez um agrado no gato*. **2.** Gosto, satisfação: *a festa foi do agrado de todos*.

agrário ••• alça

agrário (a.**grá**.ri.o) adjetivo Relativo ao campo ou à cultura de terras.

agrião (a.gri.**ão**) substantivo masculino Planta com folhas de verde intenso e sabor picante, usada em saladas. ▶ Plural: *agriões*.

agrícola (a.**grí**.co.la) adjetivo Relacionado à agricultura: *técnicas agrícolas*.

agricultura (a.gri.cul.**tu**.ra) substantivo feminino Atividade de plantar, de cultivar o solo para produção de vegetais; lavoura.

agrupar (a.gru.**par**) verbo Juntar em grupo, associar, reunir.

água (**á**.gua) substantivo feminino **1.** Líquido natural, sem cor e sem cheiro, que todos os seres vivos precisam ingerir para viver. **2.** Líquido que forma o mar, os rios, lagos e outras partes da Terra.

água-viva (á.gua-**vi**.va) substantivo feminino Animal marinho que tem o corpo gelatinoso e transparente, com tentáculos que podem provocar queimaduras na pele. ▶ Plural: *águas-vivas*.

agudo (a.**gu**.do) adjetivo **1.** Que termina em ponta. **2.** Fino, penetrante. **3.** Forte, intenso. **Acento agudo:** acento colocado sobre as letras **a**, **e**, **i**, **o** ou **u** para indicar sílaba forte com pronúncia aberta, como em: *está*, *café*, *país*, *avó* e *número*.

agulha (a.**gu**.lha) substantivo feminino **1.** Haste que tem uma ponta fina e outra com um pequeno furo, onde se enfia a linha para costurar ou bordar. **2.** Varinha ou haste para fazer crochê, tricô e outros trabalhos manuais.

ajudar (a.ju.**dar**) verbo **1.** Socorrer, dar auxílio: *ajudou os pobres arrumando trabalho para eles*. **2.** Fazer ficar mais fácil, facilitar: *o óleo ajuda a engrenagem a se mover*.

alavanca (a.la.**van**.ca) substantivo feminino Barra, haste reta e forte usada para levantar ou mover objetos pesados.

álbum (**ál**.bum) substantivo masculino Caderno ou livro onde são colados selos, fotografias, desenhos, figurinhas ou são escritos textos e poesias: *trocamos nossos álbuns de figurinhas de futebol*.

alça (**al**.ça) substantivo feminino **1.** Parte de um objeto que serve para segurá-lo ou carregá-lo. **2.** Tira que passa pelos ombros para segurar certas roupas: *Maria usava um vestido leve e sem alças; arrebentou a alça da minha blusa durante a corrida*.

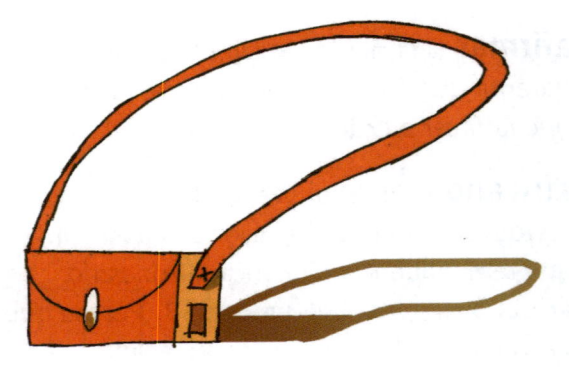

aldeia (al.**dei**.a) substantivo feminino **1.** Grupo de casas, povoação pequena: *uma aldeia de pescadores*. **2.** Grupo de habitações indígenas: *a aldeia tupi tinha várias ocas*.

alegre (a.**le**.gre) adjetivo Que tem ou sente alegria; contente, satisfeito: *as meninas estavam alegres*.

alegria (a.le.**gri**.a) substantivo feminino Satisfação, contentamento, felicidade.

alfabético (al.fa.**bé**.ti.co) adjetivo **1.** Relacionado ao alfabeto. **2.** Pela ordem das letras do alfabeto: *o professor faz a chamada em ordem alfabética*.

alfabetização (al.fa.be.ti.za.**ção**) substantivo feminino Processo de ensino e aprendizagem da leitura e da escrita: *a alfabetização pode começar dentro ou fora da escola*.

alfabeto (al.fa.**be**.to) substantivo masculino Conjunto das letras de uma língua, colocadas em uma ordem.

alga (**al**.ga) substantivo feminino Planta que vive em mares e rios, não possui raízes, flores ou frutos, e às vezes é comestível.

algarismo (al.ga.**ris**.mo) substantivo masculino Cada um dos dez símbolos usados para representar os números: *os algarismos são 0, 1, 2, 3, 4, 5, 6, 7, 8 e 9*.

algodão (al.go.**dão**) substantivo masculino **1.** Penugem macia que envolve a semente do algodoeiro. **2.** Fio ou tecido feito com essa penugem. ▸ Plural: *algodões*.

alimentar (a.li.men.**tar**) verbo **1.** Dar alimento ou comida a; nutrir, sustentar: *alimentamos os cachorros com ração*. ★ adjetivo **2.** Relacionado a alimento, comida ou alimentação: *bons hábitos alimentares são muito importantes para a saúde*.

alimento (a.li.**men**.to) substantivo masculino Substância que alimenta, que serve para a nutrição de um ser vivo: *arroz e feijão são alimentos ótimos; o alimento do cavalo é o capim; o leite é um alimento líquido*.

almoço (al.**mo**.ço) [ô] substantivo masculino A segunda refeição do dia, feita entre o café da manhã e o jantar. ▸ Plural: *almoços*.

alto (**al**.to) adjetivo **1.** Que é grande em altura: *o prédio é mais alto que a casa*. ★ substantivo masculino **2.** A parte de cima: *colocou o chocolate no alto do armário*. ★ advérbio **3.** De modo que faça som forte, com muito volume: *gritou bem alto*.

altura (al.**tu**.ra) substantivo feminino Distância considerada de baixo para cima ou de cima para baixo, no sentido vertical; tamanho: *o prédio tem vinte metros de altura*.

aluno (a.**lu**.no) substantivo masculino Aquele que vai à escola para estudar.

amanhã (a.ma.**nhã**) substantivo masculino **1.** O dia que vem depois de hoje: *vamos para a praia amanhã*. **2.** O futuro: *o amanhã será bem melhor*.

amarelo (a.ma.**re**.lo) adjetivo **1.** Que é da cor da gema do ovo, da casca da banana madura e do ouro. ⭐substantivo masculino **2.** Essa cor: *o amarelo é uma das cores da bandeira brasileira*. (Veja apêndice da página 256)

amazônico (a.ma.**zô**.ni.co) adjetivo Relativo à Amazônia, ou floresta Amazônica, floresta que fica em volta do rio Amazonas, na região Norte do Brasil e em alguns outros países: *a Amazônia é uma das maiores florestas do mundo*.

ambulância (am.bu.**lân**.cia) substantivo feminino Veículo especial para transportar doentes e feridos.

amendoim (a.men.do.**im**) substantivo masculino **1.** Semente de uma planta nativa do Brasil, que cresce dentro de uma vagem sob a terra, e se come torrado: *o amendoim é consumido puro, em doces como paçoca e em pastas*. **2.** Essa planta.

amigo (a.**mi**.go) substantivo masculino **1.** Pessoa que é ligada a outra pessoa por laços de amizade: *chamou os amigos para a festa*. ⭐adjetivo **2.** Que ama, que demonstra afeto: *era um cãozinho muito amigo*.

amizade (a.mi.**za**.de) substantivo feminino Sentimento que existe entre pessoas que se gostam, se respeitam, se querem bem e confiam uma na outra.

amor (a.**mor**) [ô] substantivo masculino Sentimento profundo que nos liga a outra pessoa ou coisa: *seu amor pelo irmão era tão grande que faria qualquer coisa por ele*.

ampulheta (am.pu.**lhe**.ta) [ê] substantivo feminino Instrumento para medir o tempo formado por dois vasos que se comunicam por um pequeno furo, através do qual passa areia fina.

analfabeto (a.nal.fa.**be**.to) substantivo masculino Pessoa que não sabe ler nem escrever, que não conhece o alfabeto.

anão (a.**não**) substantivo masculino **1.** Ser fantástico que parece uma pessoa de tamanho bem pequeno, com alguns poderes mágicos, que vive dentro da terra, das florestas ou dos jardins: *A princesinha morou com sete anões*. **2.** Pessoa que teve um problema de crescimento e ficou bem menor que as outras. ▶ Feminino: *anã*. Plural: *anões*.

âncora (**ân**.co.ra) substantivo feminino Peça muito pesada de metal atada a uma corda ou corrente grossa que se joga ao fundo da água para prender a embarcação, para que ela fique parada.

andar (an.**dar**) verbo **1.** Dar passos, caminhar: *o nenê aprendeu a andar*. **2.** Mover-se, deslocar-se: *o carro andava depressa*. **3.** Transportar-se, ir de: *o cão adora andar de carro*. ⭐substantivo masculino **4.** Pavimento de um edifício: *o prédio tinha dois andares*.

andorinha (an.do.**ri**.nha) substantivo feminino Pássaro de cor escura que faz longas viagens voando em bandos.

anel (a.**nel**) substantivo masculino **1.** Argola usada nos dedos, para enfeitar ou indicar estado civil. **2.** Qualquer objeto com essa forma.

anfíbio (an.**fí**.bio) adjetivo **1.** Que vive ou se desloca na terra e na água: *veículo anfíbio*. ⭐ substantivo masculino e adjetivo **2.** Animal que vive na água e na terra como os sapos, rãs e pererecas.

ângulo (**ân**.gu.lo) substantivo masculino Figura formada por duas retas que se encontram em um mesmo ponto.

animação (a.ni.ma.**ção**) substantivo feminino **1.** Ação de animar, de dar vida a alguma coisa. **2.** Alegria, entusiasmo. **3.** Técnica para fazer desenhos animados na TV ou no cinema.

animado (a.ni.**ma**.do) adjetivo **1.** Que se animou, ganhou vida. **2.** Alegre, vivo, bem-disposto.

animal (a.ni.**mal**) substantivo masculino **1.** Ser vivo que se movimenta, tem sensibilidade e se alimenta. ⭐ adjetivo **2.** Relativo a esses seres: *vida animal*.

aniversariante (a.ni.ver.sa.ri.**an**.te) substantivo de dois gêneros Pessoa que aniversaria, que faz aniversário: *os aniversariantes do mês fizeram uma festa na última sexta-feira do mês*.

aniversário (a.ni.ver.**sá**.rio) substantivo masculino **1.** Dia em que se completa mais um ano de vida. **2.** Comemoração anual do dia em que aconteceu alguma coisa.

anjo (**an**.jo) substantivo masculino **1.** Para algumas religiões, ser invisível que leva as mensagens de Deus às pessoas. **2.** Personagem com asas, que representa esse ser em uma procissão ou nas histórias.

ano (**a**.no) substantivo masculino Tempo que a Terra leva para dar uma volta em torno do Sol, que corresponde a um período de 12 meses.

anoitecer (a.noi.te.**cer**) verbo Fazer-se noite: *no verão anoitece mais tarde.* ⭐ substantivo O cair da noite: *o anoitecer no campo é lindo*.

anta (**an**.ta) substantivo feminino Mamífero herbívoro, com nariz alongado em forma de tromba, cauda curta e pelos curtos; pode pesar mais de 200 quilos e medir até 2 metros de comprimento, sendo considerado o maior mamífero do Brasil.

antebraço (an.te.**bra**.ço) substantivo masculino Parte do braço entre o pulso e o cotovelo. (Veja apêndice da página 261)

anteontem (an.te.**on**.tem) advérbio No dia anterior ao de ontem.

antepenúltimo (an.te.pe.**núl**.ti.mo) adjetivo Que vem antes do penúltimo; o terceiro a contar do último.

anterior (an.te.ri.**or**) adjetivo Que vem antes; que existe, acontece antes de: *o período anterior da tarde é a manhã*.

antigo (an.**ti**.go) adjetivo Que existe há muito tempo; idoso.

antônimo (an.**tô**.ni.mo) substantivo masculino Palavra que significa o contrário de outra: *pequeno e grande, bom e ruim, bem e mal, fazer e desfazer são antônimos*.

anúncio (a.**nún**.cio) substantivo masculino Mensagem dirigida para qualquer pessoa na rua, na televisão ou em um quadro: *um anúncio de cachorro perdido, anúncio de refrigerante*.

anzol (an.**zol**) substantivo masculino Pequeno gancho onde se prende a isca para fisgar o peixe.

apagador (a.pa.ga.**dor**) [ô] substantivo masculino Objeto com que se apaga o que está escrito na lousa.

apelido (a.pe.**li**.do) substantivo masculino Nome que se dá a alguém e que é diferente do nome próprio; alcunha: *Cacá é o apelido de Carlos*.

apetite (a.pe.**ti**.te) substantivo masculino 1. Vontade de comer. 2. Disposição, ânimo para fazer algo: *o jogador estava com apetite de gol*.

apito (a.**pi**.to) substantivo masculino 1. Pequeno instrumento que produz um som agudo ao ser soprado. 2. O som desse instrumento.

aplaudir (a.plau.**dir**) verbo 1. Bater palmas: *todos aplaudiram no fim da apresentação*. 2. Aprovar, elogiar: *aplaudimos os músicos*.

apostila (a.pos.**ti**.la) substantivo feminino Publicação, em geral impressa, que contém resumo do curso e comentários de aula.

aprender (a.**pren**.der) verbo Saber fazer, entender, compreender: *aprendeu a ler e a andar de bicicleta*.

aprendiz (a.pren.**diz**) substantivo masculino Pessoa que está aprendendo um ofício ou arte; principiante.

aprendizado (a.pren.di.**za**.do) substantivo masculino Ação de aprender.

apresentação (a.pre.sen.ta.**ção**) substantivo feminino 1. Ação de apresentar ou apresentar-se, de mostrar algo para todas as pessoas: *a apresentação de mágica foi muito legal*. 2. Modo como uma pessoa se veste: *o candidato tinha uma boa apresentação*.

apresentador (a.pre.sen.ta.**dor**) substantivo masculino Pessoa que apresenta as atrações em um programa: *apresentador de circo; apresentadora de televisão*.

aquarela (a.qua.**re**.la) substantivo feminino 1. Tinta especial para pintura que se dilui em água. 2. Pintura feita com essa tinta.

aquário (a.**quá**.rio) substantivo masculino 1. Recipiente com água onde se criam peixes: *os peixes do mar são criados em aquário de água salgada*. 2. Local onde existem vários aquários, para observação pública.

aquático (a.**quá**.ti.co) adjetivo Relativo à água; que vive na água ou sobre ela: *o peixe é um animal aquático*.

árabe (**á**.ra.be) substantivo de dois gêneros 1. Indivíduo dos árabes, grupo de povos que vive no Oriente. 2. Idioma desses povos, escrito com alfabeto próprio. ★ adjetivo 3. Relacionado a esses povos: *cultura árabe*.

arábico (a.**rá**.bi.co) adjetivo Diz-se dos números criados pelos árabes, os algarismos: 0, 1, 2, 3, 4, 5, 6, 7, 8 e 9.

aranha (a.**ra**.nha) substantivo feminino Animal que possui oito patas e constrói teias para prender os insetos, que são seu alimento.

arara (a.**ra**.ra) substantivo feminino Ave que tem o bico grande e recurvado, cores vivas, cauda longa; alimenta-se de frutos e sementes.

araucária (a.rau.**cá**.ria) substantivo feminino Árvore alta, de tronco reto, cuja semente é o pinhão; pinheiro-do-paraná. É nativa do sul do Brasil e um dos símbolos do estado do Paraná.

arca (**ar**.ca) substantivo feminino Caixa grande, com tampa e fechadura, usada para guardar roupas, brinquedos e outras coisas.

arco (**ar**.co) substantivo masculino **1.** Pedaço de uma curva. **2.** Arma de atirar flechas, usada pelos índios e outros povos. **3.** Vara com fios usada para tocar o violino e outros instrumentos.

arco-íris (ar.co-**í**.ris) substantivo masculino Conjunto de faixas coloridas que aparece no céu em forma de arco geralmente depois da chuva, quando a luz do sol atravessa as gotinhas de água suspensas de ar. ▶ Plural: *arco-íris*.

areia (a.**rei**.a) substantivo feminino Grãos de rocha muito finos que existem em praias, desertos e fundos dos rios.

argila (ar.**gi**.la) substantivo feminino Pasta mole feita com terra e água, usada para modelar objetos; barro: *o aluno fez uma escultura de argila na aula de arte*.

argola (ar.**go**.la) substantivo feminino **1.** Qualquer objeto circular. **2.** Aro ou anel em que se prende alguma coisa: *coloquei a chave na argola do chaveiro*.

aritmética (a.rit.**mé**.ti.ca) substantivo feminino Parte da matemática que estuda os números e as operações de adição, subtração, multiplicação e divisão.

arma (**ar**.ma) substantivo feminino Objeto que se usa para ferir ou matar.

aro (**a**.ro) substantivo masculino Pequeno círculo de metal ou madeira; argola, anel.

arquipélago (ar.qui.**pé**.la.go) substantivo masculino Grupo de ilhas próximas umas das outras.

arrancar (ar.ran.car) verbo **1.** Tirar, retirar com força: *arrancou um fio de cabelo*. **2.** Sair de repente, depressa: *os carros arrancaram na largada*.

arranha-céu (ar.ra.nha-**céu**) substantivo masculino Edifício muito alto, com muitos andares. ▶ Plural: *arranha-céus*.

arredondado (ar.re.don.**da**.do) adjetivo Que tem forma redonda, sem pontas ou arestas: *a faca de mesa tem ponta arredondada*.

arrepio (ar.re.**pi**.o) substantivo masculino Estremecimento ou tremor rápido por causa de frio, medo ou outra emoção.

arroba (ar.**ro**.ba) [ô] substantivo feminino **1.** Medida de peso para gado, equivalente a 15 quilos. **2.** Sinal (@) usado nos endereços de correio eletrônico.

arroz (ar.**roz**) substantivo masculino Planta de origem asiática, cujo grão é um alimento muito importante, consumido em quase todo o mundo.

arte (**ar**.te) substantivo feminino **1.** Capacidade de se expressar em uma linguagem como literatura, desenho, música, pintura, dança, interpretação, escultura e outras. **2.** Conjunto de obras artísticas. **3.** Travessura, traquinagem: *aquele menino vive fazendo arte*.

artista (ar.**tis**.ta) substantivo de dois gêneros Pessoa que faz arte, que trabalha com arte: *artistas amadores e artistas profissionais*.

árvore (**ár**.vo.re) substantivo feminino Vegetal grande, com tronco de madeira, galhos e ramos que formam a copa: *é tão bom descansar à sombra de uma árvore*.

asa (**a**.sa) substantivo feminino **1.** Membro das aves que permite que os pássaros voem, ajuda as galinhas a correr e os pinguins a nadar. **2.** Parte do corpo de alguns insetos usada para voar. **3.** Parte da xícara que serve para segurá-la. **4.** Parte do avião que faz com que ele se sustente no ar.

ascendente (as.cen.**den**.te) adjetivo **1.** Que sobe, que se dirige para cima: *a letra h minúscula tem uma haste ascendente, a letra p tem uma haste descendente*. ★substantivo de dois gêneros **2.** Antepassado; pessoa de quem se descende: *meu avô é meu ascendente*.

asno (**as**.no) substantivo masculino **1.** Jumento. **2.** Pessoa estúpida, de pouco entendimento.

assar (as.**sar**) verbo Submeter à ação do fogo, queimar, tostar.

assinalar (as.si.na.**lar**) verbo **1.** Marcar com sinal. **2.** Dar notícia ou conhecimento de.

assinar (as.si.**nar**) verbo Pôr o próprio nome ou sinal em: *assine seus trabalhos de escola no início da folha*.

assobio (as.so.**bi**.o) substantivo masculino **1.** Som agudo que se faz assoprando com os lábios em certa posição: *anunciou sua chegada ao acampamento com um assobio*. **2.** Pio longo feito por ave.

assombração (as.som.bra.**ção**) substantivo feminino **1.** Ação de assombrar ou assustar, metendo medo. **2.** Fantasma, alma do outro mundo, ser fantástico ou assustador.

assunto (as.**sun**.to) substantivo masculino
Aquilo sobre o que se conversa, escreve, lê, discute; tema, matéria.

astro (**as**.tro) substantivo masculino **1.** Nome que se dá aos corpos celestes em geral: *as estrelas, os planetas, o Sol, a Lua são astros*. **2.** Pessoa que se destaca em espetáculos ou no esporte: *astro do cinema, astros do automobilismo*.

astronave (as.tro.**na**.ve) substantivo feminino
Nave que faz viagens para fora deste planeta, que navega no espaço.

atabaque (a.ta.**ba**.que) substantivo masculino
Tambor em formato de cone, tocado com as mãos.

atalho (a.**ta**.lho) substantivo masculino
Caminho secundário, fora da estrada principal, usado para encurtar a distância.

atenção (a.ten.**ção**) substantivo feminino
1. Capacidade de se concentrar em alguma coisa. **2.** Gesto delicado que demonstra consideração: *a enfermeira teve muita atenção com os feridos*. ★interjeição **3.** Aviso de alerta, de cuidado. ▶ Plural: *atenções*.

atento (a.**ten**.to) adjetivo **1.** Qualidade de quem presta atenção à alguma coisa, que se concentra em algo: *o garoto estava atento à leitura*. **2.** Que está alerta, vigilante: *o cão estava atento a todos os ruídos*.

atiradeira (a.ti.ra.**dei**.ra) substantivo feminino
Galho ou pedaço de madeira em forma de Y com um elástico amarrado, com que se atiram pedrinhas; estilingue, bodoque.

atlas (**a**.tlas) substantivo masculino Livro que contém uma coleção de mapas. ▶ Plural: *atlas*.

atleta (a.**tle**.ta) substantivo de dois gêneros
Pessoa que pratica esportes.

atmosfera (at.mos.**fe**.ra) substantivo feminino
Camada de ar que cobre a Terra.

ato (**a**.to) substantivo masculino **1.** Aquilo que se fez; ação; obra; feito. **2.** Divisão de uma peça de teatro.

ator (a.**tor**) substantivo masculino Pessoa que representa em teatro, cinema, televisão e outros espetáculos; artista. ▶Feminino: *atriz*.

atrás (a.**trás**) advérbio **1.** Na parte posterior; detrás: *a caneta caiu atrás da mesa*. **2.** Anteriormente, antes: *esteve na praia meses atrás*. **3.** Depois: *chegou atrás de todo mundo*.

atrasar (a.tra.**sar**) verbo **1.** Pôr ou ficar para trás: *o jogador atrasou a bola*. **2.** Deixar de fazer algo no devido tempo: *atrasou o pagamento da conta*. **3.** Chegar depois do horário estabelecido: *atrasou-se para a aula*.

atriz (a.**triz**) substantivo feminino Mulher que representa em teatro, cinema, televisão e outros espetáculos; artista. ▶Masculino: *ator*.

atum ••• azul

atum (a.**tum**) substantivo masculino Peixe marinho de carne muito apreciada, que pode medir mais de dois metros e pesar até 300 quilos. Vive em grandes cardumes no oceano Atlântico.

audição (au.di.**ção**) substantivo feminino Sentido com que os animais percebem os sons, captados pelo ouvido e informados ao cérebro.

aula (**au**.la) substantivo feminino **1.** Apresentação que o professor faz sobre um assunto. **2.** Lição de uma matéria.

autódromo (au.**tó**.dro.mo) substantivo masculino Local onde se realizam corridas de automóvel.

automóvel (au.to.**mó**.vel) substantivo masculino Veículo com motor, para transporte terrestre de passageiros; carro.

autor (au.**tor**) substantivo masculino **1.** Pessoa que cria uma obra artística, literária ou científica: *aquele autor já escreveu muitos livros*. **2.** Pessoa que faz alguma coisa, que é a causa de alguma coisa: *o rapaz alto foi o autor do crime*.

ave (a.**ve**) substantivo feminino Animal vertebrado que bota ovos, possui bico, duas patas, duas asas e corpo revestido de penas: *o canário, o urubu e a galinha são aves*.

avenida (a.ve.**ni**.da) substantivo feminino Rua larga, movimentada, com mais de uma pista para os veículos circularem.

avestruz (a.ves.**truz**) substantivo masculino Ave de penas pretas e brancas, com longo pescoço nu, que chega a 2 metros de altura e é a maior ave do mundo, corre muito e não voa.

avião (a.vi.**ão**) substantivo masculino Veículo que voa, com asas e quase sempre com vários motores, para transporte aéreo de pessoas e cargas; aeroplano. ▶ Plural: *aviões*.

avô (a.**vô**) substantivo masculino Pai do pai ou da mãe; vovô, vô. ▶ Feminino: *avó*. (Veja apêndice da página 262)

avós (a.**vós**) substantivo masculino plural **1.** O avô e a avó. **2.** Antepassados, ascendentes.

azul (a.**zul**) adjetivo **1.** Que é da cor do céu limpo de nuvens, da cor do mar profundo: *lápis azul*. ★ substantivo masculino **2.** Essa cor: *pintei o carro de azul*. ▶ Plural: *azuis*. (Veja apêndice da página 256)

Bb

b, B substantivo masculino Segunda letra do nosso alfabeto, consoante, de nome "bê".

baba (**ba**.ba) substantivo feminino **1.** Saliva que escorre da boca. **2.** Líquido viscoso de algumas plantas: *a baba do quiabo*.

babá (ba.**bá**) substantivo feminino Mulher que toma conta de crianças, em geral de colo ou com até 6 anos.

babaçu (ba.ba.**çu**) substantivo masculino Palmeira amazônica cujos frutos têm amêndoas comestíveis que fornecem óleo.

bacia (ba.**ci**.a) substantivo feminino **1.** Vasilha redonda e larga, de pequena profundidade, usada para lavar roupas ou alimentos. **2.** Cavidade óssea na base inferior do tronco do corpo humano.

bagagem (ba.ga.**gem**) substantivo feminino Conjunto de objetos, pacotes e malas que os viajantes carregam.

bago (**ba**.go) substantivo masculino **1.** Cada fruto do cacho de uva. **2.** Qualquer fruto que se assemelhe à uva.

bagre (**ba**.gre) substantivo masculino Peixe sem escamas, que tem a boca grande, coberta de fios, e um ferrão venenoso.

bagunça (ba.**gun**.ça) substantivo feminino Desordem, confusão, balbúrdia.

bailarino (bai.la.**ri**.no) substantivo masculino Pessoa que dança balé.

baile (**bai**.le) substantivo masculino Reunião em que as pessoas dançam.

bairro (**bair**.ro) substantivo masculino Cada uma das divisões principais de uma cidade.

baixo (**bai**.xo) adjetivo **1.** De tamanho pequeno, com pouca altura. ⭐advérbio **2.** De modo que faça som fraco, com pouco volume: *falou bem baixo para os outros não ouvirem*.

bala (**ba**.la) substantivo feminino **1.** Caramelo de açúcar, com várias cores e sabores, que dissolve na boca. **2.** Objeto que uma arma de fogo atira.

balança (ba.**lan**.ça) substantivo feminino Instrumento usado para medir o peso de pessoas, objetos, alimentos etc.

balançar (ba.lan.**çar**) verbo Mover para frente e para trás ou para os lados: *o vento balança a roupa no varal*.

balanço (ba.**lan**.ço) substantivo masculino **1.** Movimento de vaivém. **2.** Brinquedo composto de um assento, suspenso por cordas ou correntes, usado para balançar.

balão (ba.**lão**) substantivo masculino **1.** Veículo aéreo que flutua: *o balão voa sem motor*. **2.** Saco de papel colorido com uma chama dentro, que flutua alto no céu: *os balões das festas juninas podem causar incêndios*. **3.** Bola de plástico ou borracha que se enche de ar; bexiga.

balé (ba.**lé**) substantivo masculino Dança artística, em que os gestos e movimentos dos bailarinos são combinados; bailado.

baleia (ba.**lei**.a) substantivo feminino Grande mamífero marinho, de pele lisa e narinas localizadas no alto da cabeça.

balsa (**bal**.sa) substantivo feminino Embarcação usada para carregar pessoas e veículos na travessia de trechos curtos de mar ou rio.

bambu (bam.**bu**) substantivo masculino Planta alta, cujo caule é usado na fabricação de móveis, bengala, vara de pesca etc.

banana (ba.**na**.na) substantivo feminino Fruta sem sementes, que dá em cachos, muito saborosa, consumida crua ou em doces. (Veja apêndice da página 249)

bananada (ba.na.**na**.da) substantivo feminino Doce feito de banana.

banana-da-terra (ba.na.na-da-**ter**.ra) substantivo feminino Banana nativa da América do Sul, que se come apenas cozida.

bananeira (ba.na.**nei**.ra) substantivo feminino Planta de folhas verdes e grandes que produz pencas de bananas.

bancar (ban.**car**) verbo 1. Pagar as apostas em um jogo ou os custos de uma atividade; sustentar. 2. Fingir, tentar parecer: *tentou bancar o herói e se machucou*.

banco (**ban**.co) substantivo masculino 1. Objeto para se sentar, geralmente sem encosto e sem braços, usado em praças, igrejas, jardins. 2. Estabelecimento onde se guarda ou se empresta dinheiro, pagam-se contas etc.

bandeira (ban.**dei**.ra) substantivo feminino Pedaço de pano, com desenhos, palavras ou frases, que serve para representar uma nação, um clube, um partido etc. ou para sinalizar alguma coisa: *o navio tinha bandeira portuguesa; o piloto levou uma bandeira preta pela ultrapassagem perigosa e foi desclassificado; a bandeira vermelha avisava que naquela praia era perigoso entrar no mar*.

bandeja (ban.**de**.ja) [ê] substantivo feminino Tabuleiro de bordas baixas para transportar ou servir comidas, bebidas, copos e pratos.

bando (**ban**.do) substantivo masculino 1. Grupo de pessoas ou animais; multidão. 2. Quadrilha, grupo de criminosos.

banguela (ban.**gue**.la) [é] adjetivo Que não tem dentes; desdentado, banguelo: *todas as crianças ficam banguelas por algum tempo, quando estão trocando de dente*.

banheiro (ba.**nhei**.ro) substantivo masculino Lugar com vaso sanitário, pia, chuveiro; toalete.

banho (**ba**.nho) substantivo masculino Ação de lavar o corpo: *gosto de tomar banho logo cedo*.

baqueta (ba.**que**.ta) [ê] substantivo feminino Bastão com que se tocam instrumentos de percussão: *o surdo é tocado com uma baqueta, a caixa, com duas*.

baralho (ba.**ra**.lho) substantivo masculino Conjunto de 52 cartas marcadas com números e figuras usado para jogar; jogo de cartas.

barata (ba.**ra**.ta) substantivo feminino Inseto castanho, de corpo achatado e oval, que põe ovos, tem hábitos noturnos, come de tudo, é muito comum no verão e pode transmitir doenças.

barato (ba.**ra**.to) adjetivo **1.** Que custa pouco, que tem preço baixo: *o tênis é bonito e barato*. **2.** Que cobra um preço baixo: *aquele cinema é mais barato*.

barba (**bar**.ba) substantivo feminino **1.** Pelos que nascem na parte inferior do rosto, ou queixo, do homem: *aos quinze anos ele já tinha barba*. **2.** Pelos do focinho de alguns animais.

barco (**bar**.co) substantivo masculino Veículo para andar sobre a água; embarcação.

barraca (bar.**ra**.ca) substantivo feminino Abrigo desmontável de lona, plástico ou madeira, usado como casa em acampamento, para expor mercadorias em feiras ou para proteger do sol na praia.

barraco (bar.**ra**.co) substantivo masculino Casa de construção muito simples, em madeira, palha, zinco etc.

barranco (bar.**ran**.co) substantivo masculino **1.** Lugar escavado pelas águas da chuva ou pela ação humana. **2.** Terreno inclinado na beira de estradas e rios.

barriga (bar.**ri**.ga) substantivo feminino **1.** Região do corpo onde ficam órgãos como o estômago, os intestinos, o fígado etc., responsáveis pela digestão: *levantou a camiseta e mostrou a barriga cheia de músculos; comeu tanto que ficou com dor de barriga*. **2.** Acúmulo de gordura nessa região: *ela não tinha barriga*. (Veja apêndice da página 261)

barro (**bar**.ro) substantivo masculino **1.** Terra misturada com água. **2.** Essa mistura amassada é usada na fabricação de tijolos, telhas, vasos; argila.

barulho (ba.**ru**.lho) substantivo masculino **1.** Som alto, ruído. **2.** Conflito, confusão.

base (**ba**.se) substantivo feminino **1.** Tudo o que serve de apoio. **2.** Parte inferior onde alguma coisa se apoia: *a base da xícara é o pires*.

basquete (bas.**que**.te) substantivo masculino Jogo disputado entre duas equipes de cinco jogadores que buscam colocar a bola em uma cesta usando as mãos; bola ao cesto. O mesmo que basquetebol.

bastão (bas.**tão**) substantivo masculino Vara ou pedaço de pau comprido usado como apoio ou como arma. ▶ Plural: *bastões*.

batata (ba.**ta**.ta) substantivo feminino Planta cuja raiz se come cozida, frita, assada.

bateria (ba.te.**ri**.a) substantivo feminino **1.** Instrumento de percussão constituído por um conjunto de tambores e pratos. **2.** Conjunto de panelas. **3.** Peça que serve para acumular energia para fazer funcionar aparelhos ou máquinas.

baú (ba.**ú**) substantivo masculino Caixa grande com tampa arredondada, usada para guardar brinquedos ou outros objetos.

bêbado (bê.ba.do) adjetivo Que bebeu muita bebida alcoólica e está com os sentidos alterados pelo efeito do álcool: *o motorista que provocou o acidente estava bêbado.*

bebê (be.bê) substantivo masculino Criança recém-nascida ou de poucos meses; nenê.

bebedouro (be.be.dou.ro) substantivo masculino Lugar onde se bebe água.

beber (be.ber) verbo Consumir, ingerir um líquido: *no calor bebemos mais água ou suco.*

bebida (be.bi.da) substantivo feminino 1. Qualquer líquido que se pode beber. 2. Líquido alcoólico.

beija-flor (bei.ja-flor) [ô] substantivo masculino Pássaro pequeno, colorido e brilhante, de bico longo, que se alimenta do néctar das flores e consegue flutuar no ar, pela rapidez com que bate as asas. Também é chamado de colibri. ▸ Plural: *beija-flores.*

beijo (bei.jo) substantivo masculino Ação de pressionar os lábios sobre uma pessoa, animal ou objeto, e produzir um estalo, como demonstração de carinho e afeto.

beiju (bei.ju) substantivo masculino 1. Bolo feito de massa de tapioca ou mandioca fina. 2. Biscoito fino e crocante, em forma de canudo; biju.

beleza (be.le.za) [ê] substantivo feminino 1. Qualidade do que é belo. 2. Coisa muito agradável, gostosa, boa: *as histórias deste livro são uma beleza.*

belo (be.lo) adjetivo 1. Bonito. 2. Que agrada à vista ou ao ouvido.

bem-te-vi (bem-te-vi) substantivo masculino Pássaro de bico grande, com barriga e peito amarelos e canto que lembra as palavras do seu nome, comum em todo o Brasil. ▸ Plural: *bem-te-vis.*

benefício (be.ne.fí.cio) substantivo masculino 1. Serviço que se faz de graça; favor. 2. Vantagem, ganho: *os benefícios do estudo são conhecidos.*

benigno (be.nig.no) adjetivo 1. Que gosta de fazer o bem. 2. Que não é perigoso nem maligno.

berçário (ber.çá.rio) substantivo masculino Local onde ficam os berços dos recém-nascidos nos hospitais e maternidades.

berço (ber.ço) substantivo masculino 1. Cama pequena para crianças recém-nascidas ou de colo. 2. Lugar onde alguém nasceu ou alguma coisa teve início: *o Rio de Janeiro é o berço do samba.*

berimbau (be.rim.bau) substantivo masculino Instrumento de percussão de origem africana formado por um grande arco de madeira com uma corda metálica e uma cabaça cortada, que se toca batendo com uma haste: *o berimbau é o instrumento usado nas rodas de capoeira.*

berinjela (be.rin.**je**.la) substantivo feminino
Fruto oval, de casca roxa brilhante, que se come cozido, assado ou frito.

bermuda (ber.**mu**.da) substantivo feminino
Calção que desce até os joelhos. (Veja apêndice da página 260)

berro (**ber**.ro) substantivo masculino **1.** Grito de alguns animais. **2.** Grito de pessoa, alto e áspero.

besouro (be.**sou**.ro) substantivo masculino
Nome comum a vários insetos que, ao pousar, guardam as asas finas e transparentes sob outras asas que são duras.

bexiga (be.**xi**.ga) substantivo feminino **1.** Órgão na parte inferior do abdome, onde a urina se acumula. **2.** Balão de borracha inflável usado em festas infantis.

bezerro (be.**zer**.ro) [ê] substantivo masculino
Filhote da vaca; novilho, vitelo.

biblioteca (bi.bli.o.**te**.ca) substantivo feminino
1. Coleção de livros. **2.** Sala ou edifício onde se guardam livros.

bicho (**bi**.cho) substantivo masculino
1. Qualquer animal terrestre, com exceção do homem. **2.** Pessoa grosseira. **3.** Pessoa que passou no vestibular, calouro de faculdade.

bicicleta (bi.ci.**cle**.ta) substantivo feminino
1. Veículo de transporte com duas rodas, movido pela força de pedaladas e dirigido pelo guidão. **2.** No futebol, lance em que o jogador salta e, ainda no ar, de costas para o chão, chuta a bola por cima da cabeça.

bico (**bi**.co) substantivo masculino **1.** Parte final e dura da boca das aves. **2.** Ponta de vários objetos: *bico da chaleira*.

bigode (bi.**go**.de) substantivo masculino
Parte da barba que nasce sobre o lábio superior.

bilhete (bi.**lhe**.te) [ê] substantivo masculino
1. Pequena carta. **2.** Entrada para jogos, cinema, shows.

binóculo (bi.**nó**.cu.lo) substantivo masculino
Instrumento com lentes duplas, que aumentam o tamanho de coisas distantes.

biografia (bi.o.gra.**fi**.a) substantivo feminino
Texto que conta a vida de alguém: *leu a biografia de Pelé*.

biquíni (bi.**quí**.ni) substantivo masculino Roupa de banho feminina, de duas peças, de tamanho reduzido. (Veja apêndice da página 260)

bis substantivo masculino Repetição: *os músicos voltaram, no final da apresentação, para fazer o bis*.

bisavô (bi.sa.**vô**) substantivo masculino Pai da avó ou do avô. ▶Feminino: *bisavó*. (Veja apêndice da página 262)

biscoito (bis.**coi**.to) substantivo masculino
Massa assada crocante, em geral de farinha de trigo, doce ou salgada, com formatos variados: *vovó fazia biscoitos em forma de patinho*.

bisneto (bis.**ne**.to) [é] substantivo masculino
Filho do neto ou da neta. (Veja apêndice da página 262)

bispo (**bis**.po) substantivo masculino
1. Sacerdote da Igreja Católica, superior do padre. **2.** Sacerdote de algumas igrejas evangélicas, superior do pastor. **3.** Peça do jogo de xadrez que anda na diagonal.

bloco (**blo**.co) substantivo masculino **1.** Folhas de papel presas apenas de um lado e que podem ser destacadas. **2.** Pedaço de alguma substância grande e pesada: *bloco de gelo*. **3.** Grupo de pessoas que tocam e dançam juntas na rua durante o Carnaval.

blusa (**blu**.sa) substantivo feminino Roupa feminina usada com saia ou calça e que pode ter mangas ou não. (Veja apêndice da página 260)

bobo (**bo**.bo) [ô] substantivo masculino e adjetivo Pessoa que não é muito inteligente, que diz ou faz tolices; tonto, tolo.

boca (**bo**.ca) [ô] substantivo feminino **1.** Abertura na face, pela qual os animais se alimentam e emitem sua voz. (Veja apêndice da página 261) **2.** Qualquer abertura em um objeto: *a boca da calça parecia muito larga; virou o copo com a boca para baixo*.

bochecha (bo.**che**.cha) [ê] substantivo feminino Partes mais salientes e carnudas de cada uma das faces. (Veja apêndice da página 261)

bode (**bo**.de) [ó] substantivo masculino O macho da cabra, mamífero ruminante que tem pelos longos no queixo.

boi substantivo masculino Animal doméstico, mamífero ruminante, que tem chifres, utilizado pelo ser humano no trabalho de carga e na alimentação.

boia (**boi**.a) [ói] substantivo feminino **1.** Objeto flutuante em forma de anel que mantém as pessoas na superfície da água. **2.** Objeto que flutua, usado como sinalizador. **3.** Comida ou refeição.

bola (**bo**.la) substantivo feminino **1.** Qualquer objeto em forma de esfera. **2.** Objeto esférico de plástico, borracha ou couro usado para brincadeiras e jogos.

bolacha (bo.**la**.cha) substantivo feminino **1.** Biscoito achatado, salgado ou doce. **2.** Tapa no rosto.

bolha (**bo**.lha) [ô] substantivo feminino **1.** Bolinha cheia de líquido que se forma na pele por queimadura ou atrito: *ficou com bolhas no pé de tanto correr*. **2.** Bolinha de ar que se forma na superfície de uma substância líquida quando ela é agitada ou quando está fervendo.

boliche (bo.**li**.che) substantivo masculino Jogo em que se arremessa uma bola para derrubar um conjunto de pinos com formato de garrafas.

bolo (**bo**.lo) [ô] substantivo masculino Massa de farinha com ovos, açúcar etc., assada em forma e servida em fatias: *o bolo de chocolate da minha mãe é uma delícia*.

bolsa (**bol**.sa) [ô] substantivo feminino
1. Objeto para carregar coisas, que se pendura no corpo e é formado por um saco com alça. (Veja apêndice da página 260)
2. Ajuda em dinheiro oferecida a estudantes e pesquisadores: *ganhou uma bolsa de estudos de dois mil reais; distribuir uma bolsa de pesquisa*.

bolso (**bol**.so) [ô] substantivo masculino
Saquinho de tecido costurado na roupa no qual se guardam pequenos objetos. ▶ Plural: *bolsos*.

bom adjetivo 1. Que tem qualidades; útil: *ganhei um relógio muito bom*. 2. Que é bondoso, que pratica o bem: *um bom homem*. 3. Gostoso, saboroso: *esse chocolate é bom demais*.

bomba (**bom**.ba) substantivo feminino
1. Objeto feito para explodir, causando destruição ou apenas grande ruído: *os invasores lançaram bombas sobre a cidade; estouraram bombas na festa junina*.
2. Aparelho que empurra um gás ou um líquido: *bomba de encher pneu; bomba de puxar água do poço*. 3. Reprovação em exame, em linguagem de gíria: *levou bomba no quarto ano*. 4. Notícia ou acontecimento inesperado. 5. Doce recheado de creme e geralmente coberto com calda de chocolate.

boné (bo.**né**) substantivo masculino Tipo de chapéu, com uma aba sobre os olhos. (Veja apêndice da página 260)

boneca (bo.**ne**.ca) substantivo feminino
1. Brinquedo feito com pano, louça, plástico ou outros materiais, que imita menina ou mulher, usado para brincar e também para enfeitar. 2. Mulher ou menina muito enfeitada, muito bonita.

boneco (bo.**ne**.co) substantivo masculino Figura de ser humano ou animal, feita de pano, madeira, massa etc.: *a história do boneco de piche; teatro de bonecos*.

borboleta (bor.bo.**le**.ta) [ê] substantivo feminino Inseto diurno que tem asas de cores variadas, algumas muito coloridas, e que sugam o néctar das flores.

borracha (bor.**ra**.cha) substantivo feminino
1. Substância elástica extraída do látex de algumas plantas. 2. Produto industrial feito com essa substância, usado na fabricação de pneus, calçados, elásticos etc. 3. Objeto para apagar a escrita a lápis.

bota (**bo**.ta) substantivo feminino Calçado de couro ou borracha que cobre o pé e parte da perna. (Veja apêndice da página 260)

botão (bo.**tão**) substantivo masculino
1. Pequena peça arredondada que se usa para fechar a roupa. 2. Peça que serve para controlar um aparelho. 3. A flor antes de desabrochar. ▶ Plural: *botões*.

botar (bo.**tar**) verbo Pôr, colocar: *botou um boné na cabeça e foi brincar; as aves botam um ovo por vez*.

bote (**bo**.te) [ó] substantivo masculino
1. Pequeno barco de remos feito de borracha, alumínio, madeira, fibra etc. 2. Salto da cobra para picar.

boto (**bo**.to) [ô] substantivo masculino
1. Animal mamífero aquático parecido com o golfinho, que vive principalmente nos rios da Amazônia, tendo ainda algumas espécies que vivem no mar. **2.** Personagem encantado do folclore da região Amazônica segundo a qual um golfinho encantado assume aparência humana, com os pés para trás e um furo no alto da cabeça, e namora as moças na beira do rio.

braço (**bra**.ço) substantivo masculino **1.** Parte do corpo que começa no ombro e termina na mão. (Veja apêndice da página 261) **2.** Parte dos móveis, como sofás, poltronas e cadeiras, em que apoiamos os braços: *o braço da cadeira de balanço estava quebrado*.

branco (**bran**.co) adjetivo **1.** Que é da cor do leite e das nuvens de um dia claro: *meias brancas*. ★substantivo masculino **2.** Essa cor: *o branco aparece na faixa e nas estrelas da bandeira do Brasil*. (Veja apêndice da página 256)

brasa (**bra**.sa) substantivo feminino Carvão ou madeira que está queimando mas sem chama.

brasileiro (bra.si.**lei**.ro) adjetivo **1.** Que é do Brasil, que pertence ao Brasil, que surgiu no Brasil ou está ligado ao Brasil de algum jeito: *a bandeira brasileira é verde, amarela, azul e branca; a música brasileira é apreciada em vários lugares do mundo*. ★substantivo masculino **2.** Pessoa que nasceu no Brasil ou que vive aqui: *os brasileiros e os argentinos gostam de futebol*.

bravo (**bra**.vo) adjetivo **1.** Que não tem medo, que enfrenta o perigo, corajoso. **2.** Irritado, furioso, brabo: *a professora ficou muito brava com a bagunça*.

brejo (**bre**.jo) [é] substantivo masculino **1.** Pântano. **2.** Terreno alagado, lodoso.

briga (**bri**.ga) substantivo feminino Luta, disputa, combate, desavença.

brigadeiro (bri.ga.**dei**.ro) substantivo masculino Doce pequeno feito com leite condensado e chocolate, com forma de bola coberta por chocolate granulado: *a festa tinha brigadeiros e beijinhos*.

brilhante (bri.**lhan**.te) adjetivo **1.** Que brilha, luminoso, cintilante. **2.** Que tem muito talento, inteligente: *é um estudante brilhante*. ★substantivo masculino **3.** Diamante que foi trabalhado e polido pelo joalheiro: *ganhou um anel de brilhantes*.

brincadeira (brin.ca.**dei**.ra) substantivo feminino **1.** Jogo ou divertimento infantil; passatempo, jogo. **2.** Gracejo, zombaria.

brincar (brin.**car**) verbo **1.** Divertir-se, folgar. **2.** Não levar a sério. **3.** Zombar, gracejar.

brinquedo (brin.**que**.do) [ê] substantivo masculino **1.** Objeto com que as crianças brincam, se divertem: *fazia seus próprios brinquedos de madeira*. **2.** Diversão, brincadeira, folia.

bruxa (**bru**.xa) substantivo feminino Mulher velha e feia que, nos contos de fada, usa poderes mágicos para fazer maldades e voa sentada em uma vassoura.

bule (**bu**.le) substantivo masculino Recipiente com tampa, asa e bico usado para servir chá, café, leite etc.

bumba meu boi (bum.ba meu **boi**) substantivo masculino Peça popular com danças e declamação de histórias ligadas à vida e morte de um boi, representado por um ator vestido com uma armação com cabeça e corpo de boi; bumba, boi-bumbá.

burro (**bur**.ro) substantivo masculino Mamífero que é filho do cruzamento de um jumento com uma égua ou de um cavalo com uma jumenta, é menor que o cavalo e tem as orelhas mais compridas, porém mais forte e mais resistente.

buzina (bu.**zi**.na) substantivo feminino Aparelho que produz som forte, usado nos automóveis, bicicletas e outros veículos como sinal de advertência.

búzio (**bú**.zi.o) substantivo masculino **1.** Animal que tem o corpo mole, recoberto por uma concha em forma de cone, que vive no mar. **2.** A concha desse animal, usada como enfeite, adivinhação etc.

C c

c, C ••• caçula

c, C substantivo masculino Terceira letra do alfabeto, consoante, de nome "cê".

caatinga (ca.a.**tin**.ga) substantivo feminino Vegetação característica do sertão nordestino, composta de ervas rasteiras e árvores pequenas, com poucas folhas, espinhos e caule retorcido.

cabaça (ca.**ba**.ça) substantivo feminino **1.** Fruto da cabaceira que, depois de seco, é utilizado como vaso, tigela e também usado na produção de instrumentos musicais; cuia. **2.** Recipiente feito com esse fruto.

cabana (ca.**ba**.na) substantivo feminino Casa pequena e simples, construída com palha, sapé, bambu; choupana.

cabeça (ca.**be**.ça) [ê] substantivo feminino **1.** Parte superior do corpo humano, onde ficam o cérebro, olhos, boca, nariz, orelhas. (Veja apêndice da página 261) **2.** Ponta mais larga de um objeto: *cabeça do prego*. **3.** Inteligência, raciocínio, mente.

cabelo (ca.**be**.lo) [ê] substantivo masculino Conjunto de pelos que crescem na cabeça ou outras partes do corpo humano; cabeleira.

cabra (**ca**.bra) substantivo feminino **1.** Mamífero que é a fêmea do bode. ★ substantivo masculino **2.** No Nordeste, homem forte ou valente, destemido: *Paulo é um cabra muito corajoso*.

cabrito (ca.**bri**.to) substantivo masculino Filhote da cabra.

caça (**ca**.ça) substantivo feminino **1.** Ato de perseguir animais selvagens para prendê-los ou matá-los. **2.** O animal preso ou morto: *a leoa trouxe a caça para os filhotes*.

cacau (ca.**cau**) substantivo masculino Fruto do cacaueiro, cujas sementes são usadas para fazer chocolate. (Veja apêndice da página 249)

cacho (**ca**.cho) substantivo masculino **1.** Conjunto de flores ou frutos que saem do mesmo galho ou haste. **2.** Anel de cabelo.

cachoeira (ca.cho.**ei**.ra) substantivo feminino Queda de água em um rio; catarata, cascata.

cachorro (ca.**chor**.ro) [ô] substantivo masculino **1.** Animal doméstico, de muitas raças, considerado o melhor amigo do homem; cão. **2.** Indivíduo mau, patife.

cachorro-quente (ca.chor.ro-**quen**.te) substantivo masculino Sanduíche de salsicha quente. ▶ Plural: *cachorros-quentes*.

caco (**ca**.co) substantivo masculino **1.** Pedaço de louça, cerâmica ou vidro. **2.** Coisa que se quebrou e se tornou inútil.

cacto (**cac**.to) substantivo masculino Planta típica dos desertos e regiões secas, coberta de espinhos, com caule capaz de armazenar água e que dá flores de cores vivas.

caçula (ca.**çu**.la) substantivo e adjetivo O mais novo dos filhos, seja menino ou menina.

cadarço (ca.**dar**.ço) substantivo masculino
Cordão ou fita estreita usado para amarrar alguns tipos de sapatos e tênis.

cadastro (ca.**das**.tro) substantivo masculino
Registro de pessoas, com dados para inscrição em uma lista ou serviço: *cadastro de usuários*.

cadáver (ca.**dá**.ver) substantivo masculino
Corpo sem vida, em geral de pessoa.

cadeado (ca.de.**a**.do) substantivo masculino
Tipo de fechadura portátil usada para trancar portas, portões, caixas, baús, malas etc.

cadeia (ca.**dei**.a) substantivo feminino **1.** Lugar onde se prendem pessoas que cometeram algum crime; prisão. **2.** Série de elementos ligados uns aos outros, sequência de elos. **3.** Grupo de montes e montanhas.

cadeira (ca.**dei**.ra) substantivo feminino
Assento para uma só pessoa, com encosto e às vezes com braços.

cadela (ca.**de**.la) substantivo feminino Fêmea do cão; cachorra.

caderno (ca.**der**.no) substantivo masculino
Conjunto de folhas coladas, grampeadas ou presas com espiral, utilizadas para fazer desenhos, anotações, colagens.

café (ca.**fé**) substantivo masculino **1.** Fruto do cafeeiro, que possui duas sementes que, depois de torradas e moídas, são usadas para preparar uma bebida. **2.** Bebida feita com essa semente.

caiçara (cai.**ça**.ra) substantivo de dois gêneros **1.** Pessoa que descende de índios pescadores e vive no litoral de São Paulo e do Rio de Janeiro: *os caiçaras fazem um lindo artesanato*. ★ adjetivo **2.** Relacionado ou pertencente a essas pessoas: *visitamos uma aldeia caiçara*.

caipira (cai.**pi**.ra) substantivo de dois gêneros e adjetivo Pessoa que vive no campo ou na roça.

cair (ca.**ir**) verbo Ir ao chão, levar um tombo.

cais substantivo masculino Parte do porto onde os passageiros embarcam e desembarcam.
▶ Plural: *cais*.

caixa (**cai**.xa) substantivo feminino **1.** Objeto de madeira, plástico, papelão, usado para guardar ou transportar objetos. **2.** O conteúdo de uma caixa: *comeu sozinho uma caixa de chocolates*.

caju (ca.**ju**) substantivo masculino Fruta de casca amarela com tons de vermelho, polpa macia amarelada, muito apreciada crua, em refrescos, doces etc. (Veja apêndice da página 249)

calango (ca.**lan**.go) substantivo masculino **1.** Lagarto pequeno que vive no solo e em pedras. **2.** Apelido dos primeiros trabalhadores na construção de Brasília.

calar (ca.**lar**) verbo Não falar nem gritar, fazer silêncio, ficar mudo: *a professora pediu que todos se calassem*.

calça (**cal**.ça) substantivo feminino Roupa que vai da cintura aos tornozelos e cobre as pernas. (Veja apêndice da página 260)

calçada (cal.**ça**.da) substantivo feminino Parte da rua destinada aos pedestres, um pouco mais alta do que a parte em que passam os carros; passeio.

calçado (cal.**ça**.do) substantivo masculino Peça de vestuário que cobre e protege os pés; sapato, bota, sandália, tamanco.

calcanhar (cal.ca.**nhar**) substantivo masculino A parte posterior do pé, abaixo do tornozelo e atrás do arco do pé. (Veja apêndice da página 261)

calção (cal.**ção**) substantivo masculino Calça curta e larga, usada para nadar, praticar esportes etc. (Veja apêndice da página 260)

calcinha (cal.**ci**.nha) substantivo feminino Peça íntima do vestuário feminino. (Veja apêndice da página 260)

calda (**cal**.da) substantivo feminino Água açucarada, com ou sem suco de frutas, engrossada no fogo.

caldeirão (cal.dei.**rão**) substantivo masculino Tipo de panela grande e alta, com alça, usada para ferver água e cozinhar.

caldo (**cal**.do) substantivo masculino 1. Alimento líquido obtido com o cozimento de carne, peixe, vegetais ou outras substâncias nutritivas. 2. Suco extraído de frutas e vegetais.

caligrafia (ca.li.gra.**fi**.a) substantivo feminino 1. Arte de desenhar as letras com perfeição. 2. Maneira como cada pessoa escreve, letra de cada pessoa.

calma (**cal**.ma) substantivo feminino Tranquilidade, falta de agitação, sossego: *a calma daquele lugar lhe fazia bem*.

calor (ca.**lor**) substantivo masculino 1. Sensação que um corpo quente transmite e que sentimos quando estamos próximos a ele: *o calor do aquecedor deixou-o suado*. 2. Temperatura elevada.

cama (**ca**.ma) substantivo feminino Móvel em que a pessoa se deita para dormir ou descansar; leito.

camarão (ca.ma.**rão**) substantivo masculino Pequeno animal marinho ou de água doce, com corpo comprido, cinco pares de patas, muito apreciado e utilizado na culinária.
▶ Plural: *camarões*.

cambalhota (cam.ba.**lho**.ta) substantivo feminino Movimento corporal em que os pés passam por cima da cabeça e voltam a tocar o chão.

camelo (ca.**me**.lo) [ê] substantivo masculino Mamífero ruminante sem chifres, que vive no deserto, onde é utilizado para carregar pessoas e cargas.

camelô (ca.me.**lô**) substantivo masculino Comerciante que vende brinquedos, miudezas e outros objetos nas calçadas e praças e anuncia sua mercadoria em voz alta; ambulante.

câmera (**câ**.me.ra) substantivo feminino 1. Máquina de capturar imagens de fotografia, vídeo ou cinema. 2. Filmadora.

caminhão (ca.mi.**nhão**) substantivo masculino
Veículo grande e pesado para transportar carga por rodovias. ▶ Plural: *caminhões*.

caminho (ca.**mi**.nho) substantivo masculino
1. Faixa de terreno que leva de um lugar a outro; estrada, via, atalho. **2.** Direção, destino: *seguiu seu caminho até a escola pensando no trabalho que iria fazer em equipe*.

camisa (ca.**mi**.sa) substantivo feminino Peça de roupa, com mangas curtas ou longas, fechada na frente com botões e que protege o tronco. (Veja apêndice da página 260)

camiseta (ca.mi.**se**.ta) [ê] substantivo feminino Camisa leve, geralmente feita de malha, sem gola nem botões, com ou sem mangas. (Veja apêndice da página 260)

campainha (cam.pa.**i**.nha) substantivo feminino **1.** Aparelho instalado na entrada das casas que, quando acionado, emite um som para anunciar a chegada de alguém. **2.** Aparelho semelhante instalado em telefones e relógios.

campeão (cam.pe.**ão**) substantivo masculino **1.** Pessoa ou clube que venceu todos os adversários em um campeonato esportivo. **2.** Aquele que se destaca por fazer alguma coisa muito bem: *campeão de vendas*; *campeão de audiência*.

campo (**cam**.po) substantivo masculino **1.** Região fora da cidade, onde se praticam as atividades agrícolas; área rural: *mudaram-se para o campo*. **2.** Terreno plantado: *um campo de trigo*. **3.** Local onde são realizados alguns jogos esportivos, como o futebol.

cana (**ca**.na) substantivo feminino **1.** Caule de bambu, da cana-de-açúcar e de outras plantas. **2.** Cana-de-açúcar.

cana-de-açúcar (ca.na-de-a.**çú**.car) substantivo feminino Planta de caule fino e sumarento, da qual se extrai o caldo usado na fabricação do açúcar. ▶ Plural: *canas-de-açúcar*.

caneca (ca.**ne**.ca) [é] substantivo feminino Espécie de copo de boca larga e com asa.

canela (ca.**ne**.la) [é] substantivo feminino **1.** Planta cuja casca perfumada tem muitos usos medicinais e culinários. **2.** Casca dessa árvore, usada em pó ou pau, no preparo de doces e outros pratos. **3.** Parte da perna entre o joelho e o pé. (Veja apêndice da página 261)

caneta (ca.**ne**.ta) [ê] substantivo feminino Tubo de metal ou plástico, que contém tinta, usado para escrever ou desenhar.

canguru (can.gu.**ru**) substantivo masculino Mamífero australiano cuja fêmea, como o gambá, tem na barriga uma bolsa chamada marsúpio, onde os filhotes mamam e ficam protegidos.

canino (ca.**ni**.no) adjetivo **1.** Ligado ou relacionado ao cão. **2.** Próprio de cão, semelhante ao do cão: *uma fidelidade canina*.

canja (**can**.ja) substantivo feminino **1.** Caldo que se faz com galinha e arroz. **2.** Coisa fácil de fazer: *o teste foi canja*.

cano (ca.no) substantivo masculino **1.** Tubo que permite a passagem de líquidos ou gases. **2.** Tubo nas armas de fogo, por onde sai o projétil. **3.** Parte da bota que protege a perna.

canoa (ca.no.a) [ô] substantivo feminino Embarcação a remo sem cobertura, escavada em um tronco de árvore, inventada pelos índios.

cantar (can.tar) verbo Usar a voz para fazer música.

cantiga (can.ti.ga) substantivo feminino Poesia feita para ser cantada; canção: *no folclore há cantigas de ninar, cantigas de roda e muitas outras*.

cantina (can.ti.na) substantivo feminino **1.** Restaurante italiano especializado em massas. **2.** Lugar onde se vendem bebidas e comidas em colégios, fábricas, acampamentos etc.

canto (can.to) substantivo masculino **1.** Som musical produzido pelo homem ou pelas aves. **2.** Ponto em que linhas se encontram e formam ângulo: *o canto da página*. **3.** Lugar afastado: *ele não costuma sair do seu canto*.

cantor (can.tor) substantivo masculino **1.** Aquele que canta. **2.** Aquele que tem o canto como profissão.

canudo (ca.nu.do) substantivo masculino **1.** Tubo cilíndrico, estreito e oco, de vários tamanhos, usados para diversos fins, como beber líquidos, fazer bolhas de sabão, guardar mapas, documentos, diplomas etc. **2.** O diploma.

cão substantivo masculino Mamífero doméstico de muitas raças; cachorro. ▶ Plural: *cães*.

capacete (ca.pa.ce.te) [ê] substantivo masculino Cobertura rígida para proteger a cabeça de operários, exploradores, pilotos, motociclistas, ciclistas e outros.

capim (ca.pim) substantivo masculino Planta de caule fino e folhas boas para alimentar gado, como a grama e as que crescem no pasto.

capital (ca.pi.tal) substantivo feminino **1.** Cidade em que fica o governo de um estado ou de um país. ★ substantivo masculino **2.** Dinheiro.

capitão (ca.pi.tão) substantivo masculino **1.** Posto do exército entre o tenente e o major. **2.** Pessoa que comanda o navio, que dá as ordens. **3.** Jogador mais experiente do time, que lidera seu grupo nas partidas esportivas. ▶ Plural: *capitães*.

capítulo (ca.pí.tu.lo) substantivo masculino Cada uma das divisões de um livro, novela, lei ou contrato.

capivara (ca.pi.va.ra) substantivo feminino Mamífero roedor que é o maior do Brasil, com pernas curtas, pelos de cor castanho-avermelhada, patas dianteiras com quatro dedos e traseiras com três: *a capivara vive nas margens dos rios, brejos e lagoas*.

capoeira (ca.po.**ei**.ra) substantivo feminino
1. Luta em que se usam muito as pernas, com giros e saltos, criada pelos negros durante a escravidão e praticada hoje como esporte, com o ritmo marcado por berimbau, atabaques e cantos próprios. **2.** Trecho de mata rala, não muito densa.

capuz (ca.**puz**) substantivo masculino Peça de tecido que se prende geralmente ao agasalho e que protege a cabeça do frio e da chuva.
▸ Plural: *capuzes*.

caqui (ca.**qui**) substantivo masculino Fruta vermelha, doce, rica em vitamina C. (Veja apêndice da página 249)

cara (**ca**.ra) substantivo feminino **1.** Parte da frente da cabeça; rosto, face. **2.** Fisionomia, aparência: *estava com uma boa cara*. **3.** Lado da moeda oposto ao da coroa. ★ substantivo de dois gêneros **4.** Indivíduo, pessoa, em linguagem popular ou gíria.

caracol (ca.ra.**col**) substantivo masculino **1.** Animal invertebrado terrestre, que apresenta dois tentáculos na cabeça e concha em espiral. **2.** Cacho de cabelo.
▸ Plural: *caracóis*.

carambola (ca.ram.**bo**.la) [ó] substantivo feminino Fruta de polpa amarela e sabor ácido que, quando fatiada, apresenta a forma de uma estrela de cinco pontas. (Veja apêndice da página 249)

caramelo (ca.ra.**me**.lo) [é] substantivo masculino **1.** Calda de açúcar queimado usada em doces e pudins. **2.** Bala puxa-puxa feita com essa calda.

caramujo (ca.ra.**mu**.jo) substantivo masculino Molusco aquático que tem uma concha em forma de espiral, com espécies que vivem em lagos ou rios e outras que vivem no mar.

caranguejo (ca.ran.**gue**.jo) [ê] substantivo masculino Animal que possui uma carapaça dura, dez pés e vive nos mangues e rios. Algumas espécies, como o guaiamum, são comestíveis.

carapaça (ca.ra.**pa**.ça) substantivo feminino Cobertura dura que protege o corpo de alguns animais, como os caranguejos, tatus, tartarugas, cágados, jabutis.

cardume (car.**du**.me) substantivo masculino Grupo de peixes.

careca (ca.**re**.ca) [é] substantivo de dois gêneros **1.** Parte da cabeça onde os cabelos caíram ou foram cortados perto da pele; calva. **2.** Pessoa que não tem cabelos.

caricatura (ca.ri.ca.**tu**.ra) substantivo feminino Desenho de humor que exagera os traços das pessoas, coisas ou acontecimentos.

carimbo (ca.**rim**.bo) substantivo masculino **1.** Instrumento de metal, borracha ou madeira com palavras, desenhos ou números que serve para marcar papel, tecidos ou outros materiais. **2.** A marca feita por esse instrumento.

Carnaval ••• carta

Carnaval (car.na.**val**) substantivo masculino
Festa popular realizada todos os anos, durante os três dias que antecedem a quarta-feira de cinzas: *no Carnaval do ano passado, eu e minha irmãzinha fomos para o sítio visitar a família do meu pai.*

carne (**car**.ne) substantivo feminino
1. Tecido muscular dos homens e dos animais. **2.** Esse tecido usado na alimentação: *Ana foi ao açougue comprar carne para o churrasco.*

carne de sol (car.ne de **sol**) substantivo feminino Carne salgada e exposta ao sol, típica do Nordeste do país: *carne de sol com macaxeira é um prato típico do sertão.*

carneiro (car.**nei**.ro) substantivo masculino
Mamífero ruminante, criado para a produção de lã, carne e couro. ▸ Feminino: *ovelha*.

carnívoro (car.**ní**.vo.ro) adjetivo Que se alimenta de outros animais, que come carne: *o gato é um animal carnívoro.*

carpa (**car**.pa) substantivo feminino
Peixe de água doce muito bonito, usado como decoração e na alimentação, originário do Japão.

carrapato (car.ra.**pa**.to) substantivo masculino
Animal da família das aranhas que se fixa à pele dos animais e suga seu sangue, vivendo como parasita.

carro (**car**.ro) substantivo masculino
1. Veículo terrestre, usado para o transporte de pessoas ou cargas, que pode ser puxado por um animal, como o carro de boi, ou movido por motor, como o automóvel. **2.** Brinquedo que reproduz esse veículo: *ganhou um carrinho de aniversário.*

carroça (car.**ro**.ça) [ó] substantivo feminino
Carro puxado por cavalo, burro ou outro animal, para transporte de cargas.

carrossel (car.ros.**sel**) substantivo masculino
Brinquedo de parque de diversões formado por uma grande peça circular na qual estão cavalos, carrinhos, aviões ou outros objetos onde as pessoas se sentam enquanto o conjunto gira. ▸ Plural: *carrosséis*.

carruagem (car.ru.a.**gem**) substantivo feminino
Carro de quatro rodas, luxuoso, puxado por cavalos, usado para o transporte de pessoas.

carta (**car**.ta) substantivo feminino
1. Mensagem escrita sobre papel, geralmente de uma pessoa para outra, entregue pelo correio ou por alguém contratado para isso: *vovó mandava cartas de amor para vovô com perfume no envelope, até o carteiro ficava impressionado; o carteiro trouxe uma carta para Ana, da sua amiga Bia, e outra da escola, para os pais.* **2.** Cada uma das peças de um baralho, feitas de papel grosso ou plástico, com números ou desenhos em um lado. **3.** Tamanho de papel com 279 × 216 mm.

cartaz (car.**taz**) substantivo masculino
1. Anúncio ou aviso que se coloca em lugares públicos para ser lido por muitas pessoas. **2.** Exibição de peça ou filme: *o filme da Turma da Mônica já está em cartaz*. **3.** Fama: *o goleiro está com o maior cartaz*.

carteira (car.**tei**.ra) substantivo feminino
1. Bolsa pequena de couro, plástico ou outro material usada para guardar dinheiro e documentos. (Veja apêndice da página 260) **2.** Mesa escolar, escrivaninha.

cartilha (car.**ti**.lha) substantivo feminino Livro com que se aprende a ler.

cartola (car.**to**.la) substantivo feminino
1. Chapéu masculino alto, usado em ocasiões solenes. (Veja apêndice da página 260) **2.** Sobremesa nordestina feita com bananas fritas, queijo assado, açúcar e canela.

casa (**ca**.sa) substantivo feminino
1. Lugar onde se mora; residência. **2.** Estabelecimento comercial: *casa editorial*. **3.** Abertura por onde passam os botões da roupa. **4.** Local delimitado em um tabuleiro, onde ficam as peças do jogo: *o tabuleiro de xadrez tem casas brancas e casas pretas*.

casaco (ca.**sa**.co) substantivo masculino Peça de roupa com mangas compridas, abotoada na frente que se veste por cima de tudo para proteger do frio; capote, agasalho. (Veja apêndice da página 260)

casca (**cas**.ca) substantivo feminino **1.** Parte dura do ovo, que contém a gema e a clara. **2.** Revestimento externo de caules, troncos, raízes, frutos ou sementes. **3.** Camada externa.

cascavel (cas.ca.**vel**) substantivo feminino
1. Cobra muito venenosa, que apresenta um chocalho na cauda. **2.** Pessoa má, traiçoeira.
▶ Plural: *cascavéis*.

casco (**cas**.co) substantivo masculino **1.** Unha de vários animais, como boi, porco, cavalo. **2.** Corpo das embarcações, sem os mastros, aparelhos etc.

castanha (cas.**ta**.nha) substantivo feminino
1. Fruto da castanheira, que cresce dentro de espinhos e que se come cozido ou assado. **2.** Fruto do cajueiro, que fica na ponta do caju e só pode ser comido depois de torrado.

castanha-do-pará (cas.ta.nha-do-pa.**rá**) substantivo feminino **1.** Semente que se come crua ou assada, em doces ou salgados e que também fornece óleo. **2.** Árvore que dá essa semente. ▶ Plural: *castanhas-do-pará*.

castanho (cas.**ta**.nho) adjetivo **1.** Que é da cor da castanha ou do barro escuro; marrom. ★ substantivo masculino **2.** Essa cor: *o castanho combina com o branco*.

castelo (cas.**te**.lo) [é] substantivo masculino Construção grande, em que moravam reis e nobres, protegida por um fosso, muralhas e torres; fortaleza.

castor (cas.**tor**) [ô] substantivo masculino Mamífero roedor da Europa e América do Norte, que possui pelos macios e cauda achatada, e vive em rios onde constrói abrigo com gravetos, formando represas.

catarata (ca.ta.**ra**.ta) substantivo feminino
Trecho de um rio onde a água cai de uma grande altura; cachoeira.

católico (ca.**tó**.li.co) adjetivo **1.** Que pertence à Igreja Católica Apostólica Romana, grupo religioso cristão que tem como líder o papa de Roma. ⭐ substantivo masculino **2.** Pessoa que é membro dessa Igreja.

cauda (**cau**.da) substantivo feminino
1. Prolongamento da parte traseira de alguns animais; rabo. **2.** Rastro luminoso deixado pelos cometas.

caule (**cau**.le) substantivo masculino Parte da planta que sustenta os ramos e folhas.

cavalo (ca.**va**.lo) substantivo masculino
1. Animal doméstico quadrúpede, de grande porte, cauda longa, criado para montaria e tração de veículos: *o cavalo saiu galopando.* **2.** Peça do jogo de xadrez que anda em L. ▶ Feminino: *égua*.

cavalo-marinho (ca.va.lo-ma.**ri**.nho) substantivo masculino Pequeno peixe marinho que possui a cabeça semelhante a de um cavalo e nada em posição vertical. ▶ Plural: *cavalos-marinhos*.

caverna (ca.**ver**.na) [é] substantivo feminino
Buraco grande e profundo em uma rocha; gruta: *a caverna do Diabo, no estado de São Paulo, recebe muitos visitantes*.

cebola (ce.**bo**.la) [ô] substantivo feminino
Planta cultivada em hortas, muito usada em culinária como tempero e acompanhamento.

cedilha (ce.**di**.lha) substantivo feminino Sinal escrito sob a letra **c** antes de **a**, **o** ou **u**, para indicar que deve ser pronunciada como em *cabeça*, *braço* e *açúcar*.

cegonha (ce.**go**.nha) [ô] substantivo feminino
Grande ave de pernas longas que faz longas viagens em bandos.

ceia (**cei**.a) substantivo feminino Refeição que se faz à noite, mais tarde que o jantar.

célula (**cé**.lu.la) substantivo feminino Unidade que forma partes do corpo dos seres vivos: *as células da pele escurecem com o sol; as células do sangue têm substâncias vermelhas e as células das folhas têm substâncias verdes.*

celular (ce.lu.**lar**) substantivo masculino
Aparelho de telefone móvel que usa uma bateria recarregável: *dentro do cinema ou em apresentações, desligue o celular ou saia do recinto para atender.*

cemitério (ce.mi.**té**.rio) substantivo masculino
Terreno onde se enterram os mortos.

cenoura (ce.**nou**.ra) substantivo feminino Parte que fica embaixo da terra de uma planta cultivada em horta, de cor alaranjada, muito nutritiva, que se come crua ou cozida.

centauro (cen.**tau**.ro) substantivo masculino Ser da mitologia grega que é metade homem e metade cavalo.

centena (cen.**te**.na) [ê] substantivo feminino
1. Grupo de cem unidades. **2.** Em loterias, número de três algarismos.

centopeia (cen.to.**pei**.a) substantivo feminino
Animal de corpo cilíndrico e comprido, com vários pares de patas, um par de antenas na cabeça e duas pinças de picada venenosa; lacraia.

centro (**cen**.tro) substantivo masculino **1.** Ponto situado no meio de uma circunferência. **2.** Região no meio de uma área. **3.** A parte mais ativa de uma cidade, onde ficam os bancos, as lojas, cinemas e outros.

centro-oeste (cen.tro-o.**es**.te) substantivo masculino **1.** Região que se situa entre o centro e o oeste. **2.** Região brasileira que agrupa os estados de Goiás, Mato Grosso e Mato Grosso do Sul, mais o Distrito Federal, onde fica Brasília. (Como região brasileira, é um nome próprio e deve ser escrito com letra maiúscula no início.)

cerca (**cer**.ca) [ê] substantivo feminino Obra de madeira, arame ou ferro, construída para proteger um terreno, uma plantação.

cereal (ce.re.**al**) substantivo masculino **1.** Grão de certas plantas como trigo, milho ou arroz, de grande importância na alimentação. **2.** Produto industrializado feito com um ou mais desses grãos: *gosta de cereais com leite no café da manhã*. ▶ Plural: *cereais*.

cérebro (**cé**.re.bro) substantivo masculino Principal órgão do sistema nervoso do ser humano e de outros animais vertebrados, responsável pelo pensamento e pelo controle das atividades do corpo.

cesta (**ces**.ta) [ê] substantivo feminino **1.** Utensílio feito geralmente de palha trançada, com ou sem alça, usado para guardar ou carregar roupas, alimentos e outros objetos. **2.** Conteúdo desse recipiente: *comprou três cestas de laranja*. **3.** No basquete, aro de metal com uma rede, para onde a bola é lançada.

céu substantivo masculino **1.** Espaço onde se localizam e movem os astros. **2.** Parte visível desse espaço: *olhou para o céu para ver se ia chover*. **3.** Para algumas religiões, lugar onde moram Deus, os anjos e as pessoas consideradas boas; paraíso.

chá substantivo masculino Bebida preparada com água quente e folhas secas de diversas plantas: *é muito bom tomar um chá de erva-cidreira antes de dormir*.

chaleira (cha.**lei**.ra) substantivo feminino Recipiente bojudo de metal, com bico e tampa, usado para ferver água, especialmente para o chá.

chamada (cha.**ma**.da) substantivo feminino
1. Ato de chamar. 2. Ato de chamar as pessoas pelo nome, para confirmar se elas estão presentes: *a professora faz a chamada sempre no início da aula*.

chamar (cha.**mar**) verbo 1. Dizer o nome, falar ou fazer gestos para atrair a atenção de alguém, para fazê-la vir. 2. Convidar: *chamei o Joaquim para a festa*.

chão substantivo masculino 1. Terreno onde se anda, se planta e que serve de apoio para construções. 2. Superfície da Terra; solo.

chapéu (cha.**péu**) substantivo masculino
1. Peça usada para proteger a cabeça, feita de tecido, couro, palha ou outros materiais e que possui copa e abas: *há chapéus de vários modelos*. (Veja apêndice da página 260)
2. No futebol, lance em que o jogador cobre o adversário, fazendo passar a bola por sobre sua cabeça. ▶ Plural: *chapéus*.

charada (cha.**ra**.da) substantivo feminino Jogo que consiste em adivinhar palavras com base em indicações sobre suas sílabas, sinônimos, palavras relacionadas; adivinha.

chave (**cha**.ve) substantivo feminino Instrumento que se introduz na fechadura para poder abrir ou fechar portas e cadeados.

cheio (**chei**.o) adjetivo Que tem dentro tudo o que é capaz de conter: *quando o copo está cheio não cabe mais água dentro*.

chicote (chi.**co**.te) [ó] substantivo masculino Corda ou tira de couro, presa a um cabo de madeira, usada para castigar ou conduzir animais; chibata.

chifre (**chi**.fre) substantivo masculino Formação óssea que o boi, a cabra e outros animais têm na cabeça; corno.

chimpanzé (chim.pan.**zé**) substantivo masculino Grande macaco de corpo peludo que vive na África, tem pernas curtas, braços longos e é o parente mais próximo do ser humano.

chinelo (chi.**ne**.lo) substantivo masculino Calçado preso apenas no dedo ou na parte da frente do pé; chinela: *vestiu o pijama e calçou os chinelos*. (Veja apêndice da página 260)

chinês (chi.**nês**) adjetivo 1. Da China, país da Ásia. ★ substantivo masculino 2. Pessoa que nasceu nesse lugar. 3. Idioma desse povo, escrito por ideogramas, que são símbolos que representam ideias. ▶ Feminino: *chinesa*.

chiqueiro (chi.**quei**.ro) substantivo masculino Local onde se criam porcos.

chocalho (cho.**ca**.lho) substantivo masculino
1. Sino que se prende no pescoço dos animais. 2. Brinquedo que, quando balançado, faz um barulho que diverte os bebês. 3. Instrumento musical formado por um cilindro com grãos em seu interior.

chocolate (cho.co.**la**.te) substantivo masculino
1. Alimento feito com cacau, açúcar e outras substâncias. 2. Bebida preparada com chocolate, em pó ou em barra, dissolvido no leite: *tomou um chocolate quente*.

chorar (cho.**rar**) verbo Derramar lágrimas de dor, tristeza ou emoção: *os filhotes de cachorro estavam chorando porque queriam mamar*; *Ana chorou de alegria quando fez o gol que deu a vitória a seu time*.

chuchu (chu.**chu**) substantivo masculino Fruto verde de planta trepadeira, que se come cozido.

chupeta (chu.**pe**.ta) [ê] substantivo feminino Bico de borracha dado para as crianças sugarem e se acalmarem.

chupim (chu.**pim**) substantivo masculino Ave que ocorre em todo o Brasil, que coloca seus filhotes nos ninhos de tico-tico, para que este os crie.

churrasco (chur.**ras**.co) substantivo masculino Carne assada na brasa.

chutar (chu.**tar**) verbo 1. Dar chute. 2. Tentar acertar ou descobrir algo por adivinhação, sem saber ao certo: *não tinha estudado, por isso chutou as respostas do teste*.

chute (**chu**.te) substantivo masculino
1. Bater ou empurrar alguma coisa com o pé; pontapé: *deu um chute na pedrinha para longe*. 2. Palpite, tentativa de acertar ou descobrir algo por adivinhação.

chuteira (chu.**tei**.ra) substantivo feminino Calçado esportivo adequado para chutar. (Veja apêndice da página 260)

chuva (**chu**.va) substantivo feminino Água que cai das nuvens em forma de gotas.

chuveiro (chu.**vei**.ro) substantivo masculino Aparelho com uma placa, com muitos furos, pelos quais passa a água que se usa no banho.

cicatriz (ci.ca.**triz**) substantivo feminino Sinal, marca de um ferimento já curado.

cidade (ci.**da**.de) substantivo feminino Grupo de muitas casas, edifícios, lojas, escolas, bancos ao longo de ruas e avenidas, governado por um prefeito.

cifrão (ci.**frão**) substantivo masculino Sinal ($) escrito para indicar dinheiro ou unidade monetária. ▶ Plural: *cifrões*.

cigarra (ci.**gar**.ra) substantivo feminino Inseto cujo macho emite um canto produzido por órgãos localizados no seu abdome.

cilindro (ci.**lin**.dro) substantivo masculino Corpo, objeto comprido e roliço, que tem a mesma grossura em todo o seu comprimento: *o cano e o lápis redondo têm forma de cilindro*. (Veja apêndice da página 256)

cima (**ci**.ma) substantivo feminino Em cima, por cima, de cima; na parte superior de: *o telhado fica em cima da casa*; *a bola passou por cima do muro*.

cinema (ci.**ne**.ma) substantivo masculino
1. Técnica e arte de realizar filmes: *Regina estuda cinema*. 2. Local onde se exibem filmes: *o cinema estava lotado*.

cinto (**cin**.to) substantivo masculino Faixa de couro, tecido ou outro material, que aperta a cintura com uma só volta, usada como enfeite ou para segurar a roupa. (Veja apêndice da página 260)

cintura (cin.**tu**.ra) substantivo feminino Parte do corpo humano abaixo do peito e acima dos quadris. (Veja apêndice da página 261)

cinza (**cin**.za) substantivo feminino **1.** Pó que sobra depois que a madeira, o carvão ou o papel são queimados: *cinza da fogueira*. ⭐substantivo masculino **2.** A cor desse pó, entre preto e branco: *o cinza pode ter tons escuros e tons claros*. ⭐adjetivo **3.** Que é dessa cor: *uma blusa cinza, um computador cinza*. (Veja apêndice da página 256)

cipó (ci.**pó**) substantivo masculino Planta trepadeira das matas, que se enrola no tronco das árvores.

ciranda (ci.**ran**.da) substantivo feminino **1.** Brincadeira em que as crianças formam uma roda, de mãos dadas, e giram cantando: *brincaram de ciranda a tarde toda*. **2.** Dança de adultos, em roda e com música folclórica tradicional, que acontece no Nordeste: *dançaram ciranda depois da apresentação do bumba meu boi*.

circo (**cir**.co) substantivo masculino Grande barraca circular feita de lona, onde se realizam espetáculos de trapézio, malabarismo, números com mágicos e palhaços.

circular (cir.cu.**lar**) adjetivo **1.** Que diz respeito a círculo, que tem a forma de círculo. ⭐substantivo feminino **2.** Carta reproduzida em várias cópias e enviada a diversas pessoas, comunicando alguma decisão: *a escola enviou uma circular para os pais comunicando o passeio*. ⭐verbo **3.** Mover-se em círculos; dar voltas ao redor de algo: *circularam pelos corredores do shopping mas não a encontraram*. **4.** Traçar um círculo ao redor de algo: *circulou a alternativa correta*.

círculo (**cír**.cu.lo) substantivo masculino Figura redonda, que tem a forma da circunferência: *para desenhar uma bola é só fazer um círculo*. (Veja apêndice da página 256)

circunferência (cir.cun.fe.**rên**.cia) substantivo feminino Linha curva e fechada, em que todos os pontos ficam à mesma distância de um ponto interior chamado centro.

circunflexo (cir.cun.**fle**.xo) [écs] adjetivo Acento circunflexo: acento ou sinal colocado sobre as letras **a**, **e** e **o** para indicar sílaba mais forte com pronúncia fechada, como em: *ângulo, gênio* e *avô*.

cisne (**cis**.ne) substantivo masculino Ave com pescoço longo e flexível, patas curtas e uma bela plumagem.

clara (**cla**.ra) substantivo feminino Substância transparente do ovo que envolve a gema; o branco do ovo.

claro (**cla**.ro) adjetivo **1.** Iluminado, fácil de ver. **2.** Fácil de se entender. **3.** Que tem a cor pouco intensa, tendendo ao branco.

classe (clas.se) substantivo feminino **1.** Grupo de pessoas que têm algo em comum. **2.** Alunos que estudam na mesma série e sala de aula: *minha classe tem 30 alunos*.

cobaia (co.bai.a) substantivo feminino **1.** Mamífero roedor pequeno, usado em experiências nos laboratórios; porquinho-da-índia. **2.** Pessoa ou animal que é utilizado em algum tipo de experiência.

coberto (co.**ber**.to) adjetivo **1.** Que se cobriu; tapado, protegido. **2.** Agasalhado, abrigado, vestido.

cobra (**co**.bra) substantivo feminino Réptil coberto de escamas, que não possui pernas, pés ou pálpebras, e algumas espécies têm picada venenosa; serpente.

cobra-cega (co.bra-**ce**.ga) substantivo feminino Animal de corpo cilíndrico, sem patas e sem olhos, parecido com uma grande minhoca, que vive enterrado no solo; minhocão.
▶ Plural: *cobras-cegas*.

cobrir (co.**brir**) verbo Pôr alguma coisa sobre, para o esconder ou proteger: *cobriu a cabeça com o xale*.

cocada (co.**ca**.da) substantivo feminino Doce de coco ralado com calda de açúcar, branco ou em tons de açúcar queimado.

cocar (co.**car**) substantivo masculino Adorno para cabeça feito de penas, usado por alguns povos indígenas.

cócegas (**có**.ce.gas) substantivo feminino plural Sensação acompanhada de risos, produzida pelo toque suave em partes sensíveis do corpo.

coco (**co**.co) [ô] substantivo masculino **1.** Fruto do coqueiro, que contém a água de coco e polpa branca, consumida crua ou em doces e salgados. **2.** Fruto de qualquer palmeira, de tamanhos e utilidades variados. (Veja apêndice da página 249)

cocô (co.**cô**) substantivo masculino Excremento, fezes em linguagem infantil.

coelho (co.**e**.lho) [ê] substantivo masculino Mamífero roedor de orelhas compridas e rabo curto, que cava tocas e tem muitos filhotes de cada vez.

cofre (**co**.fre) [ó] substantivo masculino Caixa resistente, de madeira ou metal, com fechadura, onde se guardam joias, dinheiro, documentos e objetos de valor: *muitos cofres têm segredo*.

cogumelo (co.gu.**me**.lo) substantivo masculino Certo tipo de fungo, com alguns tipos comestíveis e outros venenosos.

coice (**coi**.ce) substantivo masculino Golpe dado pelos animais com as patas traseiras.

cola (**co**.la) substantivo feminino Substância grudenta ou pegajosa, usada para unir duas superfícies.

colar (co.**lar**) verbo **1.** Juntar, unir duas superfícies com cola; grudar. **2.** Copiar às escondidas as respostas das questões de uma prova, sem que o professor ou examinador perceba: *Clara foi reprovada porque o professor a viu colar na prova.* ★substantivo feminino **3.** Enfeite de contas, pedras etc., que se usa no pescoço.

colchão (col.**chão**) substantivo masculino Peça que se coloca sobre a cama para nos deitarmos sobre ela. ▶ Plural: *colchões*.

colchete (col.**che**.te) [ê] substantivo masculino **1.** Ganchinho de metal que se usa para prender uma parte do vestuário à outra. **2.** Cada um dos dois sinais gráficos em forma de parênteses retos ([ ]).

colega (co.**le**.ga) [é] substantivo de dois gêneros Companheiro de escola, profissão ou trabalho: *convidei meus colegas de escola para a festa.*

colégio (co.**lé**.gio) substantivo masculino Estabelecimento de ensino, escola.

coleira (co.**lei**.ra) substantivo feminino Espécie de colar que se coloca no pescoço dos animais para prendê-los ou reconhecê-los.

coletivo (co.le.**ti**.vo) adjetivo **1.** Que pertence a várias pessoas; comum; que não é individual: *interesses coletivos, bens coletivos*. **2.** Que deve atender ou servir a várias pessoas ao mesmo tempo; que não é individual: *transporte coletivo, atendimento coletivo*. ★substantivo masculino e adjetivo **3.** Veículo para transportar muitas pessoas de uma vez, como ônibus.

colher (co.**lher**) [é] substantivo feminino Utensílio para tomar sorvete, sopa ou para mexer bebidas, que tem uma parte côncava e um cabo.

colher (co.**lher**) [ê] verbo Pegar, apanhar, recolher: *Tatiana colheu rosas no jardim para enfeitar a mesa; Lara colheu informações nos livros da biblioteca.*

colmeia (col.**mei**.a) [éi] substantivo feminino Casa, habitação de abelhas.

colocar (co.lo.**car**) verbo **1.** Pôr, posicionar. **2.** Aplicar, introduzir.

colorir (co.lo.**rir**) verbo Dar cor a alguma coisa, pintar: *coloriu todas as figuras do álbum.*

coluna (co.**lu**.na) substantivo feminino **1.** Haste cilíndrica para sustenção ou apoio. **2.** Área vertical de uma tabela, livro, jornal ou revista. **3.** Conjunto de ossos que ficam no meio das costas, do pescoço até a cintura, e dão estrutura ao tronco; coluna vertebral. (Veja apêndice da página 261)

começar (co.me.**çar**) verbo **1.** Iniciar: *começou a chover*. **2.** Ter começo: *o filme já começou*.

comer (co.**mer**) verbo **1.** Mastigar e engolir. **2.** Alimentar-se.

comestível (co.mes.**tí**.vel) adjetivo Que se pode comer: *a batata só é comestível depois de cozida.*

cometa (co.**me**.ta) [ê] substantivo masculino Astro pequeno, formado basicamente por gelo e poeira, que gira em torno do Sol e que adquire uma cauda luminosa quando se aproxima dele.

comida (co.**mi**.da) substantivo feminino Tudo aquilo que serve para comer.

companheiro (com.pa.**nhei**.ro) substantivo masculino **1.** Aquele que participa da vida, das atividades de outra pessoa. **2.** Aquele que acompanha, faz companhia.

competição (com.pe.ti.**ção**) substantivo feminino **1.** Ação de competir, de testar para ver quem é o melhor; disputa. **2.** Prova esportiva: *competição de remo*. **3.** Rixa, rivalidade.

compra (**com**.pra) substantivo feminino **1.** Ato de comprar. **2.** Aquilo que se comprou.

comprar (com.**prar**) verbo Obter, adquirir por dinheiro.

comprido (com.**pri**.do) adjetivo **1.** Extenso, longo: *avenida comprida*. **2.** Alto: *o menino está ficando comprido*. **3.** Demorado, cansativo: *filme comprido*.

computador (com.pu.ta.**dor**) substantivo masculino Equipamento eletrônico capaz de armazenar e manipular dados, pesquisar informações, realizar cálculos, desenhos etc.: *usamos o computador para fazer pesquisas e também para jogar*.

côncavo (**côn**.ca.vo) adjetivo Curvo para dentro: *o lado de dentro da colher é côncavo*.

concha (**con**.cha) substantivo feminino **1.** Casca dura que envolve o corpo de certos animais. **2.** Colher grande e funda, para servir sopa, feijão etc.

cone (**co**.ne) [ô] substantivo masculino **1.** Corpo sólido de base circular que se afina em uma ponta. **2.** Qualquer objeto com essa forma: *o pião tem forma de cone invertido*. (Veja apêndice da página 256)

confete (con.**fe**.te) [é] substantivo masculino Rodelinhas de papel de várias cores, com que se brinca no Carnaval.

confundir (con.fun.**dir**) verbo Misturar as coisas, tomar uma coisa por outra: *Mariana se confundiu com as datas e foi à festa de aniversário no dia errado*.

confuso (con.**fu**.so) adjetivo **1.** Misturado, fora de ordem. **2.** Difícil de entender, pouco claro.

confusão (con.fu.**são**) substantivo feminino **1.** Ação de confundir. **2.** Tumulto; briga; desordem. ▶ Plural: *confusões*.

cônico (**cô**.ni.co) adjetivo Que tem formato de cone; que se afina em uma ponta.

conjunto (con.**jun**.to) substantivo masculino **1.** Reunião de partes, peças ou elementos que formam um todo: *o conjunto dos triângulos e o conjunto dos círculos*. **2.** Grupo musical.

consertar (con.ser.**tar**) verbo Arrumar, corrigir, fazer funcionar o que estava quebrado ou com algum defeito: *mamãe consertou a alça da mochila*.

consoante (con.so.**an**.te) substantivo feminino Letra como **p**, **b**, **d** e outras, que necessita de uma vogal para ser pronunciada.

constelação (cons.te.la.**ção**) substantivo feminino Conjunto de estrelas. ▶ Plural: *constelações*.

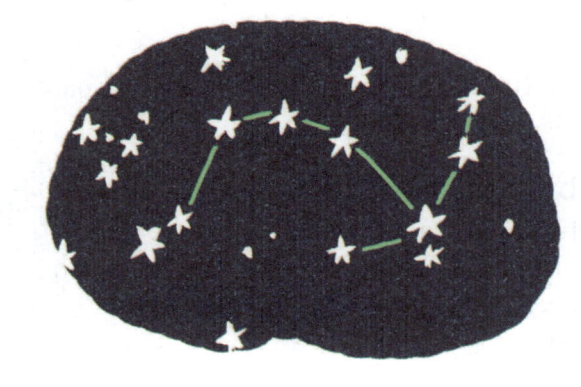

conta (**con**.ta) substantivo feminino
1. Ato de contar. **2.** Operação aritmética; cálculo: *uma conta de somar*. **3.** Total a pagar por uma despesa: *a conta da lanchonete*. **4.** Bolinha com que se fazem colares, pulseiras, rosários etc.

contar (con.**tar**) verbo
1. Verificar uma quantidade: *contou quantas bolinhas de gude havia na caixa*. **2.** Expor, narrar, relatar: *contar uma história*.

conter (con.**ter**) verbo
1. Ter em si: *o suco contém água*. **2.** Manter sob controle: *conteve o medo para não chorar*.

continente (con.ti.**nen**.te) substantivo masculino Grande extensão de terra cercada pelo oceano: *a Terra é dividida em seis continentes, que são América, África, Europa, Ásia, Oceania e Antártida; o Brasil fica no continente americano*.

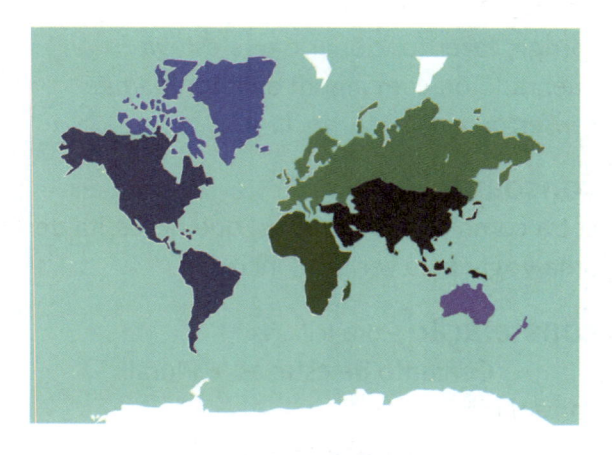

contínuo (con.**tí**.nuo) adjetivo Que não para; que não é interrompido.

conto (**con**.to) substantivo masculino Narração oral ou escrita, não muito longa, de fatos imaginários ou reais; história: *Chapeuzinho Vermelho é um conto infantil muito conhecido*.

contorno (con.**tor**.no) [ô] substantivo masculino Linha que desenha a forma de um corpo.

controlar (con.tro.**lar**) verbo
1. Mandar, ter autoridade sobre: *controlar os músculos, controlar a entrada*. **2.** Cuidar para que as coisas estejam como se quer. **3.** Conter: *controlar a raiva*.

controle (con.**tro**.le) [ô] substantivo masculino **1.** Ação de controlar alguém ou alguma coisa: *o piloto tem total controle sobre o carro*. **2.** Aparelho para controlar um equipamento: *o controle remoto serve para ligar e desligar a tevê de longe*.

convexo (con.**ve**.xo) [écso] adjetivo Curvo para fora: *o lado de baixo da bacia é convexo*.

copa (**co**.pa) [ó] substantivo feminino
1. Parte superior das árvores formada pelos ramos e folhas. **2.** Parte da casa próxima da cozinha, onde são feitas as refeições.

cópia (**có**.pia) substantivo feminino
1. Reprodução do que está escrito em algum lugar: *copiou a história do livro*. **2.** Imitação. **3.** Reprodução de uma obra de arte, de uma fotografia, de um filme.

copiar (co.pi.**ar**) verbo
1. Fazer cópia.
2. Imitar.

copo (**co**.po) [ó] substantivo masculino
1. Recipiente de vidro ou plástico, sem asa e sem tampa, usado para beber líquidos. **2.** O conteúdo de um copo: *bebeu três copos de refrigerante*.

coqueiro (co.**quei**.ro) substantivo masculino
Palmeira que dá coco.

cor [ô] substantivo feminino Impressão que a luz produz dentro do olho. ▶ Plural: *cores*. (Veja apêndice da página 256)

coração (co.ra.**ção**) substantivo masculino
1. Órgão que fica no peito e bate para bombear o sangue para todo o corpo. **2.** Parte central, profunda: *o coração da floresta*. **3.** Parte emocional da pessoa, sede dos sentimentos, do amor: *aquele bandido não tem coração*. ▶ Plural: *corações*.

coragem (co.**ra**.gem) substantivo feminino
Energia para vencer o medo e enfrentar um perigo.

corajoso (co.ra.**jo**.so) [ô] adjetivo Que não tem medo, que enfrenta os perigos; valente. ▶ Plural: *corajosos* [ó].

coral (co.**ral**) substantivo masculino **1.** Animal invertebrado que vive em grupos chamados de colônias, principalmente nos mares quentes, fixo às pedras, e forma os recifes, que servem de casa para muitos animais marinhos. **2.** Canto de várias pessoas, em coro. ▶ Plural: *corais*.

corcova (cor.**co**.va) substantivo feminino
Saliência existente nas costas do camelo.

corcunda (cor.**cun**.da) substantivo feminino
1. Deformidade na coluna vertebral, que causa uma grande curvatura nas costas e às vezes no peito; giba. ★ substantivo e adjetivo
2. Pessoa que tem corcunda: *na torre vivia um corcunda*.

corda (**cor**.da) [ó] substantivo feminino
1. Conjunto de fios torcidos, usado para amarrar animais, suspender ou puxar objetos grandes etc. **2.** Fio que vibra e produz sons nos instrumentos de corda: *a corda do violão quebrou*.

corneta (cor.**ne**.ta) [ê] substantivo feminino
1. Instrumento musical de sopro usado na orquestra, em bandas militares e outras formações; trombeta. ★ adjetivo **2.** Que tem um só corno, ou chifre: *boi corneta*.

corno (**cor**.no) [ô] substantivo masculino
Chifre. ▶ Plural: *cornos* [ó].

coro (**co**.ro) [ô] substantivo masculino
Canto executado por várias vozes.

coroa (co.**ro**.a) [ô] substantivo feminino
1. Objeto que reis e rainhas usam na cabeça.
2. Símbolo do poder real.

corpo (**cor**.po) [ô] substantivo masculino
1. Tudo o que ocupa espaço: *um corpo celeste*. **2.** Parte material do animal e do ser humano: *o cachorro tem o corpo coberto de pelos*. **3.** Classe de indivíduos de uma mesma profissão ou função: *o corpo de bombeiros*, *o corpo docente da escola*. **4.** Cadáver, corpo humano sem vida.

corrente (cor.**ren**.te) substantivo feminino
Corda formada por vários elos de metal.

correr (cor.**rer**) verbo **1.** Caminhar rapidamente, com passos largos. **2.** Deslocar-se, mover-se velozmente: *aquele carro corria muito*. **3.** Dirigir-se apressadamente a: *correu para o gol*.

corrida (cor.**ri**.da) substantivo feminino **1.** Ato de correr. **2.** Disputa de velocidade: *corrida de automóveis; corrida de cavalos*.

cortina (cor.**ti**.na) substantivo feminino Peça de tecido ou outro material que protege, enfeita ou esconde algo: *cortina do teatro; cortina do banheiro*.

coruja (co.**ru**.ja) substantivo feminino Ave noturna, de olhos grandes, que se alimenta de pequenos roedores e insetos.

costas (**cos**.tas) substantivo feminino plural **1.** A parte posterior, de trás do corpo; dorso; lombo: *estou com dor nas costas; João subiu nas costas do cavalo*. (Veja apêndice da página 261) **2.** A parte posterior de vários objetos: *as costas da cadeira*.

costela (cos.**te**.la) [é] substantivo feminino **1.** Cada um dos ossos curvos e alongados que cobrem o peito. **2.** Corte de carne de boi ou porco com ossos.

costeleta (cos.te.**le**.ta) [ê] substantivo feminino **1.** Costela de alguns animais, guarnecida de carne; bisteca. **2.** Parte da barba que se deixa crescer dos dois lados do rosto junto à orelha.

cotovelo (co.to.**ve**.lo) [ê] substantivo masculino Articulação do braço com o antebraço. (Veja apêndice da página 261)

couro (**cou**.ro) substantivo masculino **1.** Pele grossa dos bovinos e de outros animais. **2.** Essa pele, depois de curtida ou tratada, usada para fazer bolsas, calçados, roupas etc.

couve (**cou**.ve) substantivo feminino Planta cultivada em hortas, de folhas grandes, verdes, ricas em vitaminas.

couve-flor (**cou**.ve-**flor**) [ô] substantivo feminino Planta cultivada em hortas, de flores claras, bem pequenas e juntinhas, comestíveis cozidas. ▶ Plural: *couves-flor* ou *couves-flores*.

coxa (**co**.xa) [ô] substantivo feminino Parte da perna que vai do quadril ao joelho. (Veja apêndice da página 261)

crânio (**crâ**.nio) substantivo masculino Caixa óssea que fica na cabeça e contém o cérebro.

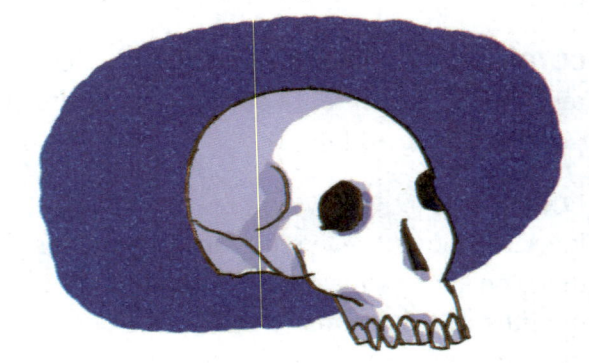

creche (**cre**.che) [é] substantivo feminino Estabelecimento que cuida de crianças em idade pré-escolar, de menos de 4 anos de idade, durante o dia.

creme (cre.me) [ê] substantivo masculino
1. Nata de leite. 2. Alimento mole, pouco mais líquido que uma pasta, feito com leite e farinha, que pode ser doce ou salgado: *bolo recheado com creme; creme de mandioquinha*. 3. Produto, entre o líquido e o sólido, usado para cuidar da pele ou dos cabelos.

crente (cren.te) adjetivo 1. Que crê, que acredita. 2. Que crê em uma religião, que segue uma fé. ⭐ substantivo 3. Evangélico.

crescente (cres.cen.te) adjetivo de dois gêneros Que cresce; que está crescendo, aumentando.

crescer (cres.cer) verbo 1. Aumentar de tamanho, número, intensidade: *meu cabelo cresce rápido; este ano a classe cresceu*. 2. Melhorar; progredir: *nosso time cresceu muito com os treinos*.

crespo (cres.po) [ê] adjetivo
1. Que não é liso, que tem a superfície ondulada, enrugada. 2. Que forma anéis ou caracóis: *cabelos crespos*.

criança (cri.an.ça) substantivo feminino Ser humano de pouca idade, que está na infância; menino ou menina.

criar (cri.ar) verbo 1. Dar existência a, dar origem a; inventar: *Sérgio criou uma história bem divertida*. 2. Educar; cuidar do desenvolvimento de alguém: *Joana criou os filhos e agora ajuda a criar os netos*. 3. Cuidar de animais para o consumo ou comércio: *Pedro cria uma vaca, por isso tem sempre leite e queijo frescos; João cria galinhas e vende ovos*.

crina (cri.na) substantivo feminino Grupo de pelos longos e resistentes no alto da cabeça, pescoço e cauda do cavalo e de outros animais.

cristal (cris.tal) substantivo masculino
1. Mineral ou rocha muito duro e de vários tipos. 2. Mineral transparente, usado para fazer copos, vasos e peças valiosas. ▶ Plural: *cristais*.

crocodilo (cro.co.di.lo) substantivo masculino Réptil semelhante ao jacaré porém maior, cujos dentes aparecem mesmo quando sua boca está fechada.

cruz substantivo feminino 1. Sinal ou desenho feito com duas retas que se cruzam: *marque a resposta com uma cruz*. 2. Símbolo de Jesus Cristo e de seus seguidores. ▶ Plural: *cruzes*.

cubo (cu.bo) substantivo masculino Corpo formado por seis faces quadradas: *o dado é um cubo*. (Veja apêndice da página 256)

cueca (cu.e.ca) substantivo feminino Peça íntima do vestuário masculino. (Veja apêndice da página 260)

cuia (cui.a) substantivo feminino Fruto seco da cuieira, de forma esférica, usado como recipiente para líquidos e na confecção de vários objetos; cabaça.

cuíca (cu.í.ca) substantivo feminino Instrumento musical típico do samba, formado por um tambor ao qual se prende uma tirinha de couro que, quando puxada, produz um som rouco, que lembra um rugido.

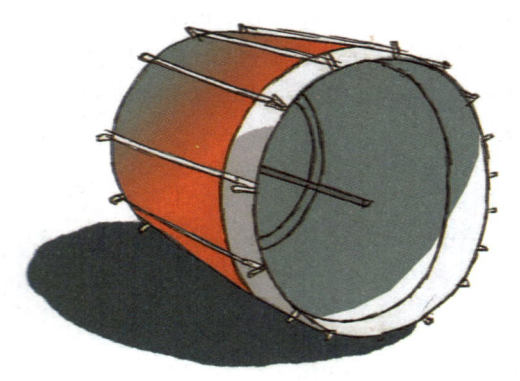

cuidar (cui.dar) verbo Interessar-se ou preocupar-se com alguém ou alguma coisa.

curativo (cu.ra.ti.vo) substantivo masculino
1. Aplicação de remédios em um machucado.
⭐ adjetivo 2. Que cura, relacionado à cura.

cursivo (cur.si.vo) substantivo masculino e adjetivo Diz-se da letra escrita à mão, em que uma letra é ligada à outra; letra de mão.

cursor (cur.sor) substantivo masculino Sinal piscante que, na tela do computador, indica onde será inserida a próxima letra ou símbolo digitado: *o cursor pode ser movimentado com as setas ou com o mouse.*

curupira (cu.ru.pi.ra) substantivo masculino Ser do folclore brasileiro que é um menino com os pés virados para trás, que vive nas matas e castiga aqueles que as destroem.

Dd

d, D ••• degrau

d, D substantivo masculino Quarta letra do nosso alfabeto, consoante, de nome "dê".

dado (**da**.do) substantivo masculino **1.** Pequeno cubo com as faces marcadas de um a seis, valendo pontos, usado em diversos jogos. **2.** Informação, característica: *preencha a ficha com seus dados, como nome, classe, dia do aniversário, nome do animal de estimação.*

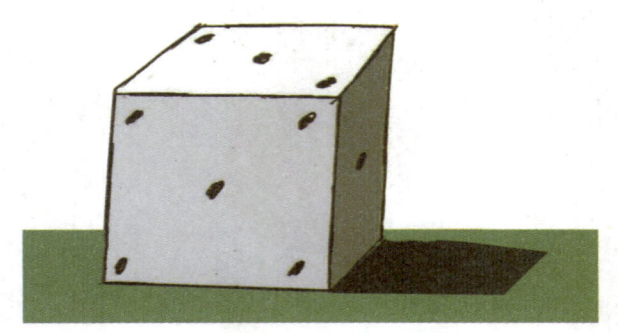

dama (**da**.ma) substantivo feminino **1.** Mulher muito gentil e educada, que pertencia à corte do rei. **2.** Tratamento delicado dado a uma mulher. Forma feminina de cavalheiro. **3.** No jogo de damas, jogado em um tabuleiro semelhante ao do xadrez, a peça que atinge a última fileira do adversário. **4.** No baralho, a carta que traz a figura de uma mulher e letra Q.

dança (**dan**.ça) substantivo feminino Conjunto de movimentos feitos pelo corpo ao som de uma música.

dançar (dan.**çar**) verbo Movimentar o corpo ao som de uma música.

dançarino (dan.ça.**ri**.no) substantivo masculino Pessoa que dança por profissão; bailarino.

dar verbo **1.** Ceder, entregar de graça; doar, presentear: *ela deu um lindo gatinho de presente.* **2.** Proporcionar, oferecer: *ele deu muita alegria a todos.* **3.** Produzir, gerar: *a roseira dá rosas.* **4.** Relacionar-se, entender-se: *ele se dá muito bem com a irmã.*

dardo (**dar**.do) substantivo masculino **1.** Pequena lança que se arremessa com a mão ou com zarabatana. **2.** Jogo que consiste em atirar essas lanças em um determinado ponto de um alvo.

data (**da**.ta) substantivo feminino Indicação de ano, mês e dia: *seu aniversário é na data do seu nascimento.*

debaixo (de.**bai**.xo) advérbio Por baixo, que está em posição inferior a algo que está acima, sob: *guardou o chinelo debaixo da cama; saiu debaixo de chuva.*

decrescente (de.cres.**cen**.te) adjetivo Que decresce, que diminui: *uma fila em ordem de tamanho decrescente vai do maior para o menor.*

dedão (de.**dão**) substantivo masculino Dedo grande da mão ou do pé. ▶ Plural: *dedões.*

dedo (**de**.do) [ê] substantivo masculino Prolongamento com ossos e articulações na mão e no pé do ser humano e na pata de vários animais: *nós temos cinco dedos em cada membro.* (Veja apêndice da página 261)

degrau (de.**grau**) substantivo masculino Parte da escada onde se apoia o pé para subir ou descer. ▶ Plural: *degraus.*

deitado (dei.**ta**.do) adjetivo **1.** Que se deitou. **2.** Que está em posição horizontal; estendido.

deitar (dei.**tar**) verbo **1.** Estender o corpo, ficar na horizontal, para descansar ou dormir: *deitou na cama*. **2.** Exalar, soltar: *o dragão deita fogo pelo nariz*.

deixar (dei.**xar**) verbo **1.** Separar-se de, ir embora de algum lugar: *deixou a casa onde morava*. **2.** Largar, soltar: *deixar cair*. **3.** Consentir, permitir: *mamãe deixou-nos ir ao cinema*.

dente (**den**.te) substantivo masculino Cada um dos pequenos ossos que existem na boca do ser humano e de alguns animais, que servem para morder e mastigar.

descendente (des.cen.**den**.te) adjetivo **1.** Que desce, que se dirige do alto para baixo: *o desempenho do aluno neste ano é descendente*. ⭐substantivo de dois gêneros **2.** Pessoa que descende de outra ou de um povo, que é filha de: *descendente de italianos*.

descer (des.**cer**) verbo **1.** Ir de um lugar mais alto para outro mais baixo. **2.** Desembarcar, sair de um carro, ônibus, trem, avião etc.

descida (des.**ci**.da) substantivo feminino Ação de descer, de seguir para baixo em um terreno inclinado.

desenhar (de.se.**nhar**) verbo Fazer desenhos, traçar figuras sobre uma superfície: *desenhou o céu no chão com giz*.

desenho (de.**se**.nho) substantivo masculino Representação de objetos, seres ou ideias sobre uma superfície usando lápis, caneta, pincel ou outro instrumento.

deserto (de.**ser**.to) adjetivo **1.** Em que não há ninguém. **2.** Vazio, pouco frequentado: *não passo em ruas desertas*. ⭐substantivo masculino **3.** Região muito seca, coberta de areia, onde raramente chove e não existe população permanente. **4.** Lugar solitário: *aquela casa ficou um deserto sem ele*.

desfile (des.**fi**.le) substantivo masculino **1.** Ação de desfilar; marchar em fila. **2.** Exibição de moda, penteados etc. **3.** Parada militar ou estudantil.

desordem (de.**sor**.dem) substantivo feminino **1.** Falta de ordem. **2.** Confusão; tumulto.

destinatário (des.ti.na.**tá**.rio) substantivo masculino Pessoa para quem se envia uma mensagem ou encomenda.

dever (de.**ver**) verbo **1.** Ter de pagar; ter dívidas. **2.** Ter obrigação de. ⭐substantivo masculino **3.** O que se está obrigado a fazer; obrigação, tarefa: *Joana fez cedo o dever de casa para brincar*.

desvio (des.**vi**.o) substantivo masculino **1.** Ato de desviar, de mudar de caminho ou rumo. **2.** Caminho alternativo, em geral usado quando a estrada ou rua principal está em obras.

detetive (de.te.**ti**.ve) substantivo masculino Pessoa que faz investigações sobre crimes, roubos ou pessoas: *o detetive descobriu quem roubou o quadro*.

dezena (de.**ze**.na) [ê] substantivo feminino
1. Grupo de dez unidades. **2.** Em loterias, número de dois algarismos.

dia (**di**.a) substantivo masculino **1.** Espaço de tempo de 24 horas: *passamos vinte dias na praia*. **2.** Espaço de tempo entre o nascer e o pôr do sol: *durante o dia fez calor e à noite esfriou*.

diagonal (di.a.go.**nal**) adjetivo **1.** Que vai de lado, inclinado, oblíquo ou transversal: *um X dentro de um quadrado forma linhas diagonais*. ★ substantivo feminino **2.** Linha ou sentido que vai nessa direção: *chutou na diagonal para o gol*.

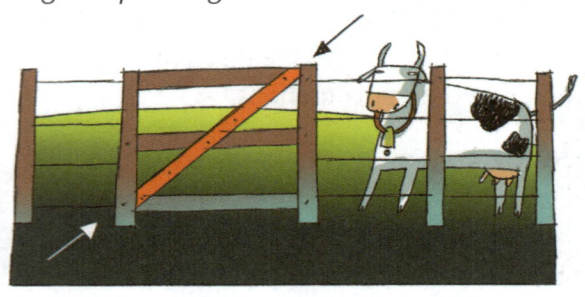

diamante (di.a.**man**.te) substantivo masculino Pedra preciosa muito dura e de brilho intenso; brilhante.

dicionário (di.ci.o.**ná**.rio) substantivo masculino **1.** Obra que descreve as palavras de uma língua, organizada em verbetes e em ordem alfabética: *dicionário de português*.
2. Obra que descreve um conjunto de palavras; vocabulário: *dicionário de gírias; dicionário de mitologia*.

diferença (di.fe.**ren**.ça) substantivo feminino **1.** Qualidade do que não é igual. **2.** O que diferencia um ser de outro: *duas diferenças entre banana e laranja são forma e gosto*.

digestão (di.ges.**tão**) substantivo feminino Ação de digerir, de transformar os alimentos em substâncias que o corpo pode utilizar: *mastigar devagar ajuda a digestão*.

digital (di.gi.**tal**) adjetivo **1.** Relacionado a dedo, feito com os dedos: *impressão digital*. **2.** Relacionado a dígito; numérico: *relógio digital*.

dígito (**dí**.gi.to) substantivo masculino **1.** Cada um dos algarismos de 0 a 9, ou números arábicos, e suas posições: *100 é um número de três dígitos*. **2.** Dedo.

dígrafo (**dí**.gra.fo) substantivo masculino Grupo de duas letras, como **ch**, **lh** e **nh**, usadas para escrever um só som, como em: *chinelo, palha, minha*. Também são dígrafos o **rr**, usado em *barro*; o **ss**, de *massa*; o **gu**, de *foguete*, e o **qu**, de *quente*.

diminuição (di.mi.nu.i.**ção**) substantivo feminino **1.** Ato de diminuir, de tornar menos numeroso ou menor. **2.** Subtração.

dinheiro (di.**nhei**.ro) substantivo masculino **1.** Moeda ou nota, usada para comprar coisas e para pagar o trabalho das pessoas: *o dinheiro do Brasil é o real*. **2.** Riqueza, fortuna: *ele tem muito dinheiro*.

dinossauro (di.nos.**sau**.ro) substantivo masculino Réptil extinto, com espécies bem diferentes, algumas de duas e de quatro patas, umas carnívoras e outras herbívoras, algumas semelhantes a lagartos com vários metros de altura e pescoço longo.

diploma (di.**plo**.ma) [ô] substantivo masculino
Documento dado por uma escola como prova de que o aluno concluiu o curso: *estava feliz pois conseguiu o diploma do ensino médio*.

direção (di.re.**ção**) substantivo feminino
1. Ato de dirigir. **2.** Comando, governo: *estava na direção do time*. **3.** Sentido, lado: *ande naquela direção*. **4.** Volante de um veículo. ▶ Plural: *direções*.

direita (di.**rei**.ta) substantivo feminino
1. O lado direito. **2.** A mão direita.

dirigir (di.ri.**gir**) verbo **1.** Comandar, dizer às pessoas o que elas devem fazer. **2.** Guiar, conduzir, levar um veículo: *dirija com cuidado!*

disciplina (dis.ci.**pli**.na) substantivo feminino
1. Obediência às regras; bom comportamento: *aquela classe tem muita disciplina*. **2.** Cada uma das matérias ensinadas na escola.

disco (**dis**.co) substantivo masculino **1.** Objeto achatado e circular. **2.** Peça de madeira e metal que os atletas lançam em competições esportivas. **3.** Chapa que contém a gravação de músicas e sons. **4.** Peça do computador que armazena programas, dados etc.

dispositivo (dis.po.si.**ti**.vo) substantivo masculino Aparelho ou peça que cumpre uma determinada função: *o interruptor é um dispositivo para acender e apagar a luz*.

disquete (dis.**que**.te) substantivo masculino
Pequeno disco flexível, protegido por capa plástica quadrada, usado para armazenar informações e programas de computador.

distância (dis.**tân**.cia) substantivo feminino
Espaço, intervalo que separa duas coisas.

distração (dis.tra.**ção**) substantivo feminino
1. Falta de atenção. **2.** Diversão; aquilo que se faz para se divertir. ▶ Plural: *distrações*.

distraído (dis.tra.**í**.do) adjetivo Que não presta atenção ao que faz, desatento: *andava tão distraído que quase foi atropelado*.

distrair (dis.tra.**ir**) verbo **1.** Parar de prestar atenção. **2.** Fazer coisas agradáveis, sem se preocupar com nada.

distribuir (dis.tri.bu.**ir**) verbo Repartir, dividir, dar a diferentes pessoas: *Cris distribuiu os brindes aos convidados*.

ditado (di.**ta**.do) substantivo masculino
1. Exercício escolar em que os alunos escrevem aquilo que o professor lê. **2.** O texto ditado: *o ditado foi fácil*. **3.** Provérbio: *vovó gostava do ditado "macaco velho não põe a mão em cumbuca"*.

ditongo (di.**ton**.go) substantivo masculino
Reunião de uma vogal (como **a**, **e** ou **o**) e de uma semivogal (como **u** ou **i**) na mesma sílaba, como em: *pai, pau, lei, rio*.

diversão (di.ver.**são**) substantivo feminino
Aquilo que se faz por prazer, como jogos e brincadeiras. ▶ Plural: *diversões*.

divisão (di.vi.**são**) substantivo feminino
1. Ato de dividir, de separar um todo em partes. **2.** Operação matemática para determinar quantas vezes um número contém outro. ▶ Plural: *divisões*.

divisor (di.vi.**sor**) adjetivo **1.** Que divide. ⭐ substantivo masculino **2.** Número pelo qual se divide outro para chegar ao resultado.

dobra (**do**.bra) substantivo feminino Parte de tecido ou papel virada e colocada sobre outra; vinco, prega.

dobradura (do.bra.**du**.ra) substantivo feminino **1.** Ato de dobrar, de fazer dobra; dobramento. **2.** Arte de fazer objetos com papel dobrado; origami.

dobro (**do**.bro) [ô] substantivo masculino Duas vezes alguma coisa; duplo: *o dobro de três é seis; o quarto ano tem o dobro de alunos que o nono ano*.

doce (**do**.ce) [ô] adjetivo **1.** Que tem sabor parecido com o do mel, das frutas maduras ou do açúcar: *o suco está bem doce*. **2.** Agradável, meigo, carinhoso, suave, gentil: *palavras doces*. ⭐ substantivo masculino **3.** Comida cujo gosto lembra o do mel, das frutas maduras ou do açúcar: *doce de goiaba; na festa tinha brigadeiro e outros doces*.

documento (do.cu.**men**.to) substantivo masculino **1.** Papel ou cartão que prova alguma coisa: *o documento de identidade prova quem é a pessoa*. **2.** Registro de fatos, que pode ser escrito, gravado ou fotografado: *o diploma é um documento que prova a conclusão do curso*.

doença (do.**en**.ça) substantivo feminino Problema de saúde: *a gripe é uma doença muito comum*.

doente (do.**en**.te) substantivo masculino Pessoa que não está bem de saúde, que tem alguma doença.

domador (do.ma.**dor**) substantivo masculino Aquele que amansa, domestica.

doméstica (do.**més**.ti.ca) substantivo feminino Mulher contratada para fazer o trabalho doméstico; empregada doméstica.

domicílio (do.mi.**cí**.lio) substantivo masculino A residência, a casa; habitação.

dominó (do.mi.**nó**) substantivo masculino Jogo que se compõe de 28 peças ou pedras com pontos marcados de 0 a 6.

dormitório (dor.mi.**tó**.rio) substantivo masculino Lugar onde se dorme.

dorso (**dor**.so) [ô] substantivo masculino **1.** Região posterior, traseira de um organismo ou órgão; costas; lado oposto ao ventre: *o dorso dos animais é chamado lombo*. **2.** No ser humano, parte de trás do tronco, entre os ombros e a cintura; costas.

dose (**do**.se) [ó] substantivo feminino Quantidade determinada de uma substância.

dourado (dou.**ra**.do) adjetivo Que é amarelo e brilhante como o ouro.

dragão (dra.**gão**) substantivo masculino Monstro fabuloso com cauda de serpente, garras, asas e que cospe fogo. ▶ Plural: *dragões*.

drible (**dri**.ble) substantivo masculino Ato ou efeito de driblar, de controlar a bola e passar pelo jogador adversário com movimentos do corpo; finta.

dublado (du.**bla**.do) adjetivo Diz-se de filme com as falas gravadas em outra língua.

duende (du.**en**.de) substantivo masculino Entidade fantástica, anão de orelhas pontudas que aparece à noite para fazer travessuras.

dupla (**du**.pla) substantivo feminino Par de duas pessoas ou dois elementos: *quando o professor pede para formar duplas, é o mesmo que formar grupos de duas pessoas; Batman e Robin são uma dupla famosa.*

duplo (**du**.plo) adjetivo Que é duas vezes maior, que é multiplicado por dois: *uma sessão dupla de cinema tem dois filmes; uma porção dupla de sorvete contém o dobro da porção simples.*

dúzia (**dú**.zia) substantivo feminino Conjunto de doze objetos: *uma dúzia de laranjas, duas dúzias de rosas.*

Ee

e, E substantivo masculino Quinta letra do nosso alfabeto e segunda das vogais, de nome "ê".

ê substantivo masculino Nome da letra E.

eclipse (e.**clip**.se) substantivo masculino Fenômeno que ocorre quando um astro, como o Sol, a Lua ou um planeta, fica encoberto, escondido por algum tempo atrás de outro astro que está passando à sua frente.

eco (**e**.co) [é] substantivo masculino Repetição de um som.

ecologia (e.co.lo.**gi**.a) substantivo feminino Ciência que estuda a relação dos seres vivos com o meio natural em que vivem.

edifício (e.di.**fí**.cio) substantivo masculino Construção grande, com um ou vários andares, em que as pessoas moram, trabalham ou se divertem; prédio: *a escola ficava em um edifício antigo; a rua tinha edifícios altos dos dois lados.*

efe (**e**.fe) substantivo masculino Nome da letra F.

égua (**é**.gua) substantivo feminino Fêmea do cavalo.

elefante (e.le.**fan**.te) substantivo masculino Mamífero que possui tromba, orelhas grandes, dentes superiores bem desenvolvidos que formam presas e pele áspera. É o maior mamífero terrestre e pesa até sete toneladas.

elipse (e.**lip**.se) substantivo feminino Curva como o contorno de um ovo.

embaixo (em.**bai**.xo) advérbio Na parte inferior: *os pés ficam embaixo e a cabeça fica em cima.*

empurrar (em.pur.**rar**) verbo Forçar alguma coisa a se mover.

encanto (en.**can**.to) substantivo masculino
1. Ação de encantar-se, de achar muito bonito e agradável; enlevo, sedução.
2. Encantamento; bruxaria; mágica.

encolher (en.co.**lher**) verbo Diminuir de tamanho.

encontrar (en.con.**trar**) verbo 1. Achar; descobrir: *encontrou finalmente a resposta.* 2. Ver por acaso: *encontrou Lúcia na fila do cinema.* 3. Ir ao encontro de, ir juntar-se a: *Diana foi encontrar-se com o namorado.*

encontro (en.**con**.tro) substantivo masculino
1. Ato de encontrar. 2. Ponto em que duas ou mais coisas ou pessoas se reúnem, se juntam: *a lanchonete é o nosso ponto de encontro.*

enganar (en.ga.**nar**) verbo **1.** Fazer alguém acreditar em algo que não é verdadeiro: *João enganou a mãe dizendo que estava com dor de cabeça para faltar à aula.* **2.** Cometer um engano, errar por falta de cuidado: *enganou-se no troco.*

engano (en.**ga**.no) substantivo masculino **1.** Erro que comete por falta de cuidado ou ignorância. **2.** Prejuízo ou sofrimento causado por ilusão.

entrar (en.**trar**) verbo **1.** Passar de fora para dentro; introduzir-se, penetrar. **2.** Fazer parte, aderir a: *entrou para o time de vôlei.*

entregar (en.tre.**gar**) verbo Dar alguma coisa a alguém: *entregou o bilhete aos pais.*

erva (**er**.va) substantivo feminino Planta pequena, que renova caule, folhas e flores todos os anos: *várias ervas são usadas como temperos e chás.*

escama (es.**ca**.ma) substantivo feminino Placa ou lâmina pequena que cobre a pele de alguns peixes, répteis e outros animais.

escola (es.**co**.la) substantivo feminino **1.** Estabelecimento de ensino; colégio. **2.** Local onde um grupo se reúne para aprender ou praticar algo: *escola de natação; escola de dança.*

escolha (es.**co**.lha) [ô] substantivo feminino Ato de escolher; opção; preferência.

escolher (es.co.**lher**) verbo Preferir; selecionar.

esconder (es.con.**der**) verbo **1.** Colocar em um lugar secreto; ocultar, encobrir. **2.** Disfarçar, não manifestar: *escondeu a tristeza.*

escultura (es.cul.**tu**.ra) substantivo feminino **1.** Arte de construir objetos artísticos em argila, madeira, pedra ou metal. **2.** Obra feita com essa arte; estátua.

escurecer (es.cu.re.**cer**) verbo **1.** Tornar escuro, sem luz. **2.** Anoitecer.

escuridão (es.cu.ri.**dão**) substantivo feminino Falta total de luz: *só as estrelas brilhavam na escuridão.*

escuro (es.**cu**.ro) adjetivo **1.** Com pouca ou nenhuma luz. **2.** Que tende ao preto: *papai mandou o terno escuro para a lavanderia.*

esfera (es.**fe**.ra) substantivo feminino Forma de um corpo sólido redondo: *a bola é uma esfera.* (Veja apêndice da página 256)

esférico (es.**fé**.ri.co) adjetivo Que tem forma de esfera: *a bola é um objeto esférico.*

espanhol (es.pa.**nhol**) adjetivo **1.** Da Espanha, país da Europa. ★substantivo masculino **2.** Pessoa que nasceu nesse lugar ou que mora lá. **3.** Idioma falado nesse e em outros países. ▶ Plural: *espanhóis.*

espantar (es.pan.**tar**) verbo **1.** Mandar para longe; afugentar. **2.** Causar susto ou supresa. **3.** Sentir susto ou surpresa.

especial (es.pe.ci.**al**) adjetivo **1.** Fora do comum; muito bom: *mamãe fez um jantar especial*. **2.** Que é próprio para determinado fim: *os astronautas usam roupas especiais*. ▶ Plural: *especiais*.

espelho (es.**pe**.lho) [ê] substantivo masculino Vidro que reflete a luz e reproduz a imagem que estiver na frente dele.

espermatozoide (es.per.ma.to.**zoi**.de) [ói] substantivo masculino Célula masculina, dotada de uma pequena cauda com a qual se move, responsável pela reprodução.

esperto (es.**per**.to) adjetivo Vivo, inteligente, que pensa rápido.

espião (es.pi.**ão**) substantivo masculino Pessoa que se mantém escondida ou disfarçada para observar outras e fornecer informações sobre elas. ▶ Feminino: *espiã*. Plural: *espiões*.

espiar (es.pi.**ar**) verbo Observar, ver, espiar secretamente, sem ser visto.

espinafre (es.pi.**na**.fre) substantivo masculino Planta de folhas verdes escuras, ricas em ferro e vitaminas.

espiral (es.pi.**ral**) substantivo feminino Curva que gira em torno de um ponto central afastando-se dele. ▶ Plural: *espirais*.

espírita (es.**pí**.ri.ta) adjetivo **1.** Relacionado ao espiritismo: *religião espírita, centro espírita*. ★substantivo de dois gêneros **2.** Pessoa que crê no espiritismo.

espiritismo (es.pi.ri.**tis**.mo) substantivo masculino Doutrina religiosa que crê na evolução do espírito de cada pessoa ao longo de várias vidas ou reencarnações, em que enfrenta as consequências dos atos bons ou maus praticados em vidas anteriores.

espírito (es.**pí**.ri.to) substantivo masculino **1.** Parte psicológica ou mental de um ser; alma, disposição, caráter: *ela tinha um espírito brincalhão*. **2.** Para algumas pessoas e grupos religiosos, ser imortal associado a uma pessoa ou a um aspecto da natureza: *espírito do avô; espírito das águas*.

espremer (es.pre.**mer**) verbo Apertar com força; fazer pressão de todos os lados: *Janaína espremeu as laranjas para fazer suco; nós estávamos espremidos no banco de trás da perua*.

esquerda (es.**quer**.da) substantivo feminino **1.** O lado oposto ao direito: *olhou para a esquerda*. **2.** A mão esquerda.

estar (es.**tar**) verbo **1.** Achar-se em algum lugar; estar ou ser presente: *fui lá mas ele não estava*. **2.** Encontrar-se em algum estado ou condição: *estava atrasado; estou com febre*. **3.** Vestir: *estava de vestido*.

esticar (es.ti.**car**) verbo Puxar alguma coisa para que fique mais longa, mais lisa ou mais larga: *Lúcia esticou os lençóis da cama; mamãe esticou a massa para fazer pastel*.

estojo (es.**to**.jo) [ô] substantivo masculino Caixa própria para se guardar pequenos objetos, como o material escolar.

estrela (es.**tre**.la) [ê] substantivo feminino
1. Corpo celeste, astro que emite raios de luz própria: *em algumas noites o céu fica cheio de estrelas brilhando.* **2.** Desenho que representa esse fenômeno no céu: *podemos desenhar estrelas de três, quatro, cinco ou muitas pontas.* **3.** Movimento em que a pessoa gira de lado, com as pernas esticadas e se apoia nas mãos.

etc. Abreviatura ou grupo de letras que significam "e outras coisas", usada no fim de uma lista: *a banana é apreciada em vitaminas, sorvetes, doces etc.; no estojo havia lápis, borracha, caneta etc.*

europeu (eu.ro.**peu**) adjetivo **1.** Pertencente ao continente da Europa ou originário desse lugar: *os portugueses e os italianos são povos europeus; a Alemanha é uma nação europeia.* ⭐substantivo masculino **2.** Pessoa que nasceu nesse lugar ou que mora lá. ▶ Feminino: *europeia*.

evangélico (e.van.**gé**.li.co) adjetivo
1. Relacionado ao Evangelho, parte da Bíblia com os ensinamentos cristãos. **2.** Relacionado às Igrejas que seguem o Evangelho com rigor e não obedecem ao papa católico. ⭐substantivo **3.** Cristão que é membro de uma dessas igrejas; crente.

excelente (ex.ce.**len**.te) adjetivo Que foi além do necessário, que é melhor do que se esperava, de qualidade muito boa: *ganhou prêmios por apresentar um trabalho excelente.*

extinção (ex.tin.**ção**) substantivo feminino
Ação de extinguir-se, de desaparecer, de acabar totalmente: *o corte ilegal da palmeira está levando à extinção do palmito.*

extraterrestre (ex.tra.ter.**res**.tre) adjetivo
1. Que se realiza ou se situa fora da Terra: *pesquisas extraterrestres.* **2.** Que veio de fora da Terra, de outro planeta: *pedras extraterrestres.* ⭐substantivo de dois gêneros
3. Ser de outro planeta; alienígena: *no filme, os extraterrestres eram amigos dos terráqueos.*

Ff

f, F substantivo masculino Sexta letra do nosso alfabeto, consoante, de nome "efe" ou "fê".

fábrica (**fá**.bri.ca) substantivo feminino Estabelecimento onde são feitos vários tipos de produtos, como máquinas, carros, roupas, brinquedos etc.

fábula (**fá**.bu.la) substantivo feminino História ou narração curta que tem animais como personagens e termina com uma lição de moral, como a da raposa e as uvas ou a história da formiga e a cigarra.

faca (**fa**.ca) substantivo feminino Objeto para cortar composto de uma lâmina e um cabo.

face (**fa**.ce) substantivo feminino **1.** Parte da cabeça em que estão testa, olhos, nariz, boca, queixo e bochechas; rosto, cara. **2.** Lado, superfície: *o dado tem seis faces*.

fachada (fa.**cha**.da) substantivo feminino Parte da frente de uma construção ou edifício.

fada (**fa**.da) substantivo feminino Ser imaginário representado por uma mulher, geralmente bondosa, com poderes mágicos.

faísca (fa.**ís**.ca) substantivo feminino **1.** Partícula luminosa que salta de um corpo em brasa ou quando dois corpos duros se chocam; fagulha, centelha. **2.** Raio, corisco.

faixa (**fai**.xa) substantivo feminino **1.** Tira estreita e comprida de tecido, couro ou outro material: *faixa presidencial; Fátima usava uma faixa no cabelo; Lucas pintou uma faixa com o nome da sua loja*. **2.** Cada uma das músicas gravadas em um disco ou CD.

fala (fa.**la**) substantivo feminino **1.** Ato de falar, de pronunciar as palavras, dizer coisas. **2.** Capacidade de se exprimir pela palavra. **3.** Cada uma das partes de um diálogo.

faltar (fal.**tar**) verbo **1.** Não ter em quantidade suficiente: *faltaram dois ovos*. **2.** Sentir privação de alguma coisa: *faltou coragem*. **3.** Não comparecer, estar ausente: *faltou bem no dia do exame*.

família (fa.**mí**.lia) substantivo feminino **1.** Grupo formado de pai, mãe e filhos. **2.** Pessoas que são parentes, que têm o mesmo sangue: *convidei toda a família para a festa, meus primos, tios e avós*. **3.** Grupo de coisas que têm características semelhantes ou apresentam alguma relação: *família de palavras*.

fanfarra (fan.**far**.ra) substantivo feminino Banda de música; grupo de músicos que se apresentam em paradas e desfiles.

fantasia (fan.ta.**si**.a) substantivo feminino **1.** Imaginação, devaneio; coisa criada pela imaginação. **2.** Roupa com que se brinca no carnaval.

fantasma (fan.**tas**.ma) substantivo masculino **1.** Visão que causa muito medo. **2.** Pessoa morta que aparece para assustar ou para se comunicar; assombração, espírito.

fantoche (fan.**to**.che) substantivo masculino Boneco de pano que se faz mover com a mão por meio de cordões ou arames; marionete.

farda (**far**.da) substantivo feminino **1.** Uniforme, roupa que usam todos os membros de uma categoria. **2.** Roupa, uniforme militar.

farelo (fa.**re**.lo) substantivo masculino **1.** O que sobra da farinha ou de outros cereais depois de peneirados. **2.** Migalha que se desprende do pão ao ser cortado.

farinha (fa.**ri**.nha) substantivo feminino Pó que se obtém pela moagem de certos cereais, grãos ou raízes, como o trigo, milho ou mandioca: *a farinha é usada para fazer pães e bolos*.

faro (**fa**.ro) substantivo masculino Olfato dos animais: *os cães sabem encontrar objetos pelo faro*.

faroeste (fa.ro.**es**.te) [é] substantivo masculino Filme de ação sobre o Oeste dos EUA, em geral com muitos tiroteios; filme de bangue-bangue, filme de mocinho e bandido.

farofa (fa.**ro**.fa) substantivo feminino Farinha de mandioca torrada no óleo ou manteiga, com ovos, linguiça, e outros ingredientes.

farol (fa.**rol**) substantivo masculino **1.** Torre com luz muito forte colocada à entrada de um porto ou em locais acidentados, para guiar os navegantes. **2.** Luz na frente de um veículo, para iluminar o caminho. **3.** Em São Paulo, sinal luminoso de trânsito; sinaleira, semáforo. ▶ Plural: *faróis*.

fatia (fa.**ti**.a) substantivo feminino Pedaço fino de um alimento; porção: *comeu duas fatias de bolo*.

fauna (**fau**.na) substantivo feminino Conjunto de animais próprios de uma região: *a fauna marinha*; *a fauna do Pantanal*.

favela (fa.**ve**.la) substantivo feminino Grupo de casas construídas com tijolo, madeira e papelão, em local irregular nos morros e na beira de estradas, por pessoas de baixa renda.

favo (**fa**.vo) substantivo masculino **1.** Caixinha de cera onde a abelha deposita o mel. **2.** Parte carnuda e doce da jaca, que envolve cada um de seus caroços.

faxineiro (fa.xi.**nei**.ro) substantivo masculino Pessoa que faz a faxina, que limpa um lugar.

fazenda (fa.**zen**.da) substantivo feminino **1.** Grande propriedade rural onde há plantações e criações de animais. **2.** Tecido, pano.

fazer (fa.**zer**) verbo **1.** Criar, produzir, realizar: *fazer uma festa*. **2.** Construir, executar: *fazer uma casa*. **3.** Ocupar-se de, dedicar-se a: *fazer uma brincadeira*. **4.** Decorrer: *faz dois dias que cheguei*; *faz três meses que não chove*. **5.** Fingir, pretender: *fez-se de morto*.

fê substantivo masculino Nome da letra F.

fechar (fe.**char**) verbo **1.** Tapar a abertura de alguma coisa. **2.** Trancar. **3.** Bloquear: *a rua foi fechada para obras*. **4.** Cicatrizar: *a ferida fechou*.

feijão (fei.**jão**) substantivo masculino **1.** Grão de grande importância na alimentação, semente do feijoeiro, com cores que variam do branco ao preto. **2.** Prato salgado feito com essa semente cozida, popular em todo o Brasil: *gostava mesmo era de feijão com arroz*. ▶ Plural: *feijões*.

feira (**fei**.ra) substantivo feminino Local público onde se expõem e vendem vários tipos de mercadorias em barracas.

feitiço (fei.**ti**.ço) substantivo masculino **1.** Encantamento ou magia lançado por feiticeiro; bruxaria. **2.** Atração, encanto, magia.

felino (fe.**li**.no) adjetivo **1.** Relativo ao gato: *passos felinos*. ⭐ substantivo masculino **2.** Gato ou outro animal da família dos gatos: *a onça, o leão e o tigre são felinos selvagens*.

fêmea (**fê**.me.a) substantivo feminino **1.** Animal ou planta do sexo feminino. **2.** A mulher.

feminino (fe.mi.**ni**.no) adjetivo **1.** Pertencente ou relacionado à fêmea: *animais do sexo feminino*. **2.** Relacionado, ligado à mulher: *roupa feminina*.

fêmur (**fê**.mur) substantivo masculino O maior osso do corpo humano, localizado na coxa.

fenda (**fen**.da) substantivo feminino Abertura estreita em uma superfície ou objeto.

fera (**fe**.ra) substantivo feminino **1.** Animal selvagem, muito feroz, que caça outros para se alimentar. **2.** Pessoa que faz algo muito bem, na linguagem da gíria.

feriado (fe.ri.**a**.do) substantivo masculino Dia de descanso, em que não se trabalha nem se vai à escola, seja por comemoração civil ou religiosa.

ferimento (fe.ri.**men**.to) substantivo masculino Machucado, lesão no corpo.

ferradura (fer.ra.**du**.ra) substantivo feminino Peça de metal colocada sob o casco de cavalos ou burros, para protegê-lo.

ferramenta (fer.ra.**men**.ta) substantivo feminino Instrumento usado para fazer um trabalho manual ou mecânico, para produzir algo: *a enxada é uma ferramenta usada no campo*.

ferrão (fer.**rão**) substantivo masculino **1.** Ponta de ferro, parte pontuda da lança. **2.** Órgão com que alguns insetos picam, para defesa ou captura de alimento. ▸ Plural: *ferrões*.

ferro (**fer**.ro) substantivo masculino **1.** Metal duro, utilizado na indústria na produção de carros, máquinas, ferramentas, e na construção de pontes, casas, edifícios. **2.** Aparelho usado para passar roupas.

ferrovia (fer.ro.**vi**.a) substantivo feminino Via construída sobre trilhos, por onde circulam os trens; estrada de ferro, via férrea.

festa (**fes**.ta) [é] substantivo feminino Reunião alegre, com a finalidade de comemorar algo ou para simples divertimento; comemoração.

fezes (**fe**.zes) [é] substantivo masculino plural Parte do alimento não aproveitada pelo organismo que é eliminada; excremento, cocô.

ficar (fi.**car**) verbo **1.** Permanecer em um lugar; não ir embora. **2.** Situar-se: *a loja fica perto da escola*. **3.** Sobrar, restar: *não ficou ninguém depois da aula*.

figura (fi.**gu**.ra) substantivo feminino **1.** Forma exterior, contorno de uma coisa ou de um ser: *desenhou a figura de uma pessoa*; *via figuras nas nuvens*. **2.** Imagem, símbolo. **3.** Desenho, gravura, ilustração: *comprou um livro com muitas figuras*.

figurinha (fi.gu.**ri**.nha) substantivo feminino Imagem reproduzida em tamanho pequeno em cartão ou papel, que pode ser colecionada em álbum: *ganhei um pacote com três figurinhas de bichos*.

fila (**fi**.la) substantivo feminino Grupo de pessoas ou objetos colocados um atrás do outro: *a fila do cinema estava enorme*.

filé (fi.**lé**) substantivo masculino **1.** Corte mais macio da carne de boi, de que se fazem bifes e picadinhos. **2.** Fatia de carne de frango, peixe etc., sem ossos.

fileira (fi.**lei**.ra) substantivo feminino Série de pessoas ou objetos colocados um ao lado do outro em linha reta: *sentamos na primeira fileira de cadeiras do cinema*.

filho (**fi**.lho) substantivo masculino **1.** Pessoa em relação aos seus pais: *tiveram um filho e uma filha*. **2.** Pessoa, em relação à terra em que nasceu.

filhote (fi.**lho**.te) substantivo masculino **1.** Cria de animal: *o bezerro é o filhote da vaca; o pintinho é o filhote da galinha; o potro é o filhote da égua; o cabrito é o filhote da cabra*. **2.** Filho pequeno.

filme (**fil**.me) substantivo masculino **1.** Rolo de película de plástico flexível e transparente preparada para registrar imagens fotográficas ou de cinema. **2.** Sequência de imagens fotográficas exibidas em velocidade, de modo a parecerem estar em movimento: *assistiu a um filme infantil no cinema*.

filtro (**fil**.tro) substantivo masculino Objeto ou substância que deixa passar alguns elementos de um composto e retém outros: *o filtro de café retém o pó e deixa passar a água; o filtro solar retém as radiações que prejudicam a pele*.

fim substantivo masculino **1.** Momento em que uma coisa acaba; conclusão: *o fim das aulas*. **2.** A última parte de alguma coisa: *o fim do filme foi bom*. **3.** Ponta, extremidade, limite: *o fim da avenida é ali*. ▶ Plural: *fins*.

final (fi.**nal**) adjetivo **1.** Último, derradeiro: *os momentos finais*. ★ substantivo masculino **2.** Fim, conclusão: *o final do filme*. ★ substantivo feminino **3.** A última prova ou etapa de uma competição: *apenas dois times jogarão na final*. ▶ Plural: *finais*.

finalista (fi.na.**lis**.ta) substantivo de dois gêneros Aquele que vai para a final de um jogo ou disputa.

fio (**fi**.o) substantivo masculino **1.** Fibra extraída de algumas plantas e que é usada para tecer. **2.** Fibra fina e longa: *fio de cabelo*; *fio de seda*.

fita (**fi**.ta) substantivo feminino Tira estreita de tecido, usada para fazer laços, amarrar presentes ou enfeitar.

fivela (fi.**ve**.la) substantivo feminino Peça para fechar ou prender cintos, bolsas ou os cabelos.

flanela (fla.**ne**.la) substantivo feminino **1.** Tecido macio usado para fazer camisas e pijamas. **2.** Pedaço desse tecido, usado para tirar pó.

flauta (**flau**.ta) substantivo feminino Instrumento musical de sopro, formado por um tubo cilíndrico oco com pequenos furos.

flecha (**fle**.cha) substantivo feminino Haste pontiaguda que serve para ser arremessada com arco; seta, dardo.

flexível (fle.**xí**.vel) [cs] adjetivo Que se dobra com facilidade; maleável. ▶ Plural: *flexíveis*.

floco (**flo**.co) substantivo masculino **1.** Partícula de neve que cai lentamente ou esvoaça ao vento. **2.** Pedacinhos de lã ou penugem que voam pelo ar.

flor substantivo feminino Parte de planta geralmente com pétalas coloridas e cheirosa, que é responsável pela reprodução da planta. ▸ Plural: *flores*.

flora (flo.ra) substantivo feminino **1.** Conjunto das espécies vegetais de uma região. **2.** Grupo de plantas.

floresta (flo.**res**.ta) substantivo feminino Mata espessa e extensa; bosque.

foca (**fo**.ca) substantivo feminino Mamífero aquático de pelo curto, que vive em mares frios e se alimenta de peixes.

focinho (fo.**ci**.nho) substantivo masculino Parte alongada da face de alguns mamíferos, onde se localizam o nariz e a boca.

fofo (**fo**.fo) [ô] adjetivo **1.** Mole, macio, elástico. **2.** Gracioso, bonito, encantador.

fogão (fo.**gão**) substantivo masculino Aparelho onde se acende fogo ou se produz calor com gás, eletricidade, lenha etc., para se cozinhar alimentos. ▸ Plural: *fogões*.

fogo (**fo**.go) [ô] substantivo masculino **1.** Resultado da queima de materiais como madeira, papel, carvão, gás, acompanhado de luz e calor; chama, labareda. **2.** Descarga de arma; tiro: *abriram fogo contra o invasor*. **Fogo de artifício**: explosivo preparado para produzir grande ruído e efeitos coloridos ao explodir no ar, usado em festas e comemorações. ▸ Plural: *fogos* [ó].

fogueira (fo.**guei**.ra) substantivo feminino Monte de lenha a que se põe fogo.

foguete (fo.**gue**.te) [ê] substantivo masculino **1.** Fogo de artifício que sobe rápido e estoura no ar fazendo barulho forte; rojão. **2.** Veículo a jato, para viagens interplanetárias; nave espacial.

folha (**fo**.lha) [ô] substantivo feminino **1.** Parte da planta, quase sempre verde, que cresce no caule e nos ramos. **2.** Pedaço de papel. **3.** Chapa fina, lâmina.

fone (**fo**.ne) [ô] substantivo masculino **1.** Dispositivo para amplificar o som: *ouvia música no fone de ouvido*. **2.** Parte de um aparelho telefônico que se leva ao ouvido. **3.** Telefone.

fonte (**fon**.te) substantivo feminino **1.** Nascente de água, bica, chafariz: *água da fonte*. **2.** Princípio, origem: *a fonte de um grande bem*. **3.** Construção com bicas por onde corre água, usada para abastecimento da população ou como enfeite de praças e parques; chafariz.

fora (**fo**.ra) advérbio **1.** Que está na parte exterior: *está brincando lá fora*. **2.** Algum lugar que não é sua casa: *foi jantar fora*. **3.** Em outro país: *estudou fora*.

forçar (for.**çar**) verbo **1.** Conseguir algo pela força; obrigar. **2.** Arrombar, quebrar: *forçou a janela até quebrar*.

formato (for.**ma**.to) substantivo masculino Aparência de uma coisa ou pessoa; feitio, forma, tamanho, dimensão.

formiga (for.**mi**.ga) substantivo feminino Inseto que vive em sociedades organizadas, compostas por rainhas, machos e operárias.

formigueiro (for.mi.**guei**.ro) substantivo masculino **1.** Grande reunião de formigas; sociedade em que vivem esses insetos. **2.** Multidão, aglomeração de pessoas.

forno (**for**.no) [ô] substantivo masculino **1.** Construção de barro, tijolo ou pedra onde se assam alimentos. **2.** Parte do fogão que tem a mesma função. ▶ Plural: *fornos* [ó].

forro (**for**.ro) [ô] substantivo masculino Revestimento interno de roupas, casas etc.

forte (**for**.te) [ó] adjetivo **1.** Que tem força; robusto, resistente. ⭐ substantivo masculino **2.** Pessoa que tem força física ou moral: *os fortes e os fracos*. **3.** Construção com muros altos e portas reforçadas, para proteger a entrada de uma cidade.

fósforo (**fós**.fo.ro) substantivo masculino Palito que tem em uma das pontas uma substância que pega fogo em contato com uma superfície áspera.

fóssil (**fós**.sil) substantivo masculino Resto de uma planta ou animal preservado em pedra ou no gelo: *fósseis de dinossauro*. ▶ Plural: *fósseis*.

fotografia (fo.to.gra.**fi**.a) substantivo feminino **1.** Processo de fixar uma imagem em um filme ou em arquivo digital. **2.** Imagem feita com esse processo. **3.** Arte que utiliza imagens produzidas com essa técnica. **4.** Foto, retrato.

fraco (**fra**.co) adjetivo **1.** Que não é forte; frágil. **2.** Que está sem forças ou doente.

fralda (**fral**.da) substantivo feminino **1.** Peça de pano ou papel que se coloca nos bebês para segurar urina e fezes. **2.** Parte inferior da encosta; sopé, aba.

francês (fran.**cês**) adjetivo **1.** Da França, país da Europa. ⭐ substantivo masculino **2.** Pessoa que nasceu nesse lugar. **3.** Idioma falado nesse e em outros países: *a palavra "sutiã" veio do francês*.

frango (**fran**.go) substantivo masculino Filhote da galinha, maior que o pinto mas antes de se transformar em galo ou galinha.

franja (**fran**.ja) substantivo feminino **1.** Parte mais curta do cabelo, que cai na testa. **2.** Faixa de tecido com fios pendurados usada em decoração e roupas.

frase (**fra**.se) substantivo feminino Conjunto de palavras com um sentido completo; oração.

frei substantivo masculino Membro de uma ordem religiosa; irmão. ▶ Feminino: *freira*.

frente (**fren**.te) adjetivo Parte anterior ou dianteira de qualquer coisa; fachada.

frevo (**fre**.vo) [ê] substantivo masculino Dança e música típicas do carnaval de Pernambuco, de ritmo rápido, na qual os dançarinos seguram guarda-chuvas coloridos e realizam passos, movimentando principalmente as pernas e os pés.

frigideira ••• futebol

frigideira (fri.gi.**dei**.ra) substantivo feminino
1. Tipo de panela larga e rasa usada para fritar alimentos. **2.** Prato preparado com caranguejo ou camarões, leite de coco e ovos, muito apreciado na Bahia.

frio (**fri**.o) adjetivo **1.** Que não tem calor. **2.** Insensível, indiferente. ⭐substantivo masculino **3.** Sensação produzida pela ausência de calor.

frota (**fro**.ta) substantivo feminino
1. Conjunto de navios de guerra; armada. **2.** Conjunto de navios mercantes. **3.** Conjunto de veículos que pertencem a uma empresa ou pessoa.

fruta (**fru**.ta) substantivo feminino Parte comestível e doce de um vegetal, onde ficam as sementes, geralmente com muitas vitaminas e suculenta: *a laranja, a banana e o morango são frutas deliciosas*.

fruto (**fru**.to) substantivo masculino **1.** Parte de um vegetal que se forma a partir da flor, que protege e dispersa as sementes: *o tomate é o fruto do tomateiro, a goiaba é o fruto da goiabeira*. **2.** Resultado, proveito, lucro, em linguagem figurada: *fruto do trabalho*.

fumaça (fu.**ma**.ça) substantivo feminino Vapor que sai de algum corpo que está queimando ou que está muito quente: *a fumaça do cigarro faz muito mal*.

fundo (**fun**.do) adjetivo **1.** Que está muito abaixo da superfície; profundo: *um buraco fundo*. ⭐substantivo masculino **2.** Parte de um objeto oposta à abertura: *o fundo do saco*. **3.** Solo, leito de mar ou rio: *mergulhou até o fundo*.

fungo (**fun**.go) substantivo masculino Grupo de organismos como os cogumelos, que não são nem animais nem vegetais, do qual fazem parte algumas espécies comestíveis e outras venenosas, causadoras de doenças, mais outras que são empregadas na fabricação de remédio: *cogumelo e bolor são exemplos de fungos*.

furacão (fu.ra.**cão**) substantivo masculino Sistema de ventos muito fortes que gira rápido, provocando grande destruição por onde passa. ▶ Plural: *furacões*.

furo (**fu**.ro) substantivo masculino Buraco, abertura, orifício: *o chuveiro tem vários furos por onde passa a água*.

futebol (fu.te.**bol**) substantivo masculino Esporte disputado por duas equipes de onze jogadores, que tentam fazer a bola entrar no gol da equipe adversária com chutes ou cabeçadas, mas sem usar mãos ou braços: *o futebol foi inventado pelos ingleses*.

G g

g, G ••• gangorra

g, G substantivo masculino Sétima letra do nosso alfabeto, consoante, de nome "gê" ou "guê". ▶Atenção: o som "guê" aparece em casos como *gato*, *gol*, *guri*, *foguete* e *guitarra*; o som "gê" aparece em *gelo* e *gibi*.

gado (ga.do) substantivo masculino Animais como bois, carneiros, porcos ou cabras, criados para produção de alimentos, couro, lã e outros ou para trabalhos agrícolas; rebanho.

gafanhoto (ga.fa.nho.to) [ô] substantivo masculino Inseto verde que dá grandes saltos e voa em grupos que, se forem muito grandes, podem prejudicar as plantações.

gagá (ga.gá) adjetivo e substantivo de dois gêneros Que está com a mente atrapalhada, confusa, por doença que pode acontecer na velhice; caduco: *o velhinho estava meio gagá e confundiu o lenço com o boné*.

gago (ga.go) substantivo masculino e adjetivo Pessoa que fala repetindo o início das sílabas; aquele que gagueja, que sofre de gagueira.

gaiola (gai.o.la) substantivo feminino Caixa feita de grades, para aprisionar pássaros ou outros animais.

gaita (gai.ta) substantivo feminino Instrumento musical de sopro, com vários furos, que pode produzir várias notas ao mesmo tempo.

gaivota (gai.vo.ta) substantivo feminino Ave aquática de cor branca ou cinza, que mergulha no mar para pegar peixes.

galho (ga.lho) substantivo masculino **1.** Ramo de árvore. **2.** Parte quebrada do ramo.

galinha (ga.li.nha) substantivo feminino **1.** Ave doméstica criada pelos ovos e pela carne, fêmea do galo: *a galinha cuida dos pintinhos*. **2.** Carne dessa ave; frango.

galo (ga.lo) substantivo masculino **1.** Ave com crista vermelha e rabo com penas coloridas, o macho da galinha. **2.** Na cabeça, elevação causada por pancada.

gambá (gam.bá) substantivo masculino Animal mamífero de até 50 centímetros de comprimento que, quando acuado, solta um cheiro forte e desagradável: *existem gambás em todo o continente americano*.

game [inglês: "gueime"] Videogame.

gamela (ga.me.la) [é] substantivo feminino Recipiente grande e baixo, em geral de madeira ou de barro, para servir alimentos.

gancho (gan.cho) substantivo masculino Peça com a ponta curva.

gangorra (gan.gor.ra) [ô] substantivo feminino Brinquedo formado por uma tábua comprida com apoio no centro e assentos nas pontas, onde duas crianças se sentam e, empurrando com as pernas, descem e sobem alternadamente.

gangue (gan.gue) substantivo feminino
1. Bando de criminosos, grupo de pessoas que não respeitam a lei; quadrilha.
2. Turma, grupo, em linguagem popular: *o filme contava a história de uma gangue de motoqueiros*.

ganhar (ga.nhar) verbo 1. Adquirir, obter: *ganhou muito dinheiro trabalhando*.
2. Alcançar, conseguir: *ganhou o título de melhor jogador*. 3. Vencer uma prova, um obstáculo: *ganhou todas as partidas*. 4. Receber um presente: *ganhou uma bicicleta*.

ganso (gan.so) substantivo masculino Ave aquática do grupo do pato, com pescoço longo e plumagem em geral branca, que vive em bandos.

garapa (ga.ra.pa) substantivo feminino Caldo de cana ou suco de cana-de-açúcar puro, que se bebe puro ou com suco de frutas.

garça (gar.ça) substantivo feminino Ave aquática de pernas longas, que vive em bandos na beira de rios e lagos.

garfo (gar.fo) substantivo masculino Utensílio com três ou quatro dentes, usado para levar alimentos sólidos à boca e para segurar uma parte do alimento que se quer cortar.

gargalo (gar.ga.lo) substantivo masculino Parte superior da garrafa ou de outra vasilha com entrada estreita.

garganta (gar.gan.ta) substantivo feminino Parte interior do pescoço, por onde os alimentos passam da boca ao estômago; goela.

gari (ga.ri) substantivo masculino Pessoa que varre as ruas, praças e outros lugares públicos.

garoa (ga.ro.a) [ô] substantivo feminino Chuva miúda, que cai em gotas pequenas; chuvisco.

garoto (ga.ro.to) [ô] substantivo masculino Menino, criança.

garra (gar.ra) substantivo feminino 1. Cada uma das unhas fortes, afiadas e curvas com que o gavião, a onça e outros animais caçam seu alimento ou se defendem. 2. Força de vontade, dedicação, entusiasmo, vigor, em linguagem figurada.

garrafa (gar.ra.fa) substantivo feminino Recipiente para líquidos, geralmente em forma de cilindro, com gargalo e boca estreitos.

gás substantivo masculino Substância que não é sólida nem líquida, e tem a capacidade de ocupar todo o espaço do recipiente ou lugar onde está contida: *o ar é uma mistura de gases*.

gastar (gas.tar) verbo 1. Fazer ficar menor ou velho pelo uso; consumir, usar: *andou tanto que gastou a sola do sapato; gastou o lápis*.
2. Usar, empregar, dedicar: *gastou o dinheiro comprando livros*.

gato (ga.to) substantivo masculino Mamífero carnívoro doméstico, com hábitos noturnos, que enxerga bem à noite, tem movimentos muito ágeis e é muito bom caçador.

gaveta (ga.ve.ta) [ê] substantivo feminino Caixa sem tampa, corrediça, colocada em uma mesa, armário ou outro móvel para guardar objetos.

gavião (ga.vi.**ão**) substantivo masculino
Ave com bico forte e garras afiadas, que caça animais pequenos: *um gavião caçou o patinho*. ▶ Plural: *gaviões*.

geada (ge.**a**.da) substantivo feminino
Gotas de água que caem em noites muito frias e se congelam formando uma camada branca ou transparente sobre as folhas, o chão e os telhados.

geladeira (ge.la.**dei**.ra) substantivo feminino
Aparelho que mantém a temperatura baixa em seu interior, usado para conservar alimentos; refrigerador.

geleia (ge.**lei**.a) [éi] substantivo feminino Pasta feita com fruta cozida em calda de açúcar: *geleia de jabuticaba*.

gelo (**ge**.lo) [ê] substantivo masculino Água em estado sólido, por causa do frio.

gema (**ge**.ma) [ê] substantivo feminino
1. Parte amarela que fica dentro do ovo, envolvida pela clara. 2. Pedra preciosa, usada para fazer joias.

gêmeo (**gê**.meo) substantivo masculino e adjetivo Nascido do mesmo parto que outro ou outros: *eram irmãos gêmeos; chamamos as gêmeas para a festa*.

gengiva (gen.**gi**.va) substantivo feminino
Parte da boca de onde saem os dentes.

gênio (**gê**.nio) substantivo masculino 1. Pessoa que tem uma inteligência extraordinária: *era um gênio na matemática*. 2. Temperamento, caráter, alma: *ela tem um gênio muito bom*. 3. Ser sobrenatural com poderes mágicos: *o gênio da lâmpada*.

gente (**gen**.te) substantivo feminino 1. Pessoa, ser humano: 2. Quantidade de pessoas, povo. 3. Os habitantes de uma região.

gergelim (ger.ge.**lim**) substantivo masculino
Semente pequena, comida torrada, em pães, pasta e outros; sésamo.

gestante (ges.**tan**.te) substantivo feminino
Mulher durante a gestação, que é o período em que o bebê ou o filhote se desenvolve dentro do corpo da mãe; grávida: *as gestantes ficam com a barriga grande*.

gesto (**ges**.to) substantivo masculino
1. Movimento das mãos, braços, cabeça ou outra parte do corpo, para expressar ou realçar uma ideia: *o dedão da mão para cima é um gesto de aprovação*. 2. Atitude, ato: *doar agasalhos para os desabrigados foi um gesto solidário*.

gibi (gi.**bi**) substantivo masculino Revista de histórias em quadrinhos, em geral para crianças ou jovens.

gigante (gi.**gan**.te) substantivo masculino
Pessoa extraordinariamente grande, de tamanho fora do comum: *quando Gulliver chegou na terra dos gigantes, sentiu-se uma formiguinha; o jogador de basquete era um gigante*. ▶ Feminino: *giganta*.

ginasta (gi.**nas**.ta) substantivo de dois gêneros
Pessoa que pratica ginástica.

ginástica (gi.**nás**.ti.ca) substantivo feminino Movimentos e exercícios para manter a saúde ou deixar o corpo mais forte e flexível.

girafa (gi.**ra**.fa) substantivo feminino Mamífero ruminante de pescoço comprido, com pelagem amarela e pintas escuras, que vive na África.

girassol (gi.ras.**sol**) substantivo masculino Flor grande, que pode alcançar até 3 metros de altura, com muitas pétalas amarelas e miolo redondo, com sementes empregadas para fazer óleo, e que se movimenta voltando-se para o sol à medida que ele se move no céu.
▶ Plural: *girassóis*.

gira-gira (gi.ra-**gi**.ra) substantivo masculino Brinquedo formado por um banco circular no qual as crianças se sentam e dão impulso com os pés para girar; girador.

gíria (**gí**.ria) substantivo feminino Linguagem diferente usada por um grupo de pessoas: *aquela turma tinha uma gíria própria*.

girino (gi.**ri**.no) substantivo masculino Filhote ou larva de sapo, rã e outros animais anfíbios, que se desenvolve dentro da água, com grande cabeça e cauda longa.

giz substantivo masculino **1.** Bastão de matéria mineral branca ou colorida, usado para escrever ou desenhar no quadro. **2.** Bastão de outro material: *giz de cera*.

globo (**glo**.bo) [ô] substantivo masculino **1.** Qualquer corpo esférico, como a bola ou um planeta. **2.** Nosso planeta, a Terra.

goela (go.**e**.la) substantivo feminino Garganta, em linguagem popular; gogó.

goiaba (goi.**a**.ba) substantivo feminino Fruta de polpa branca, amarela ou vermelha, com casca fina e muitas sementes, que se come crua, em calda, sucos ou em doces: *a goiaba vermelha é a preferida para fazer recheio de rocambole*. (Veja apêndice da página 249)

goiabada (goi.a.**ba**.da) substantivo feminino Doce de goiaba, de massa mais ou menos consistente.

gol substantivo masculino **1.** Espaço entre as traves onde, no futebol e no handebol, a bola deve entrar para marcar ponto: *cada time tem seu gol*. **2.** Ponto nesses jogos.

gola (**go**.la) [ó] substantivo feminino Parte da roupa que fica em volta ou junto do pescoço.

goleiro (go.**lei**.ro) substantivo masculino No futebol, jogador que defende o gol de sua equipe.

golfe (**gol**.fe) substantivo masculino Jogo em que se tenta colocar uma bolinha em buracos no campo, usando tacos próprios e seguindo a série.

golfinho (gol.**fi**.nho) substantivo masculino Mamífero marinho que atinge até dois metros de comprimento, se alimenta de peixes e possui o focinho alongado, em forma de bico: *os golfinhos são muito inteligentes e vivem em grupo*.

gomo (go.mo) [ô] substantivo masculino
1. Cada uma das divisões naturais da mexerica, da laranja, do limão e de outras frutas. **2.** Divisão natural de caules como os da cana e do bambu.

gordo (gor.do) [ô] adjetivo Que tem muita gordura no corpo.

gordura (gor.du.ra) substantivo feminino Substância encontrada entre a pele e a carne dos animais, presente também em certos frutos e vegetais.

gorila (go.ri.la) substantivo masculino Macaco grande, maior que uma pessoa, sem cauda e com braços fortes.

gorro (gor.ro) [ô] substantivo masculino Cobertura de malha ou de lã, que se ajusta à cabeça e geralmente cobre as orelhas. (Veja apêndice da página 260)

gota (go.ta) [ô] substantivo feminino Quantidade muito pequena de um líquido, que cai em forma de pingo.

grafite (gra.fi.te) substantivo feminino
1. Mineral com que se faz o lápis. **2.** Pinturas feitas em muros e paredes nas ruas.

gralha (gra.lha) substantivo feminino Ave do grupo do corvo, de penas coloridas e voz estridente, que vive nas matas e descampados.

gralha-azul (gra.lha-a.zul) substantivo feminino Gralha que se alimenta da semente da araucária, é um dos símbolos do Paraná.

grama (gra.ma) substantivo feminino **1.** Planta rasteira cultivada para formar gramados em jardins ou parques, e também para alimentar o gado. ⭐ substantivo masculino **2.** Unidade de peso: *duzentos gramas de queijo*.

gramática (gra.má.ti.ca) substantivo feminino Estudo das regras de uma língua.

grampo (gram.po) substantivo masculino
1. Peça, em geral de metal, usada para segurar ou unir coisas. **2.** Presilha de cabelo.

grande (gran.de) adjetivo **1.** Que é de tamanho, comprimento ou volume maior; que não é pequeno: *o osso da perna é grande, o do dedo é pequeno*. **2.** Que cresceu, que já é adulto: *quando for grande vai trabalhar como piloto*. **3.** Que tem longa duração ou muita intensidade. ⭐ substantivo masculino **4.** Aquele que tem tamanho maior em comparação a outros: *colocou os grandes no final da fila*.

granulado (gra.nu.la.do) adjetivo **1.** Que se apresenta em grânulos, ou pequenos grãos. ⭐ substantivo masculino **2.** Chocolate em grãos compridos, para cobrir o brigadeiro.

graúna (gra.ú.na) substantivo feminino Ave de bico longo e coloração preta nas penas e pés, muito comum no Nordeste brasileiro.

gravar (gra.var) verbo **1.** Registrar sons, informações ou imagens: *gravou um CD com as fotos do casamento*. **2.** Guardar, fixar na memória: *gravei seu nome mas esqueci seu rosto*. **3.** Marcar de forma que não se apague: *gravou o nome dela na aliança*.

gravata (gra.va.ta) substantivo feminino Tira de tecido usada em volta do colarinho da camisa, usada como acessório masculino em roupa formal. (Veja apêndice da página 260)

grave (gra.ve) adjetivo **1.** Sério, importante. **2.** Que pode ter consequências sérias. **3.** Diz-se da voz ou som baixo e grosso. **4.** Diz-se do acento (`) usado para indicar a junção da preposição **a** com o artigo **a**, equivalente a **para a** ou, no masculino, a **ao**: *vamos à escola e depois vamos ao cinema*.

graveto (gra.**ve**.to) [ê] substantivo masculino Ramo ou galho pequeno, mais fino, usado para acender o fogo.

grávida (**grá**.vi.da) substantivo feminino e adjetivo Mulher que está em gestação, que espera um nenê; gestante: *ficou grávida três vezes*.

graviola (gra.vi.**o**.la) substantivo feminino Fruta de polpa branca, muito apreciada em sucos e sorvetes, típica do Nordeste.

graxa (**gra**.xa) substantivo feminino **1.** Pasta preparada com óleo, para a lubrificação de máquinas. **2.** Cera para dar brilho aos sapatos.

grifo (**gri**.fo) substantivo masculino **1.** Animal fantástico, imaginário, que tem cabeça e asas de águia, corpo de leão e garras afiadas. **2.** Ferramenta manual para prender ou segurar firme uma peça. **3.** Letra inclinada usada para destacar uma palavra ou trecho de um texto.

grilo (**gri**.lo) substantivo masculino Inseto saltador com longas antenas, cujo macho faz um som muito conhecido, o *cri-cri*.

grisalho (gri.**sa**.lho) adjetivo **1.** Diz-se do cabelo ou pelo que começou a embranquecer, acinzentado: *uma mecha de cabelos grisalhos caía na testa; papai tem a barba grisalha*. ⭐substantivo masculino **2.** Pessoa com esses cabelos: *aos 32 já era grisalho*.

gritar (gri.**tar**) verbo Soltar gritos, elevar muito a voz.

grito (**gri**.to) substantivo masculino Som de voz muito forte e elevado.

grosso (**gros**.so) [ô] adjetivo **1.** Que tem grande diâmetro ou largura: *tronco grosso*. **2.** Espesso, volumoso, denso: *sopa grossa*. **3.** Que não tem educação, mal-educado: *pessoa grossa*.

grupo (**gru**.po) substantivo masculino **1.** Reunião de pessoas: *todo o grupo foi à excursão*. **2.** Reunião de coisas, formando um todo: *grupo de casas*.

gruta (**gru**.ta) substantivo feminino Buraco grande, natural ou construído, em uma montanha; caverna.

guaiamum (guai.a.**mum**) substantivo masculino Caranguejo de carapaça azul que vive em lugares lamacentos ou buracos na praia.

guaraná (gua.ra.**ná**) substantivo masculino **1.** Planta amazônica cujos frutos têm propriedades estimulantes e são empregados na fabricação de bebidas. **2.** Refrigerante feito com essa planta.

guarani (gua.ra.**ni**) substantivo de dois gêneros **1.** Indivíduo dos guaranis, grande grupo de povos indígenas da América do Sul. ⭐adjetivo **2.** Relacionado a esses indígenas: *cultura guarani*. ⭐substantivo masculino **3.** Língua indígena que é uma das oficiais do Paraguai. **4.** Moeda do Paraguai.

guarda (**guar**.da) substantivo de dois gêneros
Pessoa que guarda ou vigia alguma coisa ou lugar.

guarda-chuva (guar.da-**chu**.va) substantivo masculino Objeto para proteger da chuva, formado por uma haste e uma armação coberta por um pano ou outro material.
▶ Plural: *guarda-chuvas*.

guardar (guar.**dar**) verbo **1.** Colocar em lugar próprio: *guardei o livro na estante*. **2.** Cuidar, manter sob controle, zelar; não permitir que se perca: *guarde bem o documento*. **3.** Manter, conservar: *guardou o presente por muitos anos*.

guaxinim (gua.xi.**nim**) substantivo masculino Mamífero carnívoro de rabo listrado e mancha escura nos olhos, que vive em brejos ou rios, e alimenta-se de vegetais e pequenos animais; mão-pelada.

guê substantivo masculino Um dos nomes da letra G.

guelra (**guel**.ra) substantivo feminino Abertura no corpo dos peixes e de outros animais por onde entra a água para que eles respirem.

guia (**gui**.a) substantivo feminino **1.** Fileira de pedras cortadas em forma de paralelepípedo e colocadas na beira de uma calçada; meio-fio. **2.** Corda com que se conduz um cão ou outro animal: *prendeu a guia na coleira e levou o cão para passear*. ★substantivo de dois gêneros **3.** Pessoa que guia, conduz ou orienta outras: *o guia do museu foi muito atencioso*. ★substantivo masculino **4.** Livro que contém indicações sobre uma região ou cidade ou qualquer outro assunto: *guia de restaurantes*.

guitarra (gui.**tar**.ra) substantivo feminino Instrumento musical elétrico, com seis cordas, característico do *rock* mas usado também em outros tipos de música, como *jazz* e música popular brasileira.

guri (gu.**ri**) substantivo masculino Criança, menino: *os guris e as gurias foram brincar na praia*. ▶ Feminino: *guria*.

H h

h, H ••• hélice

h, H substantivo masculino Oitava letra do alfabeto, consoante, de nome "agá". ▸ Atenção: no início da palavra, o **h** não é pronunciado, como em *hora*, *hoje*; combinado com outras letras, forma os grupos **ch**, de *bicho*; **lh**, de *folha* e **nh**, de *bolinha*.

habitação (ha.bi.ta.**ção**) substantivo feminino **1.** Local onde uma pessoa mora; casa, residência. **2.** Local onde vive um ser: *uma caverna pode ser a habitação de morcegos, ursos, lobos e outros animais.*

habitante (ha.bi.**tan**.te) substantivo de dois gêneros **1.** Pessoa que mora em um lugar, que nele reside: *os habitantes de uma cidade.* **2.** Ser que vive em um lugar: *a onça é um dos maiores habitantes da floresta.*

habitar (ha.bi.**tar**) verbo Viver, morar, existir em: *dez pessoas habitavam a ilha; a onça habita as florestas.*

hábito (**há**.bi.to) substantivo masculino Aquilo que se faz sempre; costume: *os hábitos de higiene são tomar banho, escovar os dentes, usar roupas limpas e outros.*

hachura (ha.**chu**.ra) substantivo feminino Traços cruzados ou paralelos feitos sobre desenhos e gravuras: *as hachuras mostram o círculo dentro do quadrado.*

hálito (**há**.li.to) substantivo masculino **1.** O ar que sai pela boca quando se expira; bafo. **2.** O cheiro da boca.

haltere (hal.**te**.re) substantivo masculino Aparelho de ginástica que consiste em barra com bolas ou discos de metal fixos nas extremidades, para levantamento de peso.

hambúrguer (ham.**búr**.guer) substantivo masculino **1.** Porção de carne moída e temperada, que se come frita ou grelhada em sanduíches. **2.** Sanduíche feito com essa carne. ▸ Plural: *hambúrgueres*.

harpa (**har**.pa) substantivo feminino Instrumento musical de cordas, de forma triangular, que se apoia no ombro e se toca com os dedos, conhecido desde as primeiras civilizações: *a harpa da música paraguaia tem até 102 cordas.*

haste (**has**.te) substantivo feminino **1.** Estrutura que sustenta algo: *haste da bandeira; haste da flor.* **2.** Traço vertical das letras.

haver (ha.**ver**) verbo **1.** Existir: *havia quatro pessoas na fila.* **2.** Ocorrer, acontecer: *houve uma festa na escola.* **3.** Ter passado, ter decorrido: *O parque fechou há dois dias.*

hélice (**hé**.li.ce) substantivo feminino **1.** Aparelho formado por lâminas giratórias, movido por motor, que empurra o ar ou a água e movimenta um avião, um helicóptero ou um barco. **2.** Desenho com essa forma.

helicóptero (he.li.**cóp**.te.ro) substantivo masculino Veículo com hélices e sem asas, que voa em vários sentidos e pode ficar parado no ar.

heptágono (hep.**tá**.go.no) substantivo masculino Figura formada por sete lados retos. (Veja apêndice da página 256)

herbívoro (her.**bí**.vo.ro) adjetivo **1.** Que se alimenta de vegetais: *as cabras são herbívoras*. ★ substantivo masculino **2.** Animal que se alimenta de vegetais: *os herbívoros precisam de grandes áreas para pastar*.

herói (he.**rói**) substantivo masculino **1.** Pessoa que realizou feitos de grande valor, que é admirada por suas ações e qualidades: *histórias de heróis gregos*. **2.** Personagem que, em histórias e lendas, representa o bem na luta contra o mal. ▸ Feminino: *heroína*.

hiato (hi.**a**.to) [i] substantivo masculino Encontro de duas vogais que pertencem a sílabas diferentes, como o *i-a* em *areia* ou o *a-í* em *saída*.

hífen (**hí**.fen) substantivo masculino Sinal (-) usado sempre em casos como *guarda-chuva*, *agachou-se* e *pegou-a no colo* ou para indicar separação de sílabas no fim de linha.

higiene (hi.gi.**e**.ne) [ê] substantivo feminino **1.** Limpeza do próprio corpo e do lugar onde se vive; asseio. **2.** Parte da medicina que estuda a prevenção das doenças.

hino (**hi**.no) substantivo masculino Canto que celebra alguém ou alguma coisa: *cantaram o hino do time*.

história (his.**tó**.ria) substantivo feminino **1.** Sequência de acontecimentos ligados a um grupo, país, organização ou lugar: *a história dos índios; história do Brasil*. **2.** Narrativa sobre acontecimentos e personagens reais ou imaginários: *a história do filme; a história de Chapeuzinho Vermelho*.

hoje (**ho**.je) [ô] substantivo masculino O dia ou a época em que estamos.

homem (**ho**.mem) substantivo masculino **1.** Ser humano, a nossa espécie: *o homem desenvolveu a linguagem verbal e outras formas de representação*. **2.** Qualquer indivíduo; pessoa: *todo homem tem o direito de estar vivo*. **3.** Ser humano do sexo masculino: *um homem e uma mulher estavam na praça*.

hora (**ho**.ra) substantivo feminino **1.** Cada uma das 24 partes em que se divide o dia, contadas em duas séries de 12 horas a partir da meia-noite. (Veja apêndice das páginas 254-255) **2.** Período de sessenta minutos: *o filme tinha 2 horas de duração*. **3.** Vez, oportunidade, ocasião, momento: *chegou a hora de partir*.

horário (ho.**rá**.rio) substantivo masculino Indicação das horas: *horário da escola; horário do cinema*.

horizontal (ho.ri.zon.**tal**) adjetivo **1.** Paralelo ao horizonte. **2.** Deitado, estendido.
⭐ substantivo feminino **3.** Linha reta paralela ao horizonte: *traçou uma horizontal*.

horizonte (ho.ri.**zon**.te) substantivo masculino Linha em que a terra ou o mar parecem juntar-se ao céu em campo aberto; o ponto mais distante que a visão alcança.

horta (**hor**.ta) [ó] substantivo feminino Parte de um sítio ou do quintal onde são cultivadas ervas, legumes e verduras.

hortaliça (hor.ta.**li**.ça) substantivo feminino Qualquer planta cultivada em hortas e usada na alimentação; verdura: *na feira encontramos hortaliças e frutas*.

hortelã (hor.te.**lã**) substantivo feminino Erva rasteira de folhas perfumadas e refrescantes, usadas como tempero, para fazer chá e na indústria de alimentos.

hospital (hos.pi.**tal**) substantivo masculino Estabelecimento em que as pessoas doentes podem ficar internadas, de cama, para tratar da saúde e onde algumas vezes há maternidade e pronto-socorro. ▶ Plural: *hospitais*.

hotel (ho.**tel**) substantivo masculino Estabelecimento para hospedagem, que aluga quartos ou apartamentos mobiliados, às vezes também oferece alimentação e outros serviços: *um hotel de praia*. ▶ Plural: *hotéis*.

humano (hu.**ma**.no) adjetivo **1.** Relativo aos homens, feito ou formado por seres da nossa espécie: *grupos humanos, seres humanos*. **2.** Que é característico ou pertencente aos homens. **3.** Que tem respeito e convive bem com os outros, que não é selvagem ou agressivo; bondoso, pacífico: *sentimentos humanos*.

I i

i, I substantivo masculino Nona letra do alfabeto e terceira das vogais, de nome "i".

ianomâmi (i.a.no.**mâ**.mi) substantivo de dois gêneros **1.** Indivíduo dos ianomâmis, povo indígena que vive hoje no Amazonas, em Roraima e na Venezuela. ★ adjetivo **2.** Relacionado a esse povo.

içá (i.**çá**) substantivo feminino **1.** Formiga tanajura. **2.** Palmeira nativa do Brasil, de folhas verde-escuras e frutos alaranjados, em extinção.

ícone (**í**.co.ne) substantivo masculino **1.** Imagem que representa algo; desenho: *o ícone do lápis indica que há uma atividade no caderno de exercícios*. **2.** Representação de uma divindade, de um ideal ou de valor estabelecido: *ícones religiosos; ícones da modernidade*.

idade (i.**da**.de) substantivo feminino **1.** Número de anos de alguém ou de alguma coisa: *tem sete anos de idade*. **2.** Época ou período da história: *Idade Média; Idade Moderna*.

ideia (i.**dei**.a) [éi] substantivo feminino **1.** Representação de alguma coisa no pensamento; plano: *ter uma ideia*. **2.** Descoberta, invenção: *a roda é uma grande ideia*. **3.** Conhecimento, noção: *não tenho a menor ideia sobre o assunto*.

idioma (i.di.**o**.ma) [ô] substantivo masculino Língua falada por um povo ou por uma nação: *nós falamos o idioma português; o inglês é um idioma falado em vários países*.

idoso (i.**do**.so) [ô] adjetivo Que tem muita idade; velho: *uma pessoa idosa; respeitar os idosos*. ▶ Plural: *idosos* [ó].

igapó (i.ga.**pó**) substantivo masculino Área que fica ao redor dos rios e se alaga com frequência, na floresta Amazônica.

igara (i.**ga**.ra) substantivo feminino Canoa escavada em um só tronco de árvore, usada em rios ou no mar, característica dos índios sul-americanos.

igarapé (i.ga.ra.**pé**) substantivo masculino Pequeno rio ou riacho, por onde passam igaras e outras embarcações pequenas.

igreja (i.**gre**.ja) [ê] substantivo feminino **1.** Comunidade de cristãos (com inicial maiúscula, neste caso): *a Igreja Católica; a Igreja Batista*. **2.** Templo cristão, principalmente católico: *foram à igreja assistir à missa de domingo*.

igual (i.**gual**) adjetivo **1.** Que tem a mesma aparência; idêntico: *meu caderno é igual ao seu*. **2.** Que tem a mesma quantidade ou o mesmo valor: *dividiu a mesada em partes iguais*.

iguana (i.**gua**.na) substantivo masculino Lagarto grande, de pernas compridas, cores brilhantes, papo inflável e uma crista nas costas, que vai da nuca até a cauda.

ilha (**i**.lha) substantivo feminino Porção de terra cercada de água por todos os lados.

ilusão (i.lu.**são**) substantivo feminino Engano; ato ou efeito de acreditar em algo que não é verdadeiro ou que não existe. ▶ Plural: *ilusões*.

ilustração (i.lus.tra.**ção**) substantivo feminino Desenho, imagem que acompanha um texto: *um livro de histórias com ilustrações coloridas*. ▶ Plural: *ilustrações*.

ímã (**í**.mã) substantivo masculino Metal que tem atração pelo ferro e outros metais; metal com propriedades magnéticas.

imagem (i.**ma**.gem) substantivo feminino **1.** Aquilo que se vê: *olhou sua imagem no espelho; imagens desenhadas no papel*. **2.** Representação de um santo: *imagem de Nossa Senhora Aparecida*.

imaginação (i.ma.gi.na.**ção**) substantivo feminino **1.** Capacidade de criar imagens, situações; fantasia: *tem uma imaginação fértil*. **2.** Capacidade de criar; criatividade.

imigrante (i.mi.**gran**.te) substantivo masculino Pessoa que imigra, que se muda para ir viver em outro país: *Ana é filha de imigrantes italianos*.

imitação (i.mi.ta.**ção**) substantivo feminino **1.** Ação de imitar. **2.** Aquilo que tenta se fazer passar por algo que não é: *a joia parecia verdadeira mas era só uma imitação barata*. ▶ Plural: *imitações*.

imitar (i.mi.**tar**) verbo **1.** Fazer uma coisa muito parecida com outra; copiar. **2.** Tomar como modelo: *imitava o pai em tudo*.

imóvel (i.**mó**.vel) adjetivo **1.** Que não se move; parado, quieto. ★ substantivo masculino **2.** Terreno, casa ou edifício; qualquer bem ou propriedade que não pode se mover ou ser transportado. ▶ Plural: *imóveis*.

ímpar (**ím**.par) adjetivo **1.** Que não é par: *número ímpar é aquele que não pode ser dividido por dois*. **2.** Que é só; que é único. ▶ Plural: *ímpares*.

impressora (im.pres.**so**.ra) [ô] substantivo feminino Máquina que imprime páginas, que passa texto e imagens criados no computador para o papel ou outro material.

inca (**in**.ca) substantivo de dois gêneros **1.** Indivíduo dos incas, povo que vivia na região dos Andes quando chegaram os espanhóis. ★ adjetivo **2.** Relacionado a esse povo: *civilização inca*.

incêndio (in.**cên**.dio) substantivo masculino Fogo grande, fora de controle, que queima o que encontra: *um incêndio pode destruir um prédio; os bombeiros foram controlar o incêndio*.

indicador (in.di.ca.**dor**) [ô] substantivo masculino O dedo que fica entre o polegar e o médio, usado para apontar ou mostrar.

indicar (in.di.**car**) verbo **1.** Apontar; mostrar: *a placa indica o caminho*. **2.** Recomendar; sugerir: *o médico indicou um xarope para curar a tosse*.

índice (**ín**.di.ce) substantivo masculino Lista que indica a página onde se iniciam os capítulos de um livro ou revista, onde ficam as ilustrações ou outro elemento, muitas vezes em ordem alfabética no final da publicação.

índio (**ín**.dio) substantivo masculino
Indivíduo de um dos povos nativos da América; indígena.

indivíduo (in.di.**ví**.duo) substantivo masculino
1. Ser humano, pessoa, sujeito. **2.** Uma pessoa qualquer, indeterminada: *era um indivíduo alto e moreno*.

infância (in.**fân**.cia) substantivo feminino
Período da vida que vai do nascimento ao início da adolescência; época em que se é criança ou infante.

infantil (in.fan.**til**) adjetivo **1.** Relacionado a infância ou a crianças: *escola infantil; livros infantis*. **2.** Próprio de criança ou de pessoas mais novas.

inferior (in.fe.ri.**or**) [ô] adjetivo **1.** Que está abaixo, por baixo ou mais baixo: *gaveta inferior; piso inferior*. **2.** Que tem menor qualidade ou valor, que é pior: *tecido inferior*.

inflável (in.**flá**.vel) adjetivo Que se pode encher de ar: *boia inflável*. ▶ Plural: *infláveis*.

informação (in.for.ma.**ção**) substantivo feminino **1.** Acontecimento divulgado ao público; notícia. **2.** Conjunto de dados sobre alguém ou algum assunto. **3.** Conhecimento: *tinha muita informação sobre literatura*. ▶ Plural: *informações*.

inglês (in.**glês**) adjetivo **1.** Da Inglaterra, país da Europa. ⭐ substantivo masculino **2.** Pessoa que nasceu nesse lugar ou que mora lá. **3.** Idioma falado nesse e em outros países.

ingrediente (in.gre.di.**en**.te) substantivo masculino Elemento que entra na preparação de um alimento, bebida, medicamento, produto de higiene etc: *a farinha é um ingrediente do pão e do bolo*.

ingresso (in.**gres**.so) [é] substantivo masculino **1.** Entrada: *testemunhamos seu ingresso na faculdade*. **2.** Bilhete que dá direito à entrada em um jogo, cinema, teatro: *os ingressos foram comprados hoje*.

inhambu (i.nham.**bu**) substantivo masculino
Ave semelhante à codorna, robusta, de pernas grossas e cauda pequena.

inicial (i.ni.ci.**al**) adjetivo **1.** Que está no começo, que inicia. ⭐ substantivo feminino **2.** A primeira letra de uma palavra. ▶ Plural: *iniciais*.

início (i.**ní**.cio) substantivo masculino
1. Princípio; começo. **2.** Inauguração, estreia: *início da temporada de jogos*.

injeção (in.je.**ção**) substantivo feminino **1.** Ação de injetar, de fazer entrar ou jogar dentro. **2.** Aplicação de medicamento no músculo ou na veia, com uma seringa e agulha. ▶ Plural: *injeções*.

inscrição (ins.cri.**ção**) substantivo feminino
1. Ação de inscrever ou escrever, de pôr o nome em uma lista. **2.** Letras ou palavras escritas como registro em monumentos, mausoléus etc. ▶ Plural: *inscrições*.

inseto (in.**se**.to) [é] substantivo masculino
Animal invertebrado com um par de antenas, até três pares de patas e duas asas, que forma um grande grupo no qual estão a borboleta, o gafanhoto, a mosca e outros.

instrução (ins.tru.**ção**) substantivo feminino
1. Ação ou efeito de instruir, de transmitir ou adquirir conhecimentos, informações.
2. Ensino, educação. **3.** Explicação, orientação de como fazer alguma coisa: *instruções do jogo; instruções para montar o brinquedo.* ▸ Plural: *instruções.*

instrumento (ins.tru.**men**.to) substantivo masculino **1.** Objeto que se usa para fazer alguma coisa; ferramenta. **2.** Objeto com que se toca, que produz sons musicais: *a flauta é um instrumento de sopro.*

inteiro (in.**tei**.ro) adjetivo Que tem todas as suas partes; todo, completo.

inteligência (in.te.li.**gên**.cia) substantivo feminino Capacidade de entender, de pensar e aprender; compreensão, entendimento.

inteligente (in.te.li.**gen**.te) adjetivo Que tem inteligência, que compreende ou aprende com facilidade.

intenção (in.ten.**ção**) substantivo feminino Vontade, intento, propósito: *tinha a intenção de ajudar.*

interfone (in.ter.**fo**.ne) [ô] substantivo masculino Aparelho para falar com pessoas que estão na mesma rede, quase sempre por fio e em outra sala, apartamento ou casa: *o interfone liga só para a rede interna, o telefone liga para qualquer número na rede telefônica.*

internauta (in.ter.**nau**.ta) substantivo de dois gêneros Pessoa que consulta páginas, ou navega, pela internet.

internet (in.ter.**net**) substantivo feminino Rede mundial de computadores, com páginas e *sites* que podem ser vistos ou acessados com um programa navegador.

interno (in.**ter**.no) adjetivo **1.** Que está dentro; interior. ⭐ substantivo masculino **2.** Aluno que mora na escola onde estuda.

interrogação (in.ter.ro.ga.**ção**) substantivo feminino **1.** Ação de interrogar ou perguntar; indagação, pergunta. **2.** Sinal de pontuação em forma de gancho (**?**), usado para indicar pergunta ou dúvida. ▸ Plural: *interrogações.*

intervalo (in.ter.**va**.lo) substantivo masculino **1.** Espaço ou distância entre dois pontos, duas épocas, dois fatos. **2.** Pausa para descanso em um trabalho ou estudo.

inverno (in.**ver**.no) substantivo masculino Estação mais fria do ano, entre o outono e a primavera.

inverso (in.**ver**.so) adjetivo Contrário, oposto: *a roda girou para a direita e depois em sentido inverso.*

invertebrado (in.ver.te.**bra**.do) adjetivo **1.** Que não tem vértebras, não tem ossos: *os insetos são animais invertebrados.*
⭐ substantivo masculino e adjetivo **2.** Animal que não possui um esqueleto interno, para sustentação do corpo: *muitos invertebrados têm o corpo mole, como as minhocas.*

ioiô (io.**iô**) substantivo masculino Brinquedo formado por dois discos pequenos unidos pelo centro, por onde passa um cordão que, quando movimentado, faz o brinquedo subir e descer.

irmão (ir.**mão**) substantivo masculino
1. Aquele que nasceu do mesmo pai ou da mesma mãe, ou de ambos: *tenho dois irmãos e três irmãs*. **2.** Membro de uma sociedade ou associação religiosa; frei.
▸ Feminino: *irmã*. Plural: *irmãos*. (Veja apêndice da página 262)

irregular (ir.re.gu.**lar**) adjetivo Que muda de tamanho, altura ou forma; desigual, variável.

isca (**is**.ca) substantivo feminino Alimento colocado no anzol ou em armadilhas para atrair o peixe e outros animais.

italiano (i.ta.li.**a**.no) adjetivo **1.** Da Itália, país da Europa. ⭐ substantivo masculino **2.** Pessoa que nasceu nesse lugar ou que mora lá. **3.** Idioma falado nesse país.

J j

j, J substantivo masculino Décima letra do nosso alfabeto, consoante, de nome "jota".

jabuti (ja.bu.**ti**) substantivo masculino Réptil terrestre do grupo da tartaruga, de casco bem arqueado, que vive nas matas brasileiras e atinge mais de 70 anos.

jabuticaba (ja.bu.ti.**ca**.ba) substantivo feminino Fruta pequena e redonda, de casca roxa, com polpa branca e doce, que nasce grudada ao tronco da árvore de folhas pequenas e se come crua ou em geleias. (Veja apêndice da página 249)

jaca (**ja**.ca) substantivo feminino Fruta grande, de casca grossa, com polpa doce e sementes grandes, com cheiro muito forte, que dá em uma árvore alta, de regiões quentes. (Veja apêndice da página 249)

jacaré (ja.ca.**ré**) substantivo masculino Réptil carnívoro, de grande porte, que vive nos rios e nas lagoas, tem pele grossa, pernas curtas e dedos com garras.

jaguatirica (ja.gua.ti.**ri**.ca) substantivo feminino Mamífero carnívoro, selvagem, semelhante a uma onça-pintada pequena, que vive nas matas brasileiras; gato-do-mato.

jamanta (ja.**man**.ta) substantivo feminino Caminhão grande, para transporte de carga pesada; carreta.

janela (ja.**ne**.la) [é] substantivo feminino 1. Abertura para deixar passar a luz e o ar, em geral protegida por vidro e uma armação de madeira ou metal. 2. Cada um dos quadros em que se abre um arquivo de computador.

jangada (jan.**ga**.da) substantivo feminino Embarcação a vela feita de madeiras roliças unidas entre si, usada principalmente pelos pescadores do Nordeste do Brasil.

jantar (jan.**tar**) substantivo masculino 1. Uma das principais refeições do dia, feita à noite. ★ verbo 2. Comer essa refeição.

japonês (ja.po.**nês**) adjetivo 1. Do Japão, país da Ásia. ★ substantivo masculino 2. Pessoa que nasceu nesse lugar ou que mora lá. 3. Idioma desse povo, escrito com ideogramas, que são símbolos que representam ideias.

jardim (jar.**dim**) substantivo masculino Local onde se cultivam árvores, flores e plantas ornamentais, em uma casa ou em locais públicos.

jarra (**jar**.ra) substantivo feminino 1. Vaso com bico e asa, usado para servir líquidos. 2. Vaso cilíndrico para flores; jarro.

jasmim (jas.**mim**) substantivo masculino Planta cultivada pelo perfume de suas flores e por suas propriedades medicinais, apreciada também no chá.

jato (**ja**.to) substantivo masculino **1.** Saída repentina e forte de um líquido, gás ou outra substância: *um jato de água*. **2.** Avião com motor que usa a força do ar impelida pela turbina.

jegue (**je**.gue) [é] substantivo masculino Mamífero menor que o cavalo, muito forte e resistente, de orelhas longas, usado principalmente para transportar cargas; asno, jerico, jumento.

jerimum (je.ri.**mum**) substantivo masculino No Norte e no Nordeste, o mesmo que abóbora.

jiboia (ji.**boi**.a) [ói] substantivo feminino Cobra de até quatro metros de comprimento, que não tem veneno e mata sua presa por estrangulamento.

joaninha (jo.a.**ni**.nha) substantivo feminino Besouro pequeno, de asinhas coloridas, que vive debaixo das folhas e é muito útil para a lavoura, pois se alimenta de pulgões e outros insetos que comem as plantas.

joão-bobo (jo.ão-**bo**.bo) [ô] substantivo masculino **1.** Ave de plumagem marrom manchada de negro, com as partes inferiores brancas e bico vermelho. **2.** Boneco inflável com a base arredondada, que faz um movimento de vaivém quando empurrado.
▶ Plural: *joões-bobos*.

joão-de-barro (jo.ão-de-**bar**.ro) substantivo masculino Pássaro que constrói seu ninho em forma de forno, utilizando barro; forneiro, oleiro, pedreiro. ▶ Plural: *joões-de-barro*.

joelho (jo.**e**.lho) [ê] substantivo masculino Articulação da coxa com a perna.(Veja apêndice da página 261)

jogador (jo.ga.**dor**) substantivo masculino e adjetivo Pessoa que participa de um jogo: *jogador de futebol; jogador de xadrez*.

jogar (jo.**gar**) verbo **1.** Lançar, atirar, impelir: *jogar um objeto sobre a mesa*. **2.** Divertir-se, brincar com um jogo: *jogar damas; jogar futebol*.

jogo (**jo**.go) [ô] substantivo masculino **1.** Passatempo, brincadeira: *jogo de quebra-cabeça; jogo de cabra-cega*. **2.** Disputa com regras, em que há um ganhador e um ou mais perdedores, ou um empate: *jogo de bola; jogo de cartas; jogo de xadrez*. **3.** Conjunto de coisas: *jogo de copos*.
▶ Plural: *jogos* [ó].

joia (**joi**.a) [ói] substantivo feminino Objeto feito de ouro, prata ou pedras preciosas, usado para enfeitar.

jóquei ••• junino

jóquei (**jó**.quei) substantivo masculino
1. Pessoa que monta cavalos de corrida profissionalmente. 2. Clube onde se realizam corridas de cavalos.

jornal (jor.**nal**) substantivo masculino
1. Publicação impressa que oferece notícias, informações sobre acontecimentos recentes ou de impacto, comentários, entrevistas, anúncios e propaganda. 2. Publicação com esse tipo de informações: *há jornais impressos e jornais eletrônicos*. 3. Noticiário de rádio ou televisão. ▶ Plural: *jornais*.

jota (**jo**.ta) [ó] substantivo masculino
Nome da letra J.

jovem (**jo**.vem) adjetivo 1. Que é novo, que está em desenvolvimento: *país jovem*. ★substantivo de dois gêneros 2. Pessoa que passou da infância e não atingiu a maturidade: *os jovens iam para a escola*.

juazeiro (ju.a.**zei**.ro) substantivo masculino
Árvore do Nordeste que, mesmo durante a seca, fornece alimento para o gado, sombra e cuja fruta, o juá, tem polpa amarela. (Veja apêndice da página 249)

juba (**ju**.ba) substantivo feminino Pelos mais longos que o leão tem na cabeça e no pescoço.

judeu (ju.**deu**) substantivo masculino Indivíduo dos judeus, povo que vive em diversos países e em Israel; hebreu, israelense. ▶Feminino: *judia*.

judô (ju.**dô**) substantivo masculino Luta marcial de origem japonesa e esporte praticado com golpes de mãos e de pés.

juiz (ju.**iz**) substantivo masculino 1. Aquele que tem o poder de julgar com base nas leis. 2. Pessoa que aplica o regulamento em uma competição esportiva; árbitro. ▶ Feminino: *juíza*. Plural: *juízes*.

jujuba (ju.**ju**.ba) substantivo feminino Bala de gelatina, macia e colorida; bala de goma.

julgar (jul.**gar**) verbo 1. Decidir como juiz. 2. Avaliar, considerar uma situação ou um fato e as circunstâncias em que ocorreu e formar uma opinião a respeito.

jumento (ju.**men**.to) substantivo masculino Jegue.

junino (ju.**ni**.no) adjetivo Relativo ao mês de junho ou às festas populares que ocorrem nesse mês: *as festas juninas homenageiam São João, Santo Antônio e São Pedro com música e comidas caipiras, dança de quadrilha e várias brincadeiras, e fazem parte das tradições folclóricas brasileiras e portuguesas*.

júnior (jú.ni.or) adjetivo **1.** O mais moço, em relação a outro. **2.** Expressão que se põe depois do nome do filho que recebeu o mesmo nome do pai. ★ substantivo masculino **3.** Nos esportes, atleta de pouca idade e a categoria em que competem esses atletas.
▶ Plural: *juniores* [ô].

júri (jú.ri) substantivo masculino **1.** Conjunto de cidadãos sorteados para julgar um crime nos tribunais. **2.** Grupo de pessoas que julga candidatos ou obras em um concurso.

justiça (jus.ti.ça) substantivo feminino **1.** Ato de fazer cumprir as leis, de respeitar o direito de cada um. **2.** Ação de julgar alguma coisa ou alguém, avaliando o que é certo, justo e o que é errado: *agir com justiça*.

justo (jus.to) adjetivo **1.** Que tem justiça, que segue os princípios do direito; razoável, legítimo. **2.** Preciso, exato. **3.** Apertado; que se ajusta: *calça justa*.

juventude (ju.ven.tu.de) substantivo feminino **1.** Período da vida entre a infância e a idade adulta; adolescência. **2.** A gente jovem; a mocidade, as pessoas dessa idade.

Kk

k, K substantivo masculino Décima primeira letra do alfabeto, consoante de nome "cá", empregada em nomes próprios como *Kubitscheck*, em símbolos como *kg*, de *quilo*; em palavras estrangeiras, como *kart*; ou em palavras derivadas delas, como *kardecista* e *kartódromo*.

kardecista (kar.de.**cis**.ta) adjetivo
1. Relacionado a Allan Kardec ou ao kardecismo, doutrina espírita criada por ele.
★ substantivo de dois gêneros **2.** Pessoa ligada a um grupo espírita que segue as doutrinas de Kardec.

kart [inglês: "cart"] substantivo masculino Veículo pequeno sem suspensão, carroceria ou marchas, com embreagem automática, usado em corridas.

kartódromo (kar.**tó**.dro.mo) substantivo masculino Local com uma pista e instalações para corridas de *kart*.

Ll

l, L substantivo masculino Décima segunda letra do alfabeto, consoante, de nome "ele" (que se diz "éle") ou "lê".

lã substantivo feminino **1.** Pelo que cobre o corpo de certos animais, especialmente de ovelhas e carneiros. **2.** Fio ou malha feitos com esse pelo: *fio de lã; agasalho de lã*.

lábio (**lá**.bio) substantivo masculino Cada uma das partes carnudas que formam o contorno da boca, em linguagem popular chamado beiço.

labirinto (la.bi.**rin**.to) substantivo masculino **1.** Construção com muitas salas, passagens ou corredores que se cruzam e se dividem, onde é dificílimo achar a saída. **2.** Jardim cortado por numerosos caminhos entrelaçados. **3.** Desenho que representa esses caminhos.

laço (**la**.ço) substantivo masculino **1.** Nó que se desata sem esforço: *laço de fita*. **2.** Aliança, ligação, união: *laços de família; laços do casamento*. **3.** Corda com um nó corrediço em uma ponta, usada para laçar, prender, amarrar animais.

lacraia (la.**crai**.a) substantivo feminino Centopeia.

lacuna (la.**cu**.na) substantivo feminino Espaço vazio ou em branco: *era um exercício de preencher as lacunas com a letra que estava faltando*.

lado (**la**.do) substantivo masculino **1.** Parte direita ou esquerda de qualquer corpo; posição em uma dessas partes: *as orelhas ficam nos lados da cabeça*. **2.** Direção, rumo: *ir para o lado da praia*. **3.** Cada um dos segmentos ou pedaços de reta de uma figura: *o quadrado tem quatro lados, o triângulo tem três lados*.

ladrão (la.**drão**) substantivo masculino Aquele que furta ou rouba. ▶ Feminino: *ladra* ou *ladrona*. Plural: *ladrões*.

lagarta (la.**gar**.ta) substantivo feminino Larva da borboleta e da mariposa, que possui muitos pés e o corpo mole e alongado.

lagartixa (la.gar.**ti**.xa) substantivo feminino Pequeno lagarto de hábitos noturnos, que sobe pelas paredes e caça insetos.

lagarto (la.**gar**.to) substantivo masculino Réptil terrestre que vive em locais pedregosos, de corpo delgado e escamoso, cauda longa com ponta fina e quatro patas em forma de garra.

lago (**la**.go) substantivo masculino **1.** Grande extensão de água cercada de terra. **2.** Tanque de jardim.

lagoa (la.**go**.a) [ô] substantivo feminino **1.** Pequeno lago. **2.** Porção de água parada ou pantanosa, charco.

lagosta (la.**gos**.ta) [ô] substantivo feminino Animal marinho com cinco pares de patas e cauda longa.

lágrima (lá.gri.ma) substantivo feminino
Líquido produzido pelo corpo para limpar e manter os olhos úmidos: *quando choramos as lágrimas escorrem pelo rosto*.

lamber (lam.ber) verbo Passar a língua em.

lâmpada (lâm.pa.da) substantivo feminino Aparelho para iluminar.

lampião (lam.pi.ão) substantivo masculino Lanterna grande, que pode ser elétrica ou a combustível, portátil ou fixa no teto ou em paredes.

lança (lan.ça) substantivo feminino Arma de arremesso, formada por uma haste longa com ponta afiada.

lançar (lan.çar) verbo **1.** Atirar com força, arremessar: *lançou a pedra com muita força*. **2.** Jogar, estendendo: *lançar a rede ao mar*. **3.** Mostrar, exibir ou fazer pela primeira vez: *lançar moda*.

lancha (lan.cha) substantivo feminino Pequena embarcação com motor, para transporte, pesca, esporte ou lazer.

lanche (lan.che) substantivo masculino **1.** Pequena refeição entre o almoço e o jantar; merenda. **2.** Sanduíche ou refeição rápida: *comer um lanche*.

lancheira (lan.chei.ra) substantivo feminino Maleta onde se leva o lanche.

lanchonete (lan.cho.ne.te) substantivo feminino Estabelecimento que vende lanche, sanduíches e refeições rápidas, geralmente no balcão.

lanterna (lan.ter.na) [é] substantivo feminino **1.** Lâmpada elétrica portátil alimentada por pilhas. **2.** Pequena lâmpada colocada à frente, ao lado ou atrás de automóveis.

lápis (lá.pis) substantivo masculino Objeto para escrever ou desenhar, formado por um cilindro de grafite preta ou colorida envolvido em madeira. ▶ Plural: *lápis*.

lapiseira (la.pi.sei.ra) substantivo feminino **1.** Tubo onde se encaixa grafite, usado para escrever e desenhar. **2.** Caixa onde se guardam lápis.

lar substantivo masculino Local onde se mora.

laranja (la.ran.ja) substantivo feminino **1.** Fruta de casca amarela e suco doce, às vezes ácido. (Veja apêndice da página 249) ★ substantivo masculino **2.** A cor desse fruto, entre o amarelo e o vermelho; alaranjado: *o laranja é uma das cores do arco-íris*. (Veja apêndice da página 256)

laranjada (la.ran.ja.da) substantivo feminino Bebida feita com o suco da laranja, água e açúcar ou adoçante.

lareira (la.rei.ra) substantivo feminino Lugar próprio para acender fogueira, construído em uma sala ou quarto.

largada (lar.ga.da) substantivo feminino **1.** Ação de largar, de sair de um local. **2.** Partida, início de uma competição esportiva.

largar (lar.gar) verbo **1.** Soltar algo que se está segurando: *não largou o braço da mãe*. **2.** Deixar cair, soltar. **3.** Deixar de lado, parar de fazer; abandonar: *largou o livro no meio*.

largo (**lar**.go) adjetivo **1.** Que é maior para os lados que para cima. **2.** Espaçoso, amplo, vasto, folgado: *roupas largas*.

largura (lar.**gu**.ra) substantivo feminino A medida para os lados ou horizontal de um objeto, ou a menor dimensão de uma superfície: *o retângulo da porta tinha 2 metros de largura e 4 metros de altura*.

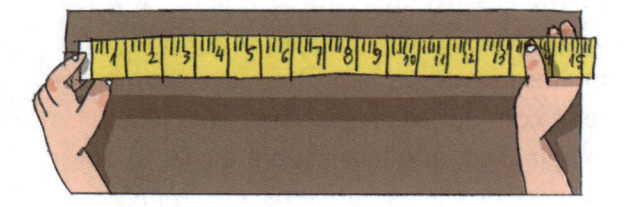

lasanha (la.**sa**.nha) substantivo feminino Prato feito com massa de macarrão em tiras largas, alternadas com molho de tomate ou molho branco, com carne, presunto e queijo, assado.

lasca (**las**.ca) substantivo feminino Pedaço pequeno e fino tirado de um objeto: *lascas de lápis*.

lata (**la**.ta) substantivo feminino **1.** Folha ou lâmina de metal, usada para fazer veículos e embalagens: *a porta do carro é de lata*. **2.** Embalagem de folha metálica: *refrigerante em lata*.

lateral (la.te.**ral**) adjetivo **1.** Que está situado ao lado: *entrada lateral*. ★ substantivo masculino **2.** No futebol e em outros esportes, jogador que atua próximo às laterais do campo.

látex (**lá**.tex) [cs] substantivo masculino Líquido espesso que escorre de certas plantas, quando seu caule, folhas e tronco são partidos ou cortados: *a borracha é feita com o látex da seringueira*.

latido (la.**ti**.do) substantivo masculino Ato ou efeito de latir ou ladrar; ladrido; voz do cão.

latir (la.**tir**) verbo Dar ou soltar latidos, ladrar.

lava (**la**.va) substantivo feminino Matéria expelida pelos vulcões em alta temperatura e derretida, que depois endurece e forma rochas.

lavadora (la.va.**do**.ra) [ô] substantivo feminino Máquina para lavar roupas ou louça.

lavar (la.**var**) verbo Limpar com água e sabão: *lave bem as mãos antes de comer*.

lavoura (la.**vou**.ra) substantivo feminino **1.** Cultivo de terra; agricultura. **2.** Preparação do terreno para semear ou plantar.

leão (le.**ão**) substantivo masculino Grande mamífero selvagem, com pelos amarelados e juba nos machos, que vive em bandos na África e caça animais grandes, como zebras e veados. ▶ Feminino: *leoa*. Plural: *leões*.

lebre (**le**.bre) substantivo feminino Mamífero semelhante ao coelho, porém maior e muito rápido.

lecionar (le.ci.o.**nar**) verbo **1.** Dedicar-se ao magistério; ser professor. **2.** Dar lições de; ensinar.

legal (le.**gal**) adjetivo **1.** Que está de acordo com a lei; correto, certo, regular. **2.** Muito bom, agradável, bonito, em linguagem popular.

legenda (le.**gen**.da) substantivo feminino
1. Texto que acompanha uma imagem para explicar o que é: *legenda da foto; legenda do mapa*. **2.** Texto que passa sob as imagens de um filme ou programa de televisão, com tradução das falas etc.

legível (le.**gí**.vel) adjetivo Que pode ser lido com facilidade; compreensível.

legume (le.**gu**.me) substantivo masculino Alimento vegetal como a cenoura, tomate, chuchu e outros, que não são grãos nem folhas.

lei substantivo feminino Regra escrita pelas autoridades, com os direitos e deveres dos cidadãos de um município, país ou organização internacional.

leitão (lei.**tão**) substantivo masculino Porco novo; porquinho. ▶ Feminino: *leitoa*. Plural: *leitões*.

leite (**lei**.te) substantivo masculino **1.** Líquido branco produzido pelas glândulas mamárias das fêmeas dos mamíferos para alimentar os filhotes. **2.** Líquido branco extraído de um vegetal: *leite de coco*.

leitor (lei.**tor**) substantivo masculino Pessoa que lê, para si ou para os outros.

leitura (lei.**tu**.ra) substantivo feminino
1. Ato ou hábito de ler: *alegrava-se com a leitura*. **2.** O que se lê: *descobrimos novas leituras a cada época da vida*.

lema (**le**.ma) [ê] substantivo masculino Regra ou sentença que resume um objetivo; emblema: *tinha como lema nunca desistir*.

lenço (**len**.ço) substantivo masculino Pedaço quadrado de tecido delicado, que pode ser usado na cabeça, no pescoço ou ainda para assoar o nariz. (Veja apêndice da página 260)

lenda (**len**.da) substantivo feminino
1. História, conto, narração conhecida por muitas pessoas, que mistura acontecimentos reais com outros imaginários, ou apenas imaginários, que falam sobre a criação do mundo, dos seres humanos, dos animais; tradição popular. **2.** Mentira, ilusão.

lente (**len**.te) substantivo feminino Disco transparente, em geral de vidro, que aumenta ou diminui uma imagem vista através dele.

lentilha (len.**ti**.lha) substantivo feminino Planta trepadeira que dá um grãozinho redondo e achatado, de cor castanha, usado na alimentação.

lento (**len**.to) adjetivo Devagar, demorado, vagaroso, lerdo: *a preguiça faz movimentos lentos*.

ler verbo Compreender o que está escrito: *aprendeu a ler na escola; leu uma história para o irmãozinho*.

lesma (**les**.ma) [ê] substantivo feminino Animal de corpo mole, com um par de tentáculos que ele recolhe ou estica onde ficam os olhos, alimenta-se de plantas, vive em lugares úmidos e se mexe devagar.

leste (**les**.te) [é] substantivo masculino Ponto cardeal e lado onde nasce o sol; nascente, oriente. O mesmo que *este*. (Veja apêndice da página 257)

letivo (le.**ti**.vo) adjetivo Relacionado a lições, cursos ou aulas: *o ano letivo é o calendário das aulas*.

letra (**le**.tra) [ê] substantivo feminino **1.** Cada um dos sinais com que se escrevem as palavras: *a última letra do alfabeto é o z*. **2.** Modo de escrever esses sinais; caligrafia: *reconheci a letra da minha irmã*. **3.** Texto, poema de uma canção. **4.** Cada um dos tipos ou desenhos de letras: *letra maiúscula, letra minúscula; letra cursiva*.

letreiro (le.**trei**.ro) substantivo masculino Inscrição feita em uma tabuleta ou placa.

levantar (le.van.**tar**) verbo **1.** Mover para cima, elevar: *levantou a mão para pedir licença*. **2.** Construir para cima: *levantou um muro*. **3.** Colocar de pé: *levantou a boneca do chão*. **4.** Erguer-se, pôr-se de pé, sair da cama: *levanta-se às seis da manhã*.

levar (le.**var**) verbo **1.** Transportar, carregar: *levou as crianças para a escola*. **2.** Guiar, conduzir: *levou a bola até o gol*. **3.** Receber, tomar: *levou uma bronca*. **4.** Gastar, passar: *leva uma hora para chegar até lá*.

leve (**le**.ve) adjetivo **1.** Que tem pouco peso: *pacote leve*. **2.** Sem gravidade: *ferimentos leves*. **3.** Suave, delicado: *passos leves*.

lhama (**lha**.ma) substantivo feminino Mamífero típico da cordilheira dos Andes, de pescoço longo, criado para transportar carga e fornecer lã.

lição (li.**ção**) substantivo feminino **1.** Matéria que se estuda na escola. **2.** Trabalho, estudo, dever de casa. **3.** Ensinamento, exemplo. ▶ Plural: *lições*.

líder (**lí**.der) substantivo de dois gêneros **1.** Pessoa que comanda, chefia, orienta ou lidera outras; guia, chefe. **2.** Aquele que está na frente em uma competição esportiva: *a menina era líder do campeonato*.

ligeiro (li.**gei**.ro) adjetivo **1.** Rápido, ágil, veloz: *a lebre é um animal ligeiro*. **2.** Que não é pesado; leve: *refeição ligeira*.

lima (**li**.ma) substantivo feminino **1.** Ferramenta para polir ou lixar metais e madeira. **2.** Tipo de laranja de casca fina e cor amarelo-limão, com sabor mais suave e um pouco amargo.

limão (li.**mão**) substantivo masculino Fruta cítrica de sabor ácido, verde por fora e por dentro, que cresce no limoeiro. ▶ Plural: *limões*. (Veja apêndice da página 249)

limite (li.**mi**.te) substantivo masculino **1.** Linha real ou imaginária que separa terrenos, cidades, países; fronteira, divisa. **2.** Ponto máximo, grau que não se deve ultrapassar: *o limite de idade; limite da paciência; limite das forças*.

limonada (li.mo.**na**.da) substantivo feminino Bebida feita com suco de limão, água e açúcar ou adoçante.

limpar (lim.**par**) verbo Deixar limpo, retirar a sujeira.

limpo (**lim**.po) adjetivo **1.** Sem sujeira ou mancha; lavado, asseado: *chão limpo*. **2.** Bem feito, bem acabado: *um trabalho limpo*. **3.** Sem nuvens: *céu limpo*.

língua ••• lobo-guará

A B C D E F G H I J K **L** M N O P Q R S T U V W X Y Z

língua (lín.gua) substantivo feminino **1.** Órgão muscular que fica na boca e participa da fala e da alimentação. **2.** Idioma, linguagem verbal: *língua portuguesa; línguas indígenas*.

linguagem (lin.gua.gem) substantivo feminino **1.** Forma de comunicação: *linguagem das palavras; linguagem da música; linguagem dos quadrinhos*. **2.** Maneira de dizer: *linguagem poética; linguagem popular*. **Linguagem figurada**: maneira de dizer alguma coisa usando figuras, usando palavras com o sentido diferente do mais usado: "um pingo" em linguagem figurada é "uma porção pequena, muito pouco" de qualquer coisa, não precisa ser de líquido.

linha (li.nha) substantivo feminino **1.** Traço ou risco contínuo: *uma linha curva; uma linha reta*. **2.** Fio, cordão fino usado para costurar, bordar etc.

líquido (lí.qui.do) substantivo masculino **1.** Estado da substância como a água, que toma a forma do recipiente que ocupa: *com o calor, o gelo derreteu e virou líquido*. **2.** Qualquer substância nesse estado: *na garrafa havia um líquido escuro e cheio de gás*.

liso (li.so) adjetivo Que tem a superfície macia, sem rugas ou asperezas: *a maçã tem a casca lisa, o abacaxi tem a casca áspera*.

literatura (li.te.ra.tu.ra) substantivo feminino **1.** Arte de escrever textos em verso ou em prosa. **2.** Conjunto de textos de um lugar, autor ou época: *literatura brasileira; literatura infantil*.

litro (li.tro) substantivo masculino Unidade de capacidade para líquidos: *um vasilhame de 1 litro tem mil mililitros*.

livraria (li.vra.ri.a) substantivo feminino Estabelecimento ou loja que vende principalmente livros.

livre (li.vre) adjetivo Que pode escolher, fazer ou movimentar-se; que tem liberdade; solto: *os passarinhos livres podem ir e vir quando querem*.

livro (li.vro) substantivo masculino Objeto com várias páginas encadernadas e impressas com um texto, em prosa ou em verso, sobre os mais variados assuntos.

lixeira (li.xei.ra) substantivo feminino Objeto ou local em que se joga o lixo.

lixo (li.xo) substantivo masculino **1.** Aquilo que não se quer mais, que não tem mais uso e que se dispensa ou joga fora: *separamos todo o lixo da casa para reciclar*. **2.** Local ou objeto em que se joga o lixo; lixeira: *jogou tudo no lixo*.

lobisomem (lo.bi.so.mem) substantivo masculino Ser lendário ou folclórico, que é um homem que se transforma em lobo à meia-noite das sextas-feiras de lua cheia.

lobo (lo.bo) [ô] substantivo masculino Mamífero semelhante a um cão selvagem, que vive nas matas e se alimenta dos animais que caça.

lobo-guará (lo.bo-gua.rá) substantivo masculino Lobo de pelagem vermelho-alaranjada, escura nas patas e na ponta do focinho, encontrado na América do Sul, menos feroz que o lobo europeu.

local (lo.**cal**) substantivo masculino **1.** Lugar, área, ponto: *local muito frio*; *local do encontro*. ⭐adjetivo **2.** Relacionado a um lugar, próprio de lá: *os turistas adoram conhecer as festas locais*.

locomotiva (lo.co.mo.**ti**.va) substantivo feminino Máquina elétrica ou a vapor que puxa os vagões de um trem.

locutor (lo.cu.**tor**) substantivo masculino Pessoa que fala, que faz a locução em programas de rádio ou na televisão: *o locutor do noticiário é sempre sério*.

loiro (**loi**.ro) adjetivo e substantivo masculino O mesmo que *louro*.

loja (**lo**.ja) [ó] substantivo feminino Estabelecimento que vende mercadorias.

lombo (**lom**.bo) substantivo masculino Costas, dorso: *a sela fica no lombo do cavalo*.

longe (**lon**.ge) advérbio Distante no tempo ou no espaço.

longo (**lon**.go) adjetivo **1.** Comprido, extenso: *estrada longa*. **2.** Prolongado, demorado: *filme longo*.

losango (lo.**san**.go) substantivo masculino Quadrilátero que tem os lados iguais, mas não em ângulos retos.

louça (**lou**.ça) substantivo feminino Objeto de cerâmica, porcelana ou vidro para uso doméstico: *pratos de louça*.

louro (**lou**.ro) adjetivo **1.** Que tem pelos ou cabelos amarelos ou de cor clara, mas não brancos: *cabelos louros*; *homem louro*. ⭐substantivo masculino **2.** Folha verde-escura muito aromática, usada como tempero e como prêmio em competições esportivas desde a Antiguidade: *há uma coroa de louros na figura que aparece nas cédulas de real*. **3.** Pessoa que tem o cabelo louro: *o grupo tinha morenas e louras*. **4.** Papagaio. O mesmo que *loiro*.

lousa (**lou**.sa) substantivo feminino Quadro pendurado na parede para se escrever nele com giz; quadro-negro.

louva-a-deus (**lou**.va-a-**deus**) substantivo masculino Inseto saltador, que dobra as patas da frente e, por caçar outros insetos, ajuda no controle das pragas; põe-mesa. ▶ Plural: *louva-a-deus*.

lua (**lu**.a) substantivo feminino **1.** Corpo celeste que gira em torno da Terra, visível em geral à noite e que aparentemente muda de forma de acordo com as suas quatro fases: *a Lua brilhava no céu*. **2.** Corpo celeste que gira em volta de um planeta; satélite: *o planeta Saturno tem várias luas*. (Veja apêndice da página 258)

luar (lu.**ar**) substantivo masculino Claridade que a Lua reflete sobre a Terra.

lúdico (lú.di.co) adjetivo Que diz respeito a jogos ou divertimento, feito por brincadeira: *atividades lúdicas*.

lula (lu.la) substantivo feminino Molusco marinho de corpo alongado, com dez tentáculos e ventosas.

luneta (lu.ne.ta) [ê] substantivo feminino Cilindro com lentes que aumentam a visão, para observação de objetos distantes.

lupa (lu.pa) substantivo feminino 1. Lente que aumenta a imagem observada. 2. Objeto que tem essa lente e um cabo, símbolo dos detetives.

luta (lu.ta) substantivo feminino 1. Combate entre dois atletas, sem armas: *luta de judô*. 2. Combate entre pessoas ou povos, com ou sem armas; disputa, peleja, guerra. 3. Trabalho, esforço, labuta, em linguagem figurada: *a luta pelo pão de cada dia*.

luva (lu.va) substantivo feminino Peça de vestuário que se ajusta à mão e aos dedos, que pode ser equipamento de proteção ou enfeite. (Veja apêndice da página 260)

luz substantivo feminino 1. Claridade emitida pelo Sol e outros corpos celestes: *luz das estrelas*; *luz do Sol*. 2. Claridade produzida por lâmpadas, lampião, vela e outros objetos.

M m

m, M ••• maduro

m, M substantivo masculino Décima terceira letra do alfabeto, consoante, de nome "eme" ou "mê".

má adjetivo Feminino de mau; ruim, perversa, prejudicial.

maçã (ma.**çã**) substantivo feminino Fruta de casca vermelha ou verde, de polpa clara com sabor doce, que se come crua, assada, cozida. (Veja apêndice da página 249)

macacão (ma.ca.**cão**) substantivo masculino **1.** Roupa inteiriça, que junta calça e camisa, usada por pilotos, operários e outros. (Veja apêndice da página 260) **2.** Macaco grande.

macaco (ma.**ca**.co) substantivo masculino **1.** Animal mamífero que pertence ao mesmo grupo do ser humano, tem o corpo coberto de pelos, com rabo em algumas espécies e geralmente vive em grupo. **2.** Máquina para levantar objetos pesados, como um carro.

maçaroca (ma.ça.**ro**.ca) substantivo feminino **1.** Porção de fios torcidos e enrolados; emaranhado. **2.** Espiga de milho.

macarrão (ma.car.**rão**) substantivo masculino Massa salgada feita com farinha de trigo e ovos, em diversos formatos, que se come cozida e regada com molhos variados.

machado (ma.**cha**.do) substantivo masculino Lâmina grossa, presa a um cabo longo, para cortar árvores, rachar lenha etc.

macho (**ma**.cho) substantivo masculino Animal do sexo masculino. ▶Feminino: *fêmea*.

machucado (ma.chu.**ca**.do) substantivo masculino Ferimento; parte do corpo que se machucou.

machucar (ma.chu.**car**) verbo **1.** Causar ou sofrer um ferimento, uma lesão ou pancada. **2.** Causar sofrimento a alguém.

madeira (ma.**dei**.ra) substantivo feminino **1.** Parte lenhosa do tronco das árvores e arbustos, que é cortada e serrada para ser empregada em trabalhos de marcenaria e carpintaria, construções e outros. **2.** Peça desse material.

madrasta (ma.**dras**.ta) substantivo feminino Mulher ou esposa do pai, em relação aos filhos que ele teve em um casamento anterior.

madrinha (ma.**dri**.nha) substantivo feminino **1.** Mulher escolhida para ser testemunha em batizados, casamentos, ou outro. **2.** Mulher que ajuda ou protege; protetora.

madrugada (ma.dru.**ga**.da) substantivo feminino **1.** Período que vai desde a meia-noite, ou zero hora, até o nascer do sol, próximo das 6 horas. **2.** Momento próximo do amanhecer; aurora, alvorada.

maduro (ma.**du**.ro) adjetivo **1.** Diz-se do fruto no ponto de ser colhido e comido, completamente desenvolvido: *quando a banana está madura, fica macia*. **2.** Diz-se de pessoa que já completou seu desenvolvimento, que passou da mocidade ou juventude.

mãe substantivo feminino **1.** Mulher ou fêmea que deu à luz a um ou mais filhos. (Veja apêndice da página 262) **2.** Aquilo que dá origem, que faz surgir: *a necessidade é a mãe das invenções*.

maestro (ma.**es**.tro) substantivo masculino **1.** Aquele que rege ou dirige uma orquestra, coro ou banda. **2.** Compositor de músicas.

mágica (**má**.gi.ca) substantivo feminino **1.** Acontecimento sem explicação e muito misterioso, como levitar, fazer aparecer um objeto do nada etc.; magia: *a fada tinha uma varinha que fazia mágicas*. **2.** Espetáculo em que uma pessoa, o mágico, faz truques e gera ilusões.

magoar (ma.go.**ar**) verbo Ferir ou ter os sentimentos feridos por alguém.

magro (**ma**.gro) adjetivo Que tem pouca ou nenhuma gordura: *Júlio quase não comia e estava muito magro; papai está fazendo regime e só come carne magra*.

maiô (mai.**ô**) substantivo masculino Traje feminino que cobre o tronco com apenas uma peça, usado por nadadoras, banhistas, atletas e dançarinas. (Veja apêndice da página 260)

maionese (mai.o.**ne**.se) substantivo feminino Molho cremoso frio feito de ovos, óleo e sal, comido com saladas, sanduíches e outros.

maior (mai.**or**) adjetivo **1.** Que tem mais tamanho, espaço, força, número ou importância que outro: *a caneta é maior que a borracha; foi a maior festa do ano*. ★adjetivo e substantivo de dois gêneros **2.** Pessoa que já tem idade para, conforme a lei, ter direitos e deveres de cidadão e ser responsável por seus atos: *Luciana é maior e deve responder pelo que faz; apenas os maiores podem tirar carteira de motorista*. ▶ Plural: *maiores*.

maioria (mai.o.**ri**.a) substantivo feminino **1.** A maior parte de, o maior número de: *a maioria das crianças vai à escola*. **2.** Em uma votação, o número de votos: *a maioria escolheu assistir ao filme do urso*.

maiúscula (mai.**ús**.cu.la) substantivo feminino Letra maior e às vezes com forma diferente das letras minúsculas, usada no início de um nome próprio ou de uma frase.

maiúsculo (mai.**ús**.cu.lo) adjetivo **1.** Diz-se da letra grande e com forma própria, geralmente usada no começo das frases e dos nomes próprios: *escreveu seu nome em letras maiúsculas*. **2.** Grande; importante; de grande valor.

mal substantivo masculino **1.** Aquilo que pode causar prejuízo, dor ou dano: *evitar que o mal aconteça*. **2.** Moléstia, enfermidade, doença: *a higiene evita muitos males*. **3.** Dano, estrago, prejuízo: *a seca fez mal à lavoura*. ▶Atenção: é diferente de *mau*. ★advérbio **4.** De modo ruim, errado ou insuficiente: *o time jogou mal, estava indo mal na escola*. **5.** Com problema, dor ou sofrimento: *sentiu-se mal*.

mala (**ma**.la) substantivo feminino Espécie de caixa com alça, usada para carregar roupas e objetos em viagens.

malabares (ma.la.**ba**.res) substantivo masculino plural Equipamentos para fazer malabarismo: *meu irmão jogava malabares nas festas*.

malabarismo (ma.la.ba.**ris**.mo) substantivo masculino Arte circense de jogar e manter no ar os malabares, ou objetos como bolinhas, garrafas, aros etc.

mal-assombrado (mal-as.som.**bra**.do) adjetivo Que tem assombrações, fantasmas, seres e sons assustadores: *a bruxa morava em um castelo mal-assombrado*. ▶ Plural: *mal-assombrados*.

maldade (mal.**da**.de) substantivo feminino 1. Qualidade ou caráter de mau; ruindade, crueldade, malvadeza. 2. Ação má, perversa, cruel.

maldoso (mal.**do**.so) [ô] adjetivo 1. Que tem maldade; cruel, mau. 2. Que toma sempre em mau sentido as palavras e ações dos outros; travesso, malicioso: *olhar maldoso*. ▶ Plural: *maldosos* [ó].

mal-educado (mal-e.du.**ca**.do) adjetivo Que não se comporta com educação, que é ofensivo, grosseiro, indelicado. ▶ Plural: *mal-educados*.

maléfico (ma.**lé**.fi.co) adjetivo Que faz ou atrai o mal; maligno, ruim, prejudicial.

malha (**ma**.lha) substantivo feminino 1. Maneira de trançar ou tricotar fios enrolando-os uns nos outros. 2. Roupa feita com esse ponto, mais elástica que a feita com tecido: *malha de lã; malha de ginástica*. (Veja apêndice da página 260)

malhar (ma.**lhar**) verbo 1. Bater com martelo grande ou malho. 2. Fazer exercícios, ginástica ou atividades para manter saúde e a boa forma, em linguagem popular.

maligno (ma.**lig**.no) adjetivo Que tem inclinação para a fazer o mal; nocivo, danoso: *o bandido tinha intenções malignas*.

malote (ma.**lo**.te) substantivo masculino 1. Pequena mala; maleta. 2. Serviço de transporte e entrega rápida de correspondência ou pequenos volumes.

maltratar (mal.tra.**tar**) verbo 1. Tratar com violência ou brutalidade: *nunca maltratamos os animais*. 2. Danificar, estragar, arruinar.

malvadeza (mal.va.**de**.za) [ê] substantivo feminino Qualidade ou ato de malvado; maldade, ruindade.

malvado (mal.**va**.do) adjetivo Que pratica atos cruéis; cruel, mau, perverso.

mama (**ma**.ma) substantivo feminino Órgão no tronco da mulher e das fêmeas dos mamíferos que produz leite após o nascimento dos filhotes; peito.

mamadeira (ma.ma.**dei**.ra) substantivo feminino Garrafinha de plástico ou vidro, com um bico, para amamentar crianças artificialmente.

mamãe (ma.**mãe**) substantivo feminino Mãe, em linguagem familiar.

mamão (ma.**mão**) substantivo masculino Fruta alongada, com polpa amarelo-avermelhada, suculenta e doce; papaia. ▸Plural: *mamões*. (Veja apêndice da página 249)

mamar (ma.**mar**) verbo **1.** Sugar o leite do seio da mãe ou das tetas de algum animal fêmea. **2.** Sugar o leite que está na mamadeira.

mamífero (ma.**mí**.fe.ro) substantivo masculino e adjetivo Animal vertebrado cujas fêmeas possuem glândulas mamárias, que produzem leite para alimentar os filhotes: *o grupo dos mamíferos inclui seres humanos, bois, cachorro, baleia, cavalo, morcego, macaco etc.*

mamilo (ma.**mi**.lo) substantivo masculino O bico da mama.

mamulengo (ma.mu.**len**.go) substantivo masculino Boneco semelhante ao fantoche e à marionete, articulado, movimentado por fios, com o qual se representam peças.

mamute (ma.**mu**.te) substantivo masculino Elefante extinto há 10 mil anos, que tinha presas longas e pelos compridos.

manacá (ma.na.**cá**) substantivo masculino Árvore com flores grandes, brancas e roxas; quaresmeira.

manada (ma.**na**.da) substantivo feminino Rebanho de gado, especialmente de bois e cavalos.

mancha (**man**.cha) substantivo feminino **1.** Sinal deixado por sujeira; nódoa. **2.** Marca natural na pele de uma pessoa ou no pelo de um animal.

mandacaru (man.da.ca.**ru**) substantivo masculino Cacto nativo do Brasil, com ou sem espinhos, flores brancas e de propriedades medicinais.

mandar (man.**dar**) verbo **1.** Exigir que se faça; ordenar; dizer o que deve ser feito: *mamãe mandou-nos para cama mais cedo*. **2.** Enviar: *mandei o presente pelo correio*.

mandíbula (man.**dí**.bu.la) substantivo feminino Maxila inferior.

mandioca (man.di.**o**.ca) substantivo feminino Planta cuja raiz tem grande importância na alimentação indígena e brasileira, consumida depois de cozida e muito utilizada na fabricação de farinha; aipim, macaxeira.

mané-gostoso (ma.né-gos.**to**.so) [ô] substantivo masculino Boneco com movimentos nas pernas e braços, que é puxado por cordões presos a duas hastes e faz movimentos de ginástica. ▸Plural: *manés--gostosos*.

manga (**man**.ga) substantivo feminino **1.** Parte da roupa que cobre os braços. **2.** Fruta redonda ou oval, de casca colorida, entre amarelo, vermelho e verde, com polpa amarela, muito cheirosa e saborosa. (Veja apêndice da página 249)

mangue (**man**.gue) substantivo masculino **1.** Local alagadiço, pantanoso, com lama escura e mole, típico de regiões onde há o encontro da água do mar com a de rios, de vegetação característica e grande riqueza de caranguejos e outros animais. **2.** Árvore com raízes aparentes, típica desse local.

manhã (ma.**nhã**) substantivo feminino **1.** Parte do dia que vai do nascer do sol ao meio-dia. **2.** O amanhecer, a madrugada.

mania (ma.**ni**.a) substantivo feminino **1.** Gosto exagerado, muito forte; ideia fixa: *tinha mania de velocidade*. **2.** Excentricidade, extravagância, esquisitice: *uma pessoa cheia de manias*.

manobra (ma.**no**.bra) substantivo feminino Maneira de conduzir um veículo em espaço reduzido ou em movimento difícil.

mansão (man.**são**) substantivo feminino Residência grande e luxuosa; palacete. ▶ Plural: *mansões*.

manso (**man**.so) adjetivo Calmo, tranquilo, pacato, sereno; que não agride, que não oferece perigo: *cavalo manso*.

manteiga (man.**tei**.ga) substantivo feminino **1.** Produto alimentar obtido pela nata ou creme de leite batido. **2.** Substância gordurosa de certas plantas: *manteiga de cacau*.

manter (man.**ter**) verbo **1.** Sustentar, alimentar, prover do necessário: *manter a família*. **2.** Conservar, preservar: *manter a mesma cor*.

manual (ma.nu.**al**) adjetivo **1.** Relativo às mãos, feito com as mãos: *trabalho manual, habilidade manual*. ★ substantivo masculino **2.** Livro que contém todas as informações básicas, os fundamentos ou noções essenciais de um assunto: *manual de instruções de um aparelho; manual dos escoteiros*. ▶ Plural: *manuais*.

manuscrito (ma.nus.**cri**.to) adjetivo e substantivo masculino Escrito à mão: *carta manuscrita; os manuscritos ficaram perdidos por muitos anos*.

manutenção (ma.nu.ten.**ção**) substantivo feminino **1.** Ato ou efeito de manter, conservar. **2.** Cuidados necessários para manter o bom funcionamento de um aparelho, máquinas etc.: *manutenção do carro*.

mão substantivo feminino **1.** Parte do corpo situada no fim do braço, depois do punho, que segura objetos. (Veja apêndice da página 261) **2.** Camada de tinta ou verniz; demão. **3.** Controle, domínio, poder: *tinha tudo nas mãos*. **4.** Sentido de circulação nas vias: *rua de duas mãos; rua de mão única*. ▶ Plural: *mãos*.

mapa (**ma**.pa) substantivo masculino Representação plana e em tamanho reduzido de um terreno, país, cidade etc. com informações: *desenhar o mapa do tesouro; consultar o mapa de ruas*.

maquiagem (ma.qui.**a**.gem) substantivo feminino **1.** Pintura feita no rosto, para embelezar ou para criar personagem em apresentação artística. **2.** Produto para pintura do rosto.

máquina (**má**.qui.na) substantivo feminino Aparelho ou instrumento que executa algum trabalho: *máquina de lavar*.

maquete (ma.**que**.te) [é] substantivo feminino Reprodução em tamanho menor de um ambiente interno ou externo, como uma sala, um prédio, uma estrada, um bairro etc.: *fizemos uma maquete da sala de aula com as carteiras dos alunos, a lousa e os móveis.*

mar substantivo masculino Grande extensão de água salgada que cobre a maior parte da superfície da Terra; oceano.

marcar (mar.**car**) verbo **1.** Pôr marca ou sinal em; assinalar, delimitar. **2.** Indicar; apontar. **3.** Combinar um encontro ou compromisso com alguém: *os amigos marcaram de se encontrar na porta do cinema; marcou horário no dentista para amanhã.*

marfim (mar.**fim**) substantivo masculino Substância branca e muito resistente que forma as presas do elefante, antigamente usada para fazer joias e enfeites.

margarida (mar.ga.**ri**.da) substantivo feminino Planta com flores decorativas, de miolo amarelo e pétalas brancas, amarelas ou alaranjadas.

margarina (mar.ga.**ri**.na) substantivo feminino Substância gordurosa, semelhante à manteiga, feita com óleos vegetais.

margem (**mar**.gem) substantivo feminino **1.** Faixa de terra que fica em volta ou ao lado de um rio, lago ou lagoa; beira. **2.** Parte em branco em torno de uma página.

maria-fumaça (ma.ri.a-fu.**ma**.ça) substantivo feminino Trem com locomotiva movida a vapor, que solta muita fumaça. ▶ Plural: *marias-fumaça* ou *marias-fumaças*.

marido (ma.**ri**.do) substantivo masculino Homem unido a uma mulher pelo casamento; esposo.

marimbondo (ma.rim.**bon**.do) substantivo masculino Inseto do grupo das vespas, grande e de picada dolorosa.

marinha (ma.**ri**.nha) substantivo feminino **1.** Conjunto de navios. **2.** Forças navais ou navios de guerra com a sua tripulação.

marinheiro (ma.ri.**nhei**.ro) substantivo masculino **1.** Aquele que trabalha em embarcações; homem do mar. **2.** Grão de arroz com casca.

marinho (ma.**ri**.nho) adjetivo **1.** Pertencente ou relativo ao mar: *pesquisas marinhas*. **2.** Que vive no mar ou dele se origina; marítimo: *animais marinhos*. **3.** Que é da cor do mar; azul-escuro: *comprou um sapato marinho*. (Veja apêndice da página 256)

mariola (ma.ri.**o**.la) substantivo feminino Doce de goiaba ou banana em barras pequenas, às vezes cobertas de açúcar cristalizado.

marionete (ma.ri.o.**ne**.te) substantivo feminino Fantoche; boneco que se movimenta por meio de cordões.

mariposa (ma.ri.**po**.sa) [ô] substantivo feminino
Inseto da família da borboleta, de uma cor só, que voa à noite e é atraído pelas luzes.

marisco (ma.**ris**.co) substantivo masculino
Animal marinho invertebrado apreciado como alimento, como ostra, mexilhão, sururu e outros.

marítimo (ma.**rí**.ti.mo) adjetivo Relativo ao mar ou à marinha.

marmita (mar.**mi**.ta) substantivo feminino
1. Conjunto de vasilhas para transportar alimento, colocadas uma sobre a outra e seguras por uma alça. **2.** Recipiente em que se leva a refeição para o local de trabalho ou estudo, que pode ser aquecido.

mármore (**már**.mo.re) substantivo masculino
Pedra dura, das cores branco, rosa etc., que se pode polir e é empregada em esculturas, pias e pisos.

marrom (mar.**rom**) substantivo masculino
1. A cor castanha. ★adjetivo **2.** Que é dessa cor: *calça marrom*. (Veja apêndice da página 256)

martelo (mar.**te**.lo) substantivo masculino
Instrumento para bater pregos, folhas de metal etc., com uma cabeça de metal presa a um cabo.

marujo (ma.**ru**.jo) substantivo masculino
Marinheiro.

máscara (**más**.ca.ra) substantivo feminino
1. Objeto que se usa sobre a face, para disfarçar, fantasiar ou caracterizar um personagem. **2.** Equipamento de mergulho para proteger os olhos e o nariz. **3.** Peça de pano que cobre boca e nariz usada para evitar contaminações.

mascote (mas.**co**.te) substantivo de dois gêneros
Pessoa, animal ou coisa a que se atribui o dom de dar sorte, de trazer felicidade.

masculino (mas.cu.**li**.no) adjetivo **1.** Que é do sexo dos animais machos; macho. **2.** Relativo a ou próprio do macho; viril.

másculo (**más**.cu.lo) adjetivo Relativo ao sexo masculino; macho: *atitude máscula*.

massa (**mas**.sa) substantivo feminino **1.** Grande volume de uma substância líquida ou gasosa: *massa de ar*; *massa de água*. **2.** Substância mole, em forma de pasta: *massa de tomate*; *massa de modelar*. **3.** Alimento de origem italiana, feito basicamente de farinha de trigo e ovos; macarrão. **4.** Multidão, monte de pessoas.

mastigar (mas.ti.**gar**) verbo Triturar os alimentos com os dentes, em movimentos seguidos.

mastro (**mas**.tro) substantivo masculino
1. Haste na qual se levanta uma bandeira. **2.** Haste que, no convés das embarcações, sustenta uma ou mais velas.

mata (**ma**.ta) substantivo feminino Terreno coberto com árvores silvestres, que nasceram sozinhas, naturalmente, espontaneamente; floresta, selva, bosque, mato.

matar (ma.**tar**) verbo **1.** Acabar com a vida, causar a morte: *algumas doenças matam*. **2.** Tirar a vida de propósito; assassinar: *matar uma pessoa é crime*. **3.** Destruir, prejudicar muito: *as pragas mataram as plantações*. **4.** Saciar, acabar: *matar a fome*.

mate (**ma**.te) substantivo masculino **1.** Erva cujas folhas são usadas para preparar chimarrão e, depois de secas, usadas para fazer chá. **2.** Bebida feita com essas folhas.

matemática (ma.te.**má**.ti.ca) substantivo feminino Ciência que estuda os números, as figuras geométricas, cálculos etc.

matemático (ma.te.**má**.ti.co) adjetivo **1.** Relacionado à matemática ou a números. ★ substantivo masculino **2.** Pessoa que se dedica à matemática.

matéria (ma.**té**.ria) substantivo feminino **1.** Qualquer substância sólida, líquida ou gasosa; tudo o que ocupa lugar no espaço. **2.** Disciplina escolar: *português é minha matéria preferida*. **3.** Conteúdo passado aos alunos em aula: *estudou toda a matéria para a prova*. **4.** Texto publicado em jornal ou revista.

material (ma.te.ri.**al**) substantivo masculino **1.** Conjunto de objetos necessários para fazer alguma coisa: *material de construção, material pedagógico*. **2.** Conjunto de livros, apostilas, lápis, canetas, borrachas, cadernos, usados na escola. ▶ Plural: *materiais*.

maternidade (ma.ter.ni.**da**.de) substantivo feminino **1.** Qualidade ou condição de mãe; parentesco entre mãe e filho. **2.** Local onde se fazem partos.

materno (ma.**ter**.no) adjetivo Relativo a mãe; maternal.

matilha (ma.**ti**.lha) substantivo feminino Grupo de cães ou de lobos.

matinal (ma.ti.**nal**) adjetivo Relativo a manhã, que acontece de manhã; matutino: *brisa matinal*.

matinê (ma.ti.**nê**) substantivo feminino Apresentação, festa, sessão de cinema ou espetáculo, realizada à tarde.

mato (**ma**.to) substantivo masculino **1.** Terreno onde crescem plantas naturais da região, que não foram cultivadas; mata, selva: *a capivara vive no mato*. **2.** Planta que cresce espontaneamente: *o jardim estava cheio de mato*. **3.** Lugar afastado da cidade; campo, roça: *foi morar no mato*.

matrícula (ma.**trí**.cu.la) substantivo feminino **1.** Inscrição de uma pessoa em uma escola, ou em outra instituição. **2.** Taxa que se paga no ato da inscrição.

matricular (ma.tri.cu.**lar**) verbo Fazer a matrícula de alguém ou a própria: *matriculou o filho; matriculou-se na escola*.

matrimônio (ma.tri.**mô**.nio) substantivo masculino União de um homem e uma mulher, registrada em cartório ou instituição religiosa; casamento.

matriz (ma.**triz**) substantivo feminino
1. Aquilo que é fonte ou origem: *matriz dos problemas*. **2.** Molde para a reprodução de qualquer peça: *guardei a matriz e distribuí as cópias*. **3.** Estabelecimento comercial principal, do qual dependem outros, as filiais.

mau adjetivo **1.** Que não é bom; que faz mal, que causa sofrimento, estrago ou prejuízo: *maus hábitos; mau comportamento*. **2.** De qualidade ruim; inferior: *maus serviços*. **3.** Triste, desagradável: *más notícias*. **4.** Malvado, cruel: *uma menina má bateu no gato*. ⭐ substantivo masculino **5.** Pessoa que pratica o mal, que faz ações malvadas ou cruéis: *os maus foram punidos no fim do filme*. ▶ Feminino: *má*. ▶ Atenção: é diferente de *mal*.

maxila (ma.**xi**.la) [cs] substantivo feminino Cada um dos ossos da boca em que estão presos os dentes.

máximo (**má**.xi.mo) [ss ou cs] adjetivo **1.** Maior que todos; que está acima de todos: *ela tirou a nota máxima*. **2.** Muito forte; rigoroso: *máximo silêncio*. ⭐ substantivo masculino **3.** Aquilo ou aquele que é superior, mais alto: *o máximo de elevação*.

mê substantivo masculino Nome da letra M.

medalha (me.**da**.lha) substantivo feminino Objeto que representa o prêmio dos vencedores de um concurso ou o reconhecimento de mérito, em geral redondo e de metal, para se pendurar no pescoço ou prender na roupa.

medicamento (me.di.ca.**men**.to) substantivo masculino Substância receitada pelo médico para tratar uma doença; remédio.

medicina (me.di.**ci**.na) substantivo feminino Ciência e técnica que tem a finalidade de prevenir, tratar e curar as doenças.

médico (**mé**.di.co) substantivo masculino **1.** Profissional que exerce a Medicina; clínico. ⭐ adjetivo **2.** Pertencente a esse profissional ou à medicina; que pode restabelecer a saúde: *cuidados médicos; área médica*.

medida (me.**di**.da) substantivo feminino **1.** Medição, ato de medir. **2.** Aquilo que serve de base para avaliar o tamanho, o peso, a área, de alguma coisa: *medida de comprimento*. **3.** Dimensão; tamanho: *a costureira tirou a medida da roupa*.

médio (**mé**.dio) adjetivo **1.** Que está no meio, que fica entre o maior e o menor: *tamanho médio*. **2.** Que se calcula somando os valores e dividindo o total: *um valor médio*. **Dedo médio**: dedo que fica no meio dos outros.

medir (me.**dir**) verbo **1.** Avaliar o tamanho, determinar a medida de: *mediu a folha de cartolina com a régua*. **2.** Ter como tamanho: *a mesa mede 80 centímetros*.

medo (**me**.do) [ê] substantivo masculino Sensação ruim que nos toma quando percebemos ou imaginamos um possível perigo.

medonho (me.**do**.nho) adjetivo Que causa medo; muito feio, pavoroso.

medroso (me.**dro**.so) [ô] adjetivo **1.** Que tem medo; receoso, temeroso. **2.** Tímido, acanhado. ▶ Plural: *medrosos* [ó].

meia (**mei**.a) substantivo feminino Peça de vestuário para cobrir os pés e, dependendo do modelo, a perna ou parte dela: *calçou as meias e os sapatos*. (Veja apêndice da página 260)

meia-noite (mei.a-**noi**.te) substantivo feminino **1.** A hora ou momento que divide a noite em duas partes iguais. **2.** 24 horas; zero hora. ▶ Plural: *meias-noites*.

meigo (**mei**.go) adjetivo Carinhoso, terno, afetuoso, amável.

meio (**mei**.o) substantivo masculino **1.** Ponto que fica entre dois extremos, na metade ou no centro: *o meio do caminho; cortou o pão ao meio*. **2.** Posição intermediária entre duas pessoas ou objetos: *sentou no meio, entre os dois irmãos*. **3.** Momento entre o começo e o fim: *meio do filme; meio do espetáculo*. **4.** Conjunto de pessoas e instituições; ambiente, círculo: *meio acadêmico; meio artístico*. **5.** Conjunto de todas as coisas que estão à volta dos seres vivos; o ambiente natural em que se vive, meio ambiente: *os peixes vivem no meio aquático; a poluição prejudica o nosso meio ambiente*. **6.** Forma, maneira, modo de se conseguir ou fazer alguma coisa: *usava a bicicleta como meio de transporte*. ★numeral **7.** Metade de um, metade do inteiro, metade da unidade: *meio bolo; meia dúzia*. ★advérbio **8.** Um pouco: *ela andava meio cansada*.

meio-dia (mei.o-**di**.a) substantivo masculino **1.** A hora que divide o dia em duas partes iguais, quando o Sol está mais alto. **2.** A décima segunda hora; 12 horas. ▶ Plural: *meios-dias*.

melado (me.**la**.do) substantivo masculino **1.** Calda grossa, feita com caldo de cana cozido ou com rapadura derretida, usada como sobremesa; mel de engenho. ★ adjetivo **2.** Sujo ou lambuzado de mel ou de qualquer substância pegajosa.

melancia (me.lan.**ci**.a) substantivo feminino Fruta grande, de polpa vermelha muito suculenta, com casca verde, que cresce em uma planta rasteira.

melão (me.**lão**) substantivo masculino Fruta redonda, de polpa suculenta e doce, amarela ou esverdeada. ▶ Plural: *melões*.

meleca (me.**le**.ca) substantivo feminino **1.** Secreção ressecada do nariz. **2.** Qualquer substância grudenta e pastosa. **3.** Coisa ruim; porcaria.

melhor (me.**lhor**) adjetivo **1.** Que supera outro em qualidade; que tem mais valor, que agrada mais: *o gosto de chocolate é melhor que o de remédio; falar a verdade é melhor que mentir*. ★ substantivo masculino **2.** O que é superior a tudo ou todos: *os melhores ganharão prêmios*. ★ advérbio **3.** Comparativo de superioridade de bem: *jogou melhor e ganhou o jogo*.

melhorar (me.lho.**rar**) verbo **1.** Tornar melhor; aperfeiçoar: *melhorar um desenho*. **2.** Adquirir melhores condições; passar para uma situação mais próspera. **3.** Recuperar a saúde: *Lucas melhorou da gripe*.

membro ••• mentira

membro (**mem**.bro) substantivo masculino
1. Cada uma das partes do corpo fora o tronco, como pernas, asas ou rabo. **2.** Pessoa que pertence a uma família, corporação, associação ou grupo: *membro da diretoria*.

memória (me.**mó**.ria) substantivo feminino
1. Capacidade de conservar as ideias, impressões, imagens e conhecimentos: *tem boa memória, lembra todo o caminho*. **2.** Lembrança, recordação. **3.** Dispositivo de uma máquina que armazena informações.

menina (me.**ni**.na) substantivo feminino
1. Criança do sexo feminino; feminino de menino. **2.** Moça, garota, mulher jovem. **3.** Tratamento familiar e afetuoso dado a pessoas de sexo feminino de qualquer idade.

menino (me.**ni**.no) substantivo masculino
1. Criança do sexo masculino. **2.** Tratamento afetuoso dado a pessoas do sexo masculino, mesmo quando adultos.

menor (me.**nor**) adjetivo **1.** Pessoa ou coisa que não é tão grande quanto outra; que tem menos tamanho: *Jaqueline é um pouco menor que o seu irmão*. **2.** Mais novo, que está com menos idade: *crianças menores de 12 anos não jogam naquele time*. **3.** Mínimo, insignificante: *não deu a menor atenção ao problema*. ⭐ adjetivo e substantivo de dois gêneros **4.** Pessoa que ainda não atingiu a maioridade, não tem idade, de acordo com a lei, para ser responsável por seus atos ou exercer direitos e deveres de cidadão: *os pais devem responder pelos atos dos filhos menores; menor não pode comprar bebidas alcoólicas nem cigarros*.

menos (**me**.nos) pronome **1.** Inferior em número e quantidade: *dois é menos do que quatro; tem menos brinquedos que o primo*. ⭐ advérbio **2.** Com menor valor, quantidade, intensidade etc.: *custar menos; correr menos; sofrer menos*. ⭐ preposição **3.** Exceto: *caíram todos menos um*.

mensagem (men.**sa**.gem) substantivo feminino
1. Comunicação, notícia ou informação falada ou escrita. **2.** Significado profundo de uma obra: *o livro passa uma mensagem boa*.

mentir (men.**tir**) verbo Afirmar coisas que se sabe que não são verdadeiras; tentar enganar, iludir: *algumas pessoas mentem quando estão com medo*.

mente (**men**.te) substantivo feminino **1.** O pensamento, as ideias, a imaginação, os sentimentos: *muitas ideias vieram à mente da menina depois que assistiu ao filme*. **2.** Lembrança, memória: *o menino ainda trazia na mente as brincadeiras da festa*.

mentira (men.**ti**.ra) substantivo feminino
1. Ato de mentir, de afirmar ou dizer que é verdade uma coisa falsa; lorota, cascata, invencionice. **2.** Engano, ilusão, erro.

merenda (me.**ren**.da) substantivo feminino
1. Refeição leve, que se toma entre o almoço e o jantar; lanche. **2.** Lanche que as crianças levam para comer na escola, em geral durante o recreio ou que é servido pela escola.

merengue (me.**ren**.gue) substantivo masculino
1. Doce feito de claras de ovos batidas com açúcar, utilizado para coberturas e recheios de tortas. **2.** Suspiro.

mergulho (mer.**gu**.lho) substantivo masculino
1. Ação de entrar na água ou em outro líquido até ficar completamente dentro dela ou dele: *Luís deu um mergulho na piscina*. **2.** Descida acentuada durante o voo (uma aeronave ou uma ave): *as aves davam mergulhos para pegar comida na areia*.

meridional (me.ri.di.o.**nal**) adjetivo Que diz respeito à direção sul ou às regiões do sul; que se situa ao sul. ▶ Plural: *meridionais*.

mês substantivo masculino **1.** Cada uma das doze divisões do ano: *o ano tem doze meses*. (Veja apêndice das páginas 254-255) **2.** Período de 30 dias: *tivemos um mês de férias*.

mesa (**me**.sa) [ê] substantivo feminino **1.** Móvel, em geral de madeira, formado por uma superfície sobre a qual se come, escreve, trabalha, joga etc. **2.** Conjunto de objetos empregados na refeição, que são colocados sobre esse móvel: *pôr a mesa, tirar a mesa*.

mestiço (mes.**ti**.ço) substantivo masculino e adjetivo **1.** Animal que resulta do cruzamento de raças diferentes: *gado mestiço, cachorro labrador mestiço*. **2.** Pessoa que tem pais de etnias diferentes: *o Brasil é um país de mestiços; conheci uma linda mestiça de mãe oriental e pai brasileiro*.

mestre (**mes**.tre) substantivo masculino
1. Pessoa que ensina; professor: *o mestre chegou; a mestra deu aula a manhã toda*. **2.** Pessoa com muito talento, dotada de grande saber, que domina um ofício ou arte: *um mestre da pintura; um trabalho de mestre*. ▶ Feminino: *mestra*.

metal (me.**tal**) substantivo masculino Substância que conduz eletricidade e calor, em geral brilhante e sólida, como o ferro, ouro, prata, chumbo, entre outros: *várias peças do carro são de metal, outras são de plástico*.

meteoro (me.te.**o**.ro) substantivo masculino Rastro luminoso que passa muito rápido pelo céu que podemos ver só à noite, quando uma grande massa mineral passa pela atmosfera terrestre; estrela cadente.

metro (**me**.tro) substantivo masculino
1. Unidade de medida de comprimento do Sistema Internacional, dividida em 100 centímetros. **2.** Vara, fita ou qualquer outro objeto de medir, subdividido em centímetros.

metrô (me.**trô**) substantivo masculino Trem elétrico para transporte de pessoas na cidade, sobre trilhos por baixo da terra ou vias elevadas.

mexerica (me.xe.**ri**.ca) substantivo feminino Fruta semelhante a laranja, menor e de gomos mais soltos, muito suculenta, e aromática; tangerina, bergamota. (Veja apêndice da página 249)

miado (mi.**a**.do) substantivo masculino A voz do gato; mio, miada.

miar (mi.**ar**) verbo **1.** Dar ou soltar miados. **2.** Soltar ou emitir som que lembra um miado.

mico (**mi**.co) substantivo masculino **1.** Macaco pequeno ou médio de regiões tropicais, como o mico-leão e o sagui. **2.** Macaco pequeno de pelo preto. **3.** Jogo de cartas infantil com baralho de dezessete casais de bichos e apenas uma carta sem par, o mico, que dá a derrota para quem ficar com ela.

mico-leão (mi.co.le.**ão**) substantivo masculino Pequeno macaco com pelos longos na cabeça, que se alimenta de frutas, encontrado nas florestas tropicais do Brasil, quase em extinção. ▶ Plural: *micos-leões*.

micróbio (mi.**cró**.bio) substantivo masculino Microrganismo.

microfone (mi.cro.**fo**.ne) substantivo masculino Aparelho que capta a voz ou outro som e o transforma em sinal elétrico, para que seja amplificado, transmitido, gravado etc.

micro-ônibus (mi.cro.**ô**.ni.bus) substantivo masculino Veículo de transporte coletivo menor do que o ônibus. ▶ Plural: *micro-ônibus*.

microrganismo (mi.cror.ga.**nis**.mo) substantivo masculino Organismo muito pequeno, que só pode ser visto com microscópio, como bactérias, vírus, fungos e protozoários; micróbio. O mesmo que micro-organismo.

migalha (mi.**ga**.lha) substantivo feminino **1.** Pequeno pedaço que se solta do pão, bolo, biscoito ou outro alimento preparado com farinha. **2.** Pouquíssima coisa, quase nada; nada, em linguagem figurada.

milênio (mi.**lê**.nio) substantivo masculino Período de mil anos. (Veja apêndice da página 254)

milhar (mi.**lhar**) substantivo masculino **1.** Conjunto de mil unidades. **2.** Em loterias, número de quatro algarismos. **3.** No plural, significa um número muito grande e indeterminado: *milhares de pessoas foram para a praia no feriado*.

milho (**mi**.lho) substantivo masculino **1.** Grão amarelo que cresce em espigas, muito importante na alimentação humana e de animais: *a pipoca vem de um tipo de milho*. **2.** Planta que dá esse cereal, originária da América do Sul.

mililitro (mi.li.**li**.tro) substantivo masculino Unidade de capacidade que equivale à milésima parte do litro, de símbolo ml.

milímetro (mi.**lí**.me.tro) substantivo masculino Unidade de medida que equivale à milésima parte do metro, de símbolo mm.

militar (mi.li.**tar**) adjetivo **1.** Relativo às Forças Armadas, ao Exército, à Marinha ou à Aeronáutica: *serviço militar, carreira militar*. ★ substantivo masculino **2.** Pessoa que faz parte do Exército, da Marinha ou da Aeronáutica: *os militares participaram do governo*. ★ verbo **3.** Atuar, lutar, defender uma causa ou partido: *militava pela ecologia*.

mímica (**mí**.mi.ca) substantivo feminino **1.** Arte de representar usando gestos e expressões faciais, de atuar sem palavras; pantomima. **2.** Meio de se comunicar usando gestos, sem palavras; gesticulação.

mineral (mi.ne.**ral**) substantivo masculino **1.** Substância que faz parte das rochas, como por exemplo, o ferro e o diamante: *alguns minerais são importantes na alimentação*. ★ adjetivo **2.** Relativo a essas substâncias; extraído da terra: *água mineral; sais minerais*.

minério (mi.**né**.rio) substantivo masculino Mineral ou rocha de que se pode extrair um elemento de valor econômico como ouro, alumínio e outros: *os minérios são extraídos da terra, em minas*.

mingau (min.**gau**) substantivo masculino Alimento cremoso preparado com leite, engrossado com cereais ou farinha.

minguinho (min.**gui**.nho) substantivo masculino O dedo mínimo, em linguagem popular. O mesmo que mindinho.

minhoca (mi.**nho**.ca) substantivo feminino Animal invertebrado de corpo alongado dividido em anéis, que vive sob a terra, se alimenta de restos e fertiliza o solo.

miniatura (mi.ni.a.**tu**.ra) substantivo feminino Objeto feito em tamanho reduzido: *o carrinho é uma miniatura de veículo*.

mínimo (**mí**.ni.mo) substantivo masculino **1.** A menor porção ou grau de alguma coisa: *o mínimo que ele pode fazer é estudar*. ★ substantivo **2.** O menor dedo da mão. **3.** Que é o menor: *salário mínimo, dedo mínimo*.

minúscula (mi.**nús**.cu.la) substantivo feminino Letra com forma própria e tamanho menor.

minúsculo (mi.**nús**.cu.lo) adjetivo **1.** Diz-se da letra de tamanho menor, usada após o início da frase e em nomes comuns: *fez a lista de compras em letras minúsculas*. **2.** Muito pequeno: *fez um sinalzinho minúsculo sobre sua bola de tênis*.

minuto (mi.**nu**.to) substantivo masculino **1.** Unidade de medida de tempo igual a 60 segundos: *sessenta minutos formam uma hora*. **2.** Pequeno espaço de tempo, momento, instante: *espere um minuto, volto já*.

miolo (mi.**o**.lo) [ô] substantivo masculino **1.** Parte interna e mais macia do pão. **2.** Polpa, parte interna de alguns frutos. **3.** Parte de dentro da cabeça, o cérebro.
▸ Plural: *miolos* [ó].

mistério (mis.**té**.rio) substantivo masculino **1.** Algo sem explicação, incompreensível; enigma: *o mistério da vida*. **2.** Questão difícil: *este exercício é um verdadeiro mistério*. **3.** Algo secreto, escondido; segredo: *o desaparecimento das joias é um mistério*.

misto (**mis**.to) adjetivo **1.** Formado pela mistura de vários elementos; mesclado, misturado: *bebida mista*. ★ substantivo masculino **2.** Sanduíche de presunto e queijo, frio ou feito na chapa, o chamado misto--quente.

mistura (mis.**tu**.ra) substantivo feminino **1.** Ato ou efeito de misturar. **2.** O resultado do que se misturou: *bebi uma mistura de leite e frutas*.

misturar (mis.tu.**rar**) verbo **1.** Juntar coisas diferentes: *misturar sabão e água*. **2.** Reunir-se, associar-se: *misturou-se com os outros*.

miúdo (mi.**ú**.do) adjetivo **1.** Muito pequeno, pequenino, curto: *criança miúda, passos miúdos*. **2.** De pouca importância: *problemas miúdos*.

mochila (mo.**chi**.la) substantivo feminino Espécie de saco de lona, couro ou náilon levado às costas, com roupas, mantimentos, material escolar ou outros objetos pessoais.

moço (mo.ço) [ô] adjetivo **1.** Adolescente, jovem. **2.** De pouca idade; novo. ⭐ substantivo masculino **3.** Rapaz, pessoa jovem.

moeda (mo.**e**.da) substantivo feminino **1.** Unidade monetária, dinheiro de um país: *o real é a moeda brasileira*. **2.** Peça metálica, em geral circular, que desde a Antiguidade serve como meio de troca e medida de valor: *guardou as moedas no bolso*.

mola (**mo**.la) [ó] substantivo feminino Objeto ou peça em forma de espiral, que reage com flexibilidade e empurra quando é dobrada, estendida ou comprimida.

moleque (mo.**le**.que) [é] substantivo masculino **1.** Menino travesso. **2.** Menino de pouca idade: *os moleques jogavam bola na rua*. ⭐ adjetivo **3.** Engraçado, divertido, brincalhão: *um jeito moleque de se vestir*.

molhar (mo.**lhar**) verbo **1.** Mergulhar ou banhar em um líquido: *molhou o pão no leite*. **2.** Colocar um pouco de líquido sobre: *a chuva molhou as plantas; molhou-se em baixo da torneira*.

molusco (mo.**lus**.co) substantivo masculino Animal invertebrado que tem o corpo mole, alguns cobertos por uma concha dura, como o caracol ou a ostra, outros não, como as lesmas ou as lulas.

monitor (mo.ni.**tor**) substantivo masculino **1.** Pessoa encarregada de auxiliar, esclarecer dúvidas, orientar, dar informações etc. **2.** Tela do computador.

monstro (**mons**.tro) substantivo masculino **1.** Ser fantástico, da mitologia ou das lendas infantis, de forma e aparência anormais e muito grande. **2.** Pessoa cruel, desumana: *o assassino era um monstro*. **3.** Qualquer coisa horrenda, pavorosa. **4.** Pessoa ou coisa com qualidades colossais: *monstro de inteligência*.

montanha (mon.**ta**.nha) substantivo feminino **1.** Monte muito grande e alto, terminado em cume. **2.** Grande volume de papéis, roupa suja, livros etc. amontoados, jogados uns sobre os outros.

montanha-russa (mon.ta.nha-**rus**.sa) substantivo feminino Brinquedo de parque de diversões formado por um trem ou carro que anda por um trilho em subidas e descidas, com grande velocidade e emoções. ▶ Plural: *montanhas-russas*.

monte (**mon**.te) substantivo masculino
1. Elevação de terreno acima do solo: *dá para ver o boi pastando entre os montes.*
2. Qualquer amontoado de coisas.

morada (mo.**ra**.da) substantivo feminino
1. Lugar onde se mora; lar, habitação, moradia. **2.** Residência fixa ou permanente.

morador (mo.ra.**dor**) substantivo masculino
Pessoa que mora em determinado local; habitante.

morango (mo.**ran**.go) substantivo masculino
Fruta vermelha, de polpa com sabor levemente ácido, apreciada ao natural e usada no preparo de doces, geleias, sucos e sorvetes. (Veja apêndice da página 249)

morcego (mor.**ce**.go) [ê] substantivo masculino
Mamífero roedor e voador, de hábitos noturnos, que se alimenta de insetos e frutas, mas algumas espécies sugam sangue de animais.

morder (mor.**der**) verbo **1.** Apertar com os dentes; mastigar: *o nenê mordeu o dedo.* **2.** Dar dentadas: *o cachorro morde todos os que se aproximam.*

moreno (mo.**re**.no) [ê] substantivo masculino e adjetivo Pessoa que tem pele mais escura, amarronzada, e cabelos castanhos ou pretos.

morno (**mor**.no) [ô] adjetivo Que não é frio nem quente.

morrer (mor.**rer**) verbo **1.** Perder a vida; deixar de viver, falecer: *morreu aos 90 anos.* **2.** Perder a força; sumir, desaparecer: *o fogo morreu na lareira.* **3.** Parar de funcionar: *o motor morreu e não ligou mais.*

morte (**mor**.te) substantivo feminino **1.** O fim definitivo da vida animal ou vegetal. **2.** Fim, término, encerramento.

morto (**mor**.to) [ô] adjetivo **1.** Que morreu; defunto, falecido. **2.** Extinto, apagado: *fogo morto.* **3.** Diz-se do vegetal murcho ou seco.
▸ Plural: *mortos* [ó].

mosaico (mo.**sai**.co) substantivo masculino
Composição feita com muitas pedras pequenas, pastilhas ou outras peças coloridas, formando desenhos.

mosca (**mos**.ca) [ô] substantivo feminino
1. Inseto com duas asas, de que há numerosas espécies, algumas transmissoras de doenças e outras inofensivas. **2.** Inseto desse grupo, de tamanho médio e que não pica; mosca-doméstica.

mosquito (mos.**qui**.to) substantivo masculino
Inseto com duas asas, patas longas e antenas finas, cuja picada em alguns casos transmite doenças como a dengue e a febre amarela.

motocicleta (mo.to.ci.**cle**.ta) substantivo feminino Veículo de duas rodas com motor, usado como meio de transporte, para fins esportivos e de lazer; moto.

motor (mo.**tor**) [ô] substantivo masculino
Dispositivo que gera movimento, que move um veículo ou faz movimentar partes de uma máquina ou aparelho: *o motor do carro é muito potente; o motor da geladeira quebrou.*

mouse [inglês: "mauze"] substantivo masculino
Dispositivo com que se dá comandos a um computador e que move o ponteiro onde serão inseridos os caracteres digitados pelo teclado: *o mouse tem um ponteiro na tela e botões para se clicar.*

móvel (**mó**.vel) substantivo masculino **1.** Peça de mobília como cama, sofá, mesa etc. **2.** Qualquer corpo em movimento. ⭐ adjetivo **3.** Que se pode mover: *as partes móveis do carrinho eram direção e rodas.* ▶ Plural: *móveis.*

mudo (**mu**.do) substantivo masculino e adjetivo **1.** Pessoa que não fala, que não tem a capacidade de falar: *as pessoas mudas aprendem a ler lábios.* ⭐adjetivo **2.** Que fica calado, que não fala: *passou o dia inteiro mudo.*

mulato (mu.**la**.to) substantivo masculino e adjetivo Descendente de negro e branco; pardo.

muleta (mu.**le**.ta) [ê] substantivo feminino
Bastão comprido com um encosto na parte superior que se encaixa nas axilas, que serve de apoio às pessoas com dificuldade para andar.

mulher (mu.**lher**) substantivo feminino
1. Pessoa do sexo feminino. **2.** Esposa, companheira: *levou sua mulher ao baile.*

multicolorido (mul.ti.co.lo.**ri**.do) adjetivo
Que tem muitas cores; colorido.

multimídia (mul.ti.**mí**.dia) adjetivo Que utiliza várias formas de comunicação, como texto, desenhos, filmes e sons: *enciclopédia multimídia; equipamento multimídia.*

multiplicação (mul.ti.pli.ca.**ção**) substantivo feminino **1.** Operação matemática em que se soma um número pelo número de vezes do outro: *a multiplicação de 2 x 3 é feita somando 2 vezes o número 3 (3 + 3) e o resultado é 6.* **2.** Ação de multiplicar; aumento: *a multiplicação dos animais.*

multiplicar (mul.ti.pli.**car**) verbo **1.** Realizar uma multiplicação. **2.** Aumentar em número, importância ou intensidade: *neste sábado, o número de espectadores multiplicou.* **3.** Reproduzir; produzir seres da mesma espécie: *os coelhos se multiplicam muito rápido.*

mundo (**mun**.do) substantivo masculino
1. Conjunto formado pela Terra e todos os astros, universo. **2.** A humanidade, a maioria das pessoas.

mural (mu.**ral**) adjetivo **1.** Que diz respeito a muro. **2.** Fixado em um muro. ⭐substantivo masculino **3.** Quadro de informações que é afixado em muro ou parede: *o aviso estava no mural.* **4.** Pintura artística em formato grande feita em muro: *o artista fez muitos murais.*

músculo (**mús**.cu.lo) substantivo masculino **1.** Órgão formado por fibras que se contraem e se alongam, produzindo o movimento; musculatura. **2.** Peça de carne de boi usada em cozidos.

museu (mu.**seu**) substantivo masculino Estabelecimento dedicado à conservação, estudo e exposição de obras de arte, objetos e documentos ligados a um tema histórico, tecnológico, científico etc.

música (**mú**.si.ca) substantivo feminino **1.** Arte e técnica de combinar sons produzidos pela voz ou por instrumentos, criando melodias e ritmos: *a música e a dança são importantes em todos os grupos humanos*. **2.** Obra feita nessa linguagem: *ouvir uma música*.

músico (**mú**.si.co) substantivo masculino Pessoa que faz música, compõe peças musicais ou toca algum instrumento.

mutirão (mu.ti.**rão**) substantivo masculino Trabalho feito coletivamente, de graça, pelos membros de uma coletividade: *fizeram um mutirão para reconstruir as casas danificadas pela enchente*. ▶ Plural: *mutirões*.

Nn

n, N substantivo masculino Décima quarta letra do alfabeto, consoante, de nome "ene".

nação (na.**ção**) substantivo feminino Conjunto de pessoas que vivem, em geral, no mesmo país, têm a mesma cultura e falam a mesma língua. ▸ Plural: *nações*.

nadadeira (na.da.**dei**.ra) substantivo feminino **1.** Órgão de natação e locomoção dos peixes e de outros animais aquáticos. **2.** Pé de pato.

nadar (na.**dar**) verbo **1.** Manter-se e mover-se na água por meio de movimentos de braços e pernas, nos seres humanos, de nadadeiras, patas ou caudas nos peixes e outros animais. **2.** Praticar natação: *nada todas as quartas- -feiras*.

nádega (**ná**.de.ga) substantivo feminino Cada uma das duas partes carnudas e arredondadas localizadas na parte de trás e superior das coxas; bumbum ou, em linguagem popular, bunda. (Veja apêndice da página 261)

namorado (na.mo.**ra**.do) substantivo masculino **1.** Pessoa a quem se namora: *os namorados foram ao cinema; levou a namorada para passear*. **2.** Peixe marinho com pintas na pele, apreciado na culinária.

namorar (na.mo.**rar**) verbo Ter relação afetiva, amorosa com alguém.

nanico (na.**ni**.co) adjetivo Que não cresceu, pequeno; que parece anão.

não advérbio **1.** Palavra que exprime negação: *não gosto de frio*. ★ substantivo masculino **2.** Recusa, repulsa, negativa: *ganhou um não em resposta*.

nariz (na.**riz**) substantivo masculino **1.** Parte saliente do rosto, acima da boca, que serve para respirar e sentir cheiros. (Veja apêndice da página 261) **2.** Parte dianteira do avião.

narrador (nar.ra.**dor**) [ô] substantivo masculino Aquele que conta uma história, isto é, que narra essa história.

nascer (nas.**cer**) verbo **1.** Vir ao mundo; vir à luz; começar a viver, a existir. **2.** Aparecer, surgir, ter origem ou princípio: *daquela vila nasceu uma cidade*.

nata (**na**.ta) substantivo feminino A gordura do leite, usada para fazer creme, manteiga, requeijão.

natação (na.ta.**ção**) substantivo feminino **1.** Ato de nadar; deslocamento na água; nado. **2.** Atividade de recreação e esporte em que a pessoa se desloca na água com movimentos de mãos e pernas.

natural (na.tu.**ral**) adjetivo **1.** Relacionado à natureza, que existe na natureza. **2.** Produzido ou criado sem interferência humana: *fontes naturais*. **3.** Espontâneo, simples: *um sorriso natural*. **4.** Nascido, originário: *as pessoas naturais do Brasil são brasileiras*.

natureza (na.tu.**re**.za) [ê] substantivo feminino **1.** O conjunto de tudo o que existe e que não foi feito pelo homem, os seres vivos, como as pessoas, as plantas, os bichos, e as pedras, as montanhas, o mar, os rios etc. **2.** Cenário natural: *adoro olhar a natureza*. **3.** Qualidade própria de uma pessoa ou animal, maneira de ser: *a natureza do leão é ser selvagem*.

nave (**na**.ve) substantivo feminino **1.** Veículo que se desloca pelo espaço. **2.** Espaço central de uma igreja, que vai da entrada ao altar.

navegar (na.ve.**gar**) verbo **1.** Viajar pelo mar, pelo ar ou pelo espaço em embarcações, aviões ou naves. **2.** Acessar endereços e páginas na internet.

navio (na.**vi**.o) substantivo masculino Embarcação grande, para transporte de passageiros ou cargas.

neblina (ne.**bli**.na) substantivo feminino Névoa densa que fica bem perto do solo; nevoeiro.

necessidade (ne.ces.si.**da**.de) substantivo feminino **1.** Aquilo que é necessário ou indispensável, de que se precisa obrigatoriamente: *as necessidades básicas são alimentação, abrigo, saúde, trabalho, educação e lazer*. **2.** Vontade, disposição, desejo: *sentia necessidade de se exercitar pela manhã*. **3.** Carência, precisão, pobreza: *passou necessidades; uma vida de necessidades*.

néctar (**néc**.tar) substantivo masculino Líquido adocicado produzido por certas flores.

negar (ne.**gar**) verbo **1.** Afirmar que não: *negou que havia ido ao cinema*. **2.** Recusar: *negou o dinheiro ao filho*. **3.** Não admitir a existência de alguma coisa: *negou a pobreza até o fim*.

negativo (ne.ga.**ti**.vo) adjetivo Que nega, que exprime negação: *deu uma resposta negativa*.

negro (**ne**.gro) substantivo masculino e adjetivo **1.** Pessoa que tem a pele escura, cabelo afro e outras características dos povos africanos; preto: *o povo brasileiro é descendente de negros, europeus e índios*. ★ adjetivo e substantivo masculino **2.** Preto: *vestia roupas negras; o negro combina com todas as cores*.

nenê (ne.**nê**) substantivo masculino Criança recém-nascida ou de poucos meses; bebê, em linguagem familiar. O mesmo que neném.

neto (**ne**.to) [é] substantivo masculino Filho do filho ou da filha, em relação ao avô e à avó. (Veja apêndice da página 262)

neve (**ne**.ve) substantivo feminino Flocos de gelo formados pelo congelamento do vapor de água que existe na atmosfera.

névoa (**né**.voa) substantivo feminino Vapor de água suspenso na atmosfera, que prejudica a visibilidade: *a névoa é menos intensa que a neblina*.

ninho (**ni**.nho) substantivo masculino **1.** Abrigo construído pelas aves para pôr seus ovos, chocá-los e criar os filhotes. **2.** Lugar onde se abrigam os animais; esconderijo, toca.

nó substantivo masculino **1.** Laço muito apertado que se faz em linha, corda etc. **2.** Articulação das falanges dos dedos. **3.** Parte mais dura da madeira. **4.** Grande dificuldade, problema.

noite (**noi**.te) substantivo feminino Espaço de tempo entre o pôr do sol e o amanhecer.

nojo (**no**.jo) [ô] substantivo masculino Náusea, asco, enjoo: *tem nojo de barata*.

nômade (**nô**.ma.de) substantivo de dois gêneros e adjetivo Pessoa ou povo que vive se deslocando, que não tem habitação fixa.

nome (**no**.me) substantivo masculino **1.** Palavra com que são conhecidas as pessoas, animais, objetos, lugares, sentimentos etc. **2.** Apelido, sobrenome.

nordeste (nor.**des**.te) substantivo masculino **1.** Direção entre o norte e o leste: *navegaram para nordeste*. **2.** Região brasileira que agrupa os estados de Alagoas, Bahia, Ceará, Maranhão, Paraíba, Pernambuco, Piauí, Rio Grande do Norte e Sergipe. ▶ Como região brasileira, é um nome próprio e deve ser escrito com letra maiúscula no início.

nordestino (nor.des.**ti**.no) adjetivo **1.** Do Nordeste. ★ substantivo masculino **2.** Pessoa que nasceu nesse lugar ou que mora lá.

norte (**nor**.te) substantivo masculino **1.** Ponto cardeal e direção que fica à esquerda do observador voltado para o leste: *a bússola aponta o norte*. (Veja apêndice da página 257) **2.** Guia, rumo, direção. **3.** Região geográfica brasileira que abrange os estados de Amazonas, Pará, Acre, Amapá, Rondônia, Roraima e Tocantins. ▶ Como região brasileira, é um nome próprio e deve ser escrito com letra maiúscula.

norte-americano (nor.te-a.me.ri.**ca**.no) adjetivo **1.** Pertencente à América do Norte. **2.** Pertencente aos Estados Unidos da América; americano, estadunidense. ★ substantivo masculino **3.** Pessoa que nasceu ou que mora em um desses lugares.

nortista (nor.**tis**.ta) adjetivo **1.** Do Norte. ★ substantivo de dois gêneros **2.** Pessoa que nasceu ou que mora nessa região.

nota (**no**.ta) substantivo feminino **1.** Anotação feita para lembrar alguma coisa. **2.** Papel-moeda, cédula. **3.** Comunicação escrita com poucas palavras. **4.** Grau com que se avalia o aproveitamento na escola. **5.** Desenho usado para representar os sons musicais.

notícia (no.**tí**.cia) substantivo feminino **1.** Informação. **2.** Relato falado ou escrito de um acontecimento.

noturno (no.**tur**.no) adjetivo **1.** Referente à noite. **2.** Que acontece durante a noite.

novilho (no.**vi**.lho) substantivo masculino Boi novo; bezerro.

novo (**no**.vo) [ô] adjetivo **1.** Que existe há pouco tempo: *lançou um livro novo*. **2.** Moderno, recente: *uma nova mania*. **3.** Que tem pouco uso: *sapato novo*. ⭐substantivo masculino **4.** O que é recente: *o novo sempre surpreende*. ▶ Plural: *novos* [ó].

nu adjetivo **1.** Sem roupa, pelado, despido. **2.** Descoberto; exposto. **3.** Sem vegetação.

nuca (**nu**.ca) substantivo feminino A parte de trás do pescoço, onde estão as vértebras cervicais.

numeral (nu.me.**ral**) substantivo masculino Palavra que expressa número, quantidade ou posição em uma ordem, como *dois, dobro, meio, primeiro, segundo, terceiro*. (Veja apêndice das páginas 252-253)

número (**nú**.me.ro) substantivo masculino **1.** Palavra ou símbolo que expressa quantidade. **2.** Parcela ou porção de um grupo. **3.** Exemplar de um jornal ou revista. **4.** Cada uma das cenas de uma apresentação de teatro ou circo: *o número de mágica foi muito aplaudido*.

numeroso (nu.me.**ro**.so) [ô] adjetivo Em grande número; abundante. ▶ Plural: *numerosos* [ó].

nunca (**nun**.ca) advérbio Exprime negação, com o significado de não, jamais, em tempo algum: *os irmãos nunca haviam visto uma praia com ondas tão grandes quanto as do último verão*.

nutritivo (nu.tri.**ti**.vo) adjetivo Que nutre, que alimenta; nutriente: *a laranja é muito nutritiva*.

nuvem (**nu**.vem) substantivo feminino **1.** Conjunto de partículas muito pequenas de água suspensas no ar e que dão origem às chuvas. **2.** Partículas de pó, fumaça, gases etc. suspensas no ar: *nuvem de poeira; nuvem de poluição*.

O o

o, O ••• **octogenário**

o, O substantivo masculino Décima quinta letra de nosso alfabeto e quarta das vogais, de nome "ó" ou "ó".

obediente (o.be.di.**en**.te) adjetivo Que obedece às ordens; dócil, submisso: *um cachorro obediente faz o que lhe foi ensinado.*

obeso (o.**be**.so) [ê] substantivo masculino e adjetivo Pessoa que tem grande excesso de peso, muito gorda, que sofre de obesidade.

objeto (ob.**je**.to) [é] substantivo masculino 1. Coisa material, que pode ser vista, tocada. 2. Matéria; assunto: *objeto de estudo*. 3. Motivo: *objeto da discussão*. 4. Coisa; artigo: *este objeto está muito caro.*

obra (**o**.bra) substantivo feminino 1. Resultado do trabalho. 2. Edifício em construção. 3. Trabalho artístico: *Reinações de Narizinho é uma das obras mais conhecidas de Monteiro Lobato.*

obrigado (o.bri.**ga**.do) adjetivo 1. Palavra usada para agradecer uma coisa que foi oferecida ou dada: *não, obrigado, não quero; muito obrigada pelo presente*. 2. Que alguém obrigou, forçou a fazer; que tem de ser feito querendo ou não: *eram obrigados a respeitar em fila.*

obrigar (o.bri.**gar**) verbo Forçar alguém a fazer o que não quer ou a cumprir um dever.

observação (ob.ser.va.**ção**) substantivo feminino 1. Ato, ação de observar, de olhar atentamente; exame, análise: *faça uma observação atenta e encontre as sete diferenças entre os dois desenhos.* 2. Expressão do que se viu; nota.

observar (ob.ser.**var**) verbo 1. Olhar, examinar atentamente: *observou o desenho com atenção*. 2. Cumprir, respeitar: *observou todas as regras da escola*. 3. Perceber, reparar, notar: *observou que o passarinho sempre pousava naquele galho.*

obstáculo (obs.**tá**.cu.lo) substantivo masculino 1. O que impede; empecilho, barreira. 2. Dificuldade.

oca (**o**.ca) [ó] substantivo feminino Cabana de índios brasileiros, onde moram uma ou mais famílias; palhoça.

oceano (o.ce.a.no) substantivo masculino 1. Vasta extensão de água salgada que cobre a maior parte da superfície da Terra; mar. 2. Cada parte dessas extensões que cobre uma determinada superfície, chamadas Atlântico, Pacífico, Índico, Glacial Ártico e Glacial Antártico.

oco (**o**.co) [ô] adjetivo Que não tem nada dentro; vazio, sem miolo.

octogenário (oc.to.ge.**ná**.rio) substantivo masculino e adjetivo Pessoa que tem entre oitenta e noventa anos de idade.

134

octógono (oc.**tó**.go.no) substantivo masculino
Figura formada por oito lados retos. (Veja apêndice da página 256)

óculos (**ó**.cu.los) substantivo masculino plural
Armação com duas lentes, para corrigir a visão ou para proteger da claridade excessiva do sol.

oculto (o.**cul**.to) adjetivo **1.** Encoberto, escondido, invisível. **2.** Misterioso, secreto, desconhecido.

ocupar (o.cu.**par**) verbo **1.** Estar na posse de: *ocupa um bom cargo*. **2.** Fazer uso, empregar: *ocupa o tempo com leituras*. **3.** Invadir, conquistar: *ocupar um território*; *ocupar um país*.

odor (o.**dor**) [ô] substantivo masculino Aroma, cheiro, fragrância.

oeste (o.**es**.te) substantivo masculino **1.** Ponto cardeal e lado onde o sol se põe; ocidente, poente. **2.** Região situada a oeste. (Veja apêndice da página 257) ★ adjetivo **3.** Relativo ao oeste, ao poente.

oferenda (o.fe.**ren**.da) substantivo feminino **1.** Oferta feita a uma divindade. **2.** Doação, presente.

oficina (o.fi.**ci**.na) substantivo feminino **1.** Lugar onde se exerce um ofício artístico ou manual: *oficina de costura*. **2.** Lugar onde se consertam veículos, máquinas ou equipamentos: *oficina mecânica*. **3.** Aula prática: *oficina de linguagem*.

óleo (**ó**.leo) substantivo masculino
1. Substância gordurosa e inflamável, de origem animal, vegetal ou mineral, com diversos usos: *óleo lubrificante*; *óleo de peroba*. **2.** Substância gordurosa usada na alimentação para temperar, fritar, cozinhar e conservar: *óleo de soja*; *óleo de girassol*; *óleo de milho*.

oleoso (o.le.**o**.so) [ô] adjetivo Que tem óleo; gorduroso. ▶ Plural: *oleosos* [ó].

olfato (ol.**fa**.to) substantivo masculino
1. Sentido com que se percebem os cheiros. **2.** Faro, no caso de animais.

olhar (o.**lhar**) verbo **1.** Fixar a vista em; contemplar. **2.** Observar; prestar atenção; ver. **3.** Tomar conta; vigiar: *ficou olhando o irmãozinho*. ★ substantivo masculino **4.** Maneira de olhar: *um olhar de alegria*.

olho (o.lho) [ô] substantivo masculino **1.** Órgão da visão. (Veja apêndice da página 261) **2.** Olhar, visão: *dirigiu os olhos para o mar*. **3.** Cuidado, atenção: *não tirou o olho do filho*. **4.** Texto curto que informa o assunto e atrai o leitor, colocado no início de uma matéria de jornal, revista ou internet. ▶ Plural: *olhos* [ó].

ombro (**om**.bro) substantivo masculino A parte mais alta do braço; local onde o braço se une ao tórax. (Veja apêndice da página 261)

omelete (o.me.**le**.te) [é] substantivo feminino
Fritada de ovos batidos, a que se pode misturar ervas, presunto, queijo, tomate etc.

onça (on.ça) substantivo feminino **1.** Mamífero carnívoro típico das Américas, feroz e grande, que vive nas matas e é hábil caçador: *as onças mais conhecidas são a onça-pintada e a suçuarana*. **2.** Medida de peso inglesa que equivale a 28,349 gramas.

onça-pintada ••• órbita

onça-pintada (on.ça-pin.**ta**.da) substantivo feminino Maior onça brasileira, amarela com manchas escuras, de hábitos noturnos, que caça muito bem; jaguar. ▶ Plural: *onças-pintadas*.

onda (**on**.da) substantivo feminino **1.** Porção de água do mar, rio ou lago que se eleva e depois abaixa. **2.** Movimento que se repete em sobe e desce, com espaços regulares. **3.** Forma como são transmitidos os sinais para televisão, telefone, controle remoto e outros.

ônibus (**ô**.ni.bus) substantivo masculino Veículo grande, motorizado, para o transporte coletivo de passageiros. ▶ Plural: *ônibus*.

ontem (**on**.tem) advérbio No dia anterior ao de hoje: *acordei disposto porque ontem dormi cedo*.

opaco (o.**pa**.co) adjetivo Que não deixa atravessar a luz; que não é transparente; turvo: *vidro opaco*.

opção (op.**ção**) substantivo feminino Escolha entre duas ou várias coisas; preferência. ▶ Plural: *opções*.

opcional (op.ci.o.**nal**) adjetivo Que se pode escolher, que se pode fazer ou não.

operação (o.pe.ra.**ção**) substantivo feminino **1.** Ato de operar, de realizar alguma ação. **2.** Intervenção cirúrgica feita para tratar uma doença; cirurgia: *fez uma operação na garganta*. **3.** Cálculo aritmético: *as quatro operações são adição, subtração, multiplicação e divisão*.

opinião (o.pi.ni.**ão**) substantivo feminino **1.** Maneira de pensar sobre um assunto: *cada um com a sua opinião*. **2.** Conceito sobre uma pessoa, um assunto: *na minha opinião, o jogo foi bom*. **3.** Capricho; teimosia: *ela tem muita opinião*. ▶ Plural: *opiniões*.

oposto (o.**pos**.to) [ô] adjetivo **1.** Contrário; inverso; contraditório: *direções opostas*. **2.** Que está em frente: *o lado oposto da rua*. ★ substantivo masculino **3.** O inverso; a coisa contrária: *é o oposto do amigo*. ▶ Plural: *opostos* [ó].

oração (o.ra.**ção**) substantivo feminino **1.** Prece, pedido dirigido a Deus ou a outra divindade. **2.** Frase que exprime um pensamento completo: *"A menina gosta do cachorro" é um exemplo de oração*. ▶ Plural: *orações*.

oral (o.**ral**) adjetivo **1.** Referente ou pertencente à boca: *higiene oral*. **2.** Falado; que não é escrito: *expressão oral; prova oral*.

órbita (**ór**.bi.ta) substantivo feminino Trajetória, caminho de um corpo celeste.

ordem (or.dem) substantivo feminino
1. Modo de colocar ou classificar alguma coisa seguindo uma regra: *ordem alfabética; ordem de tamanho*. 2. Regra; lei estabelecida; disciplina: *sempre seguiu a ordem*. 3. Maneira de arrumar as coisas, de organizar: *meu quarto finalmente está em ordem*. 4. Aviso, comando ou pedido que se recebe e que deve ser respeitado: *quando papai dá uma ordem é preciso obedecer imediatamente*.

orelha (o.**re**.lha) [ê] substantivo feminino
1. Cada um dos dois órgãos da audição, situados nas laterais da cabeça; ouvido. 2. Parte exterior desse órgão. (Veja apêndice da página 261) 3. Aba ou prolongamento da capa de um livro.

orfanato (or.fa.**na**.to) substantivo masculino
Estabelecimento que abriga e educa os órfãos.

órfão (**ór**.fão) substantivo masculino e adjetivo
Pessoa que perdeu os pais, ou um deles: *fiquei órfã de mãe aos 15 anos de idade*. ▶ Feminino: *órfã*. Plural: *órfãos*.

organismo (or.ga.**nis**.mo) substantivo masculino
1. Conjunto de órgãos que forma um ser vivo. 2. O corpo humano: *a poluição prejudica o organismo*. 3. Ser vivo, animal ou vegetal, organizado: *organismo microscópico*.

órgão (**ór**.gão) substantivo masculino 1. Cada uma das partes do corpo que executa uma função específica: *o olho é o órgão da visão*. 2. Grande instrumento musical de sopro, com tubos sonoros e um conjunto de teclas. 3. Instrumento musical eletrônico de teclado. ▶ Plural: *órgãos*.

orgulho (or.**gu**.lho) substantivo masculino
1. Sentimento de amor próprio, de gostar de si, ter valor próprio. 2. Opinião exagerada de si mesmo; arrogância.

orgulhoso (or.gu.**lho**.so) [ô] adjetivo Que tem orgulho; altivo, vaidoso, arrogante. ▶ Plural: *orgulhosos* [ó].

oriental (o.ri.en.**tal**) adjetivo 1. Pertencente ao Oriente ou aos povos originários de lá, como chineses, japoneses, indianos, tibetanos etc.: *países orientais*. ★substantivo de dois gêneros 2. O habitante ou natural do Oriente. 3. Pessoa que descende de chineses, japoneses ou coreanos.

oriente (o.ri.**en**.te) substantivo masculino
1. Lado em que o sol nasce; nascente; leste. 2. Conjunto de países situados nessa parte do planeta.

origem (o.**ri**.gem) substantivo feminino
1. Princípio, surgimento; começo: *origem da vida*. 2. Motivo, causa: *origem do problema*. 3. Local onde alguma coisa tem início: *música de origem nordestina*. 4. As gerações anteriores de uma pessoa, seus antepassados: *era de origem italiana*. 5. Naturalidade, nacionalidade: *de origem paulista; de origem brasileira*.

orixá (o.ri.**xá**) substantivo masculino Cada uma das divindades dos cultos afro-brasileiros: *entre os orixás mais conhecidos estão Iemanjá, Xangô, Ogum e Oxóssi*.

orquestra (or.**ques**.tra) substantivo feminino
Conjunto de músicos que, sob a direção de um maestro, executam uma peça musical: *os instrumentos da orquestra podem ser de sopro, corda e percussão*.

orquídea (or.**quí**.dea) substantivo feminino
Planta de flores exuberantes pelo colorido intenso e variado, com algumas espécies que crescem nos troncos das árvores.

ortografia (or.to.gra.**fi**.a) substantivo feminino
Parte da gramática que estabelece a forma de escrever as palavras, a maneira correta de combinar as letras.

ortográfico (or.to.**grá**.fi.co) adjetivo Que diz respeito à ortografia: *o Vocabulário Ortográfico informa a ortografia das palavras do português do Brasil.*

ortopedia (or.to.pe.**di**.a) substantivo feminino
Parte da medicina que se ocupa do estudo, prevenção e tratamento das doenças do esqueleto.

orvalho (or.**va**.lho) substantivo masculino
Gotículas muito finas e pequenas de vapor de água que caem durante a noite e pela manhã.

ósseo (**ós**.seo) adjetivo **1.** Relacionado a osso. **2.** Que possui ossos; formado por ossos: *esqueleto ósseo.*

osso (**os**.so) [ô] substantivo masculino Parte dura que forma o esqueleto dos animais vertebrados. ▶ Plural: *ossos* [ó].

ostra (**os**.tra) [ô] substantivo feminino Molusco marinho, comestível, protegido por uma concha formada por duas peças iguais, que vive grudado em rochas, com algumas espécies que produzem pérolas.

ótimo (**ó**.ti.mo) adjetivo
1. Que é o melhor possível, que usa todos os recursos da melhor maneira: *um aproveitamento ótimo.* **2.** Muito bom, agradável: *achou ótimo ir para a praia logo cedo.*

ouro (**ou**.ro) substantivo masculino
1. Metal precioso amarelo, usado para fazer joias e moedas. **2.** Dinheiro, riqueza. **3.** Cor amarela brilhante: *cachinhos de ouro.*

outono (ou.**to**.no) [ô] substantivo masculino
Estação do ano entre o verão e o inverno, que começa em 21 de março e termina em 21 de junho no hemisfério Sul.

outro (**ou**.tro) pronome
1. Diferente do primeiro: *gostou do outro carro.* **2.** Mais um; um segundo: *depois de acabar o sorvete, pediu outro.* **3.** Seguinte: *o primeiro exercício era fácil, o outro não.* **4.** O restante: *ele foi e os outros ficaram.*

ouvido (ou.**vi**.do) substantivo masculino
1. Órgão da audição e do equilíbrio. **2.** Sentido com o qual se percebem os sons. **3.** Orelha.

ouvinte (ou.**vin**.te) substantivo de dois gêneros **1.** Aquele que ouve. **2.** Pessoa que ouve uma conferência, discurso, apresentação musical etc. **3.** Estudante autorizado a assistir às aulas, sem estar matriculado em um curso.

ouvir (ou.**vir**) verbo
1. Escutar; perceber um som; ter boa audição: *ouviu um barulho no meio da noite.* **2.** Prestar atenção no que outra pessoa diz: *ouvir os alunos.* **3.** Atender a um pedido, acatar um conselho: *ouviu o pai.*

138

oval (o.**val**) adjetivo Que tem a forma de um ovo.

ovelha (o.**ve**.lha) [ê] substantivo feminino A fêmea do carneiro.

ovo (o.vo) [ô] substantivo masculino **1.** Célula que resulta da fecundação de um óvulo. **2.** Óvulo fecundado ou não, especialmente das aves, revestido por uma casca protetora, que contém a clara e a gema, muito utilizado como alimento. ▶ Plural: *ovos* [ó].

óvulo (**ó**.vu.lo) substantivo masculino Célula feminina, arredondada, responsável pela reprodução.

oxítono (o.**xí**.to.no) [cs] substantivo masculino e adjetivo Palavra que tem a última sílaba pronunciada com mais força ou acentuada, como: *amanhã, café, caqui, vovô, urubu*.

P p

p, P substantivo masculino Décima sexta letra do alfabeto, consoante, de nome "pê".

pá substantivo feminino **1.** Ferramenta para mover terra, pó ou partículas, formada por uma lâmina larga e achatada adaptada a um cabo comprido. **2.** Parte de uma hélice de avião, navio ou ventilador. **3.** Ponta mais larga do remo.

paca (**pa**.ca) substantivo feminino Mamífero roedor grande, típico da América do Sul, de pernas curtas e pelo castanho-escuro, que vive em regiões próximas de rios.

pacato (pa.**ca**.to) adjetivo Cheio de paz; pacífico, calmo, sossegado, tranquilo.

paciência (pa.ci.**ên**.cia) substantivo feminino **1.** Qualidade daquele que é paciente, que é capaz de suportar contrariedades. **2.** Capacidade de persistir. **3.** Jogo de baralho para um só jogador.

paciente (pa.ci.**en**.te) adjetivo **1.** Que tem paciência, calma; que não se desespera, que espera tranquilamente. ⭐ substantivo de dois gêneros **2.** Pessoa que recebe um tratamento de saúde: *o médico atendeu seus pacientes*.

pacífico (pa.**cí**.fi.co) adjetivo Amante da paz; tranquilo, sossegado: *eram pessoas pacíficas e ordeiras*.

paçoca (pa.**ço**.ca) [ó] substantivo feminino **1.** Prato de origem indígena feito com carne-seca socada com farinha de mandioca e em geral servido com banana. **2.** Doce feito com amendoim torrado e rapadura ou açúcar, batidos até virar pó.

pacote (pa.**co**.te) [ó] substantivo masculino Um ou mais objetos embrulhados e amarrados; embrulho, fardo.

padaria (pa.da.**ri**.a) substantivo feminino Local onde se fabricam e vendem pães, doces, biscoitos e salgados.

padeiro (pa.**dei**.ro) substantivo masculino Fabricante, vendedor ou entregador de pão.

padrasto (pa.**dras**.to) substantivo masculino Homem em relação aos filhos de outro casamento de sua mulher.

padre (**pa**.dre) substantivo masculino Sacerdote católico; homem que pode celebrar cerimônias religiosas na Igreja Católica.

padrinho (pa.**dri**.nho) substantivo masculino **1.** Testemunha em um casamento, batismo ou formatura. **2.** Homem que protege ou ajuda; protetor.

pagar (pa.**gar**) verbo **1.** Dar dinheiro em troca de: *paguei para entrar no cinema; pagar o lanche; pagar uma dívida*. **2.** Recompensar, retribuir: *pagou com sua amizade*.

página (**pá**.gi.na) substantivo feminino **1.** Cada um dos dois lados de uma folha de papel, de um livro, caderno, revista, jornal. **2.** O que está escrito ou impresso na página: *leu 30 páginas de uma vez*.

pai substantivo masculino **1.** Homem que tem um ou mais filhos. (Veja apêndice da página 262) **2.** Criador, autor ou inventor: *Santos Dumont é o pai da aviação*.

paina (**pai**.na) [ãi] substantivo feminino
Fibra semelhante ao algodão que envolve as sementes de algumas plantas.

painel (pai.**nel**) substantivo masculino
1. Quadro, pintura de grandes dimensões.
2. Descrição de uma situação; quadro.
3. Quadro em que são instalados mostradores ou instrumentos de controle: *o painel do carro é iluminado*. ▶ Plural: *painéis*.

paiol (pai.**ol**) substantivo masculino
1. Depósito de cereais ou ferramentas agrícolas. 2. Depósito de pólvora, munição e armas. ▶ Plural: *paióis*.

pais substantivo masculino plural 1. O pai e a mãe. 2. Os antepassados.

país (pa.**ís**) substantivo masculino 1. Território com limites definidos, habitado por pessoas que têm uma história, tradições e leis próprias; pátria, nação: *nosso país é o Brasil; os países se reúnem em organizações internacionais*. 2. Região, lugar: *país das maravilhas*. ▶ Plural: *países*.

paisagem (pai.sa.**gem**) substantivo feminino
1. Espaço de terreno que se alcança em um lance de vista. 2. Pintura, gravura ou desenho que retrata essa visão: *o quadro mostrava uma linda paisagem do campo*.

paixão (pai.**xão**) substantivo feminino 1. Amor excessivo, muito forte. 2. Sentimento forte que pode ir do amor ao ódio. 3. Entusiasmo muito grande: *paixão pelo automobilismo*.
▶ Plural: *paixões*.

palácio (pa.**lá**.cio) substantivo masculino
1. Casa grande e luxuosa: *reis e nobres moraram naquele palácio*. 2. Sede de um governo: *palácio do Planalto*.

paladar (pa.la.**dar**) substantivo masculino
Sentido com que se percebe o sabor, captado pela língua; gosto, sabor.

palavra (pa.**la**.vra) substantivo feminino
1. Signo, símbolo falado ou escrito usado na comunicação humana; vocábulo: *a palavra "gato" tem quatro letras*. 2. Aquilo que se fala: *prestou atenção às palavras do amigo*. 3. Promessa, compromisso: *ela sempre cumpre sua palavra*. **Palavras cruzadas:** jogo em que se deve adivinhar palavras a partir de enigmas e escrevê-las cruzando as letras em quadrinhos nos sentidos horizontal e vertical.

palavrão (pa.la.**vrão**) substantivo masculino
Palavra feia, que se deve evitar ou não usar sempre, que serve para xingar e ofender ou para falar de assuntos sexuais de maneira grosseira: *o filme foi classificado para maiores de 14 anos porque tem muitos palavrões*.

palco (**pal**.co) substantivo masculino Tablado de madeira onde os atores e músicos se apresentam.

paleta (pa.**le**.ta) [ê] substantivo feminino
1. Peça na qual os pintores misturam as tintas. 2. Corte de carne bovina ou suína que fica na parte dianteira.

paletó (pa.le.**tó**) substantivo masculino Casaco reto, com bolsos externos, usado por cima da camisa e de outras roupas.

palhaço (pa.**lha**.ço) substantivo masculino **1.** Artista de circo que faz brincadeiras para divertir o público. **2.** Pessoa que diz ou faz coisas engraçadas. **3.** Pessoa ridícula, boba ou tola.

palito (pa.**li**.to) substantivo masculino Haste de madeira ou de plástico pequena e fina: *palito de fósforo, palito de dentes*.

palma (**pal**.ma) substantivo feminino **1.** A folha da palmeira. **2.** O lado interno da mão, entre o pulso e os dedos. (Veja apêndice da página 261)

palmas (**pal**.mas) substantivo feminino plural **1.** Gesto de bater as palmas das mãos, produzindo som característico: *ouviu palmas na porta e foi ver quem era*. **2.** Esse gesto, feito várias vezes para expressar aprovação; aplausos: *no final do discurso todos bateram palmas*.

palmeira (pal.**mei**.ra) substantivo feminino Nome que se dá a diversas árvores de tronco cilíndrico e reto, com folhas grandes, típicas de regiões quentes e que podem dar coco, tâmaras, dendê, palmito etc.

palmilha (pal.**mi**.lha) substantivo feminino Revestimento interno para a sola de um calçado.

palmito (pal.**mi**.to) substantivo masculino Miolo branco do caule de algumas palmeiras, que se come cozido ou assado.

palmo (**pal**.mo) substantivo masculino Distância que vai da ponta do polegar até a ponta do dedo mínimo, estando a mão bem estendida.

pálpebra (**pál**.pe.bra) substantivo feminino Prega, dobra de pele com cílios, que recobre o olho e tem a função de protegê-lo.

palpite (pal.**pi**.te) substantivo masculino **1.** Pressentimento; intuição: *meu palpite para o jogo é empate*. **2.** Opinião ou sugestão dada sem ser solicitada: *vive dando palpites na vida dos outros*.

pamonha (pa.**mo**.nha) [ô] substantivo feminino Massa de milho verde ralado, doce ou salgada, cozida na palha do milho, em pacotinhos: *a festa junina tinha pamonha e paçoca*.

pampa (**pam**.pa) adjetivo **1.** Diz-se do cavalo de pelagem malhada, com manchas. ★ substantivo masculino **2.** Planície extensa e rica em pastagens, típica do Rio Grande do Sul, Uruguai e Argentina.

panda (**pan**.da) substantivo masculino Mamífero semelhante ao urso, de pelagem branca e preta, que come principalmente bambus e vive em florestas da Ásia.

pandeiro (pan.**dei**.ro) substantivo masculino Instrumento musical de percussão feito com um aro revestido de couro e rodeado de lâminas metálicas, que se toca com a mão, típico do samba, do chorinho e de vários outros ritmos brasileiros.

panela (pa.**ne**.la) substantivo feminino
1. Recipiente para cozinhar alimentos, de formatos e materiais variados. 2. O conteúdo desse recipiente: *comeu uma panela de pipocas*.

panetone (pa.ne.**to**.ne) [ô] substantivo masculino Pão doce ou bolo de origem italiana, que faz parte das tradições de Natal, em geral com passas e frutas cristalizadas na massa.

pano (**pa**.no) substantivo masculino
1. Qualquer tecido de algodão, linho, lã etc.; fazenda. 2. Pedaço de tecido usado na limpeza da casa.

panqueca (pan.**que**.ca) [é] substantivo feminino Disco de massa fina, feita com farinha, ovos e leite, servido enrolado com recheio de carne, queijo, doces etc.

pantalona (pan.ta.**lo**.na) [ô] substantivo feminino Calça comprida com pernas largas e longas. (Veja apêndice da página 260)

pantanal (pan.ta.**nal**) substantivo masculino Região onde há muitos pântanos, como no interior do Mato Grosso do Sul.

pântano (**pân**.ta.no) substantivo masculino Região coberta por águas paradas; brejo, charco.

pantera (pan.**te**.ra) [é] substantivo feminino Mamífero carnívoro selvagem da Ásia e África, semelhante à onça.

panturrilha (pan.tur.**ri**.lha) substantivo feminino Parte de trás da perna, oposta à canela; barriga da perna. (Veja apêndice da página 261)

pão substantivo masculino 1. Alimento feito com massa de farinha de trigo, fermento e sal ou açúcar, assado no forno. 2. O alimento e o sustento.

papa (**pa**.pa) substantivo masculino 1. Mingau doce feito com leite e amido de milho. 2. Chefe supremo da Igreja Católica Apostólica Romana e bispo de Roma.

papagaio (pa.pa.**gai**.o) substantivo masculino 1. Ave colorida capaz de imitar a voz humana; louro. 2. Pipa.

papai (pa.**pai**) substantivo masculino Pai, em linguagem familiar.

papão (pa.**pão**) substantivo masculino Ser imaginário com que se amedrontam as criancinhas. O mesmo que bicho-papão.

papel (pa.**pel**) substantivo masculino
1. Folha fina feita de uma pasta extraída da madeira, usada para escrever, desenhar, imprimir, embrulhar. 2. Função, cargo. 3. Parte que cabe a um ator, na interpretação de uma peça, filme etc. ▶ Plural: *papéis*.

papelão (pa.pe.**lão**) substantivo masculino Papel mais grosso e forte que o comum.
▶ Plural: *papelões*.

papelaria (pa.pe.la.**ri**.a) substantivo feminino Estabelecimento onde são vendidos papéis, material para escrever, material escolar e de escritório.

papiro (pa.**pi**.ro) substantivo masculino Material usado pelos antigos egípcios para escrever e pintar, feito com a haste da planta do mesmo nome.

papo (**pa**.po) substantivo masculino **1.** Bolsa que as aves têm dentro do pescoço, onde o alimento engolido fica por algum tempo: *a galinha encheu o papo de milho*. **2.** Região do rosto entre o queixo e peito; gogó. **3.** Conversa, colóquio, diálogo: *o papo foi ótimo*.

papo de anjo (pa.po de **an**.jo) substantivo masculino Doce feito com gemas de ovos batidas com açúcar, assadas em forminhas e servidas em calda de açúcar.

par adjetivo **1.** Que é divisível por dois: *oito é um número par*. **2.** Igual; similar. ⭐ substantivo masculino **3.** Casal. **4.** Conjunto de duas coisas que se usam sempre ao mesmo tempo, como luvas, sapatos, meias etc.

parabéns (pa.ra.**béns**) substantivo masculino plural Felicitações; congratulações; cumprimentos: *mandamos os parabéns para todos os alunos que concluíram o curso*.

parada (pa.**ra**.da) substantivo feminino **1.** Ato de parar. **2.** Local onde param os ônibus, táxis etc. **3.** Desfile de tropas, escolas em comemoração a datas cívicas. **4.** Pausa; espera; demora.

parado (pa.**ra**.do) adjetivo **1.** Que parou; estacionado. **2.** Sem movimento, quieto. **3.** Sem trabalho; desocupado.

parafuso (pa.ra.**fu**.so) substantivo masculino Prego sulcado em espiral e com uma fenda na cabeça.

parágrafo (pa.**rá**.gra.fo) substantivo masculino Divisão de um texto escrito que tem um sentido completo e é indicada pela mudança de linha.

paraíso (pa.ra.**í**.so) substantivo masculino **1.** Lugar descrito na Bíblia, em que Deus criou os animais, as plantas, o homem e a mulher: *no Paraíso viviam Adão e Eva, que não faziam nenhum tipo de arte, trabalho ou esforço*. **2.** Lugar muito bom e agradável, em linguagem figurada: *aquela praia bonita e sem perigos é um paraíso*.

paralela (pa.ra.**le**.la) [é] substantivo feminino Linha que fica à mesma distância de outra em toda a sua extensão.

paralelo (pa.ra.**le**.lo) [é] adjetivo Diz-se das linhas ou planos que estão lado a lado e que não se encontram: *traços paralelos, ruas paralelas*.

paralelepípedo (pa.ra.le.le.**pí**.pe.do) substantivo masculino **1.** Sólido retangular: *uma caixa de sapatos é um paralelepípedo*. (Veja apêndice da página 256) **2.** Pedra com esse formato usado para calçar as ruas.

paralelogramo (pa.ra.le.lo.**gra**.mo) substantivo masculino Quadrilátero cujos lados opostos são paralelos: *o losango é um paralelogramo*.

parapeito (pa.ra.**pei**.to) substantivo masculino Parede baixa ou mureta que se eleva mais ou menos até a altura do peito; peitoril: *debruçou-se no parapeito da janela*.

paraplégico (pa.ra.**plé**.gi.co) adjetivo 1. Que diz respeito à paraplegia. ★ substantivo masculino e adjetivo 2. Pessoa que não mexe as pernas, que tem paraplegia.

paraquedas (pa.ra.**que**.das) substantivo masculino Equipamento para diminuir a velocidade dos corpos em queda no ar. ▶ Plural: *paraquedas*.

parar (pa.**rar**) verbo 1. Cessar de andar; imobilizar-se. 2. Interromper uma atividade: *parou de estudar por hoje*. 3. Ficar, permanecer: *não para em casa*.

parasita (pa.ra.**si**.ta) substantivo masculino e adjetivo Ser vivo, animal ou vegetal, que retira seu alimento de um outro organismo, o hospedeiro, que pode ser prejudicado por isso: *o piolho é um parasita*.

parceiro (par.**cei**.ro) adjetivo 1. Igual; similar; semelhante. ★ substantivo masculino 2. Pessoa com quem se estabelece parceria, com quem se divide uma atividade em esportes, jogos, dança; sócio.

pardal (par.**dal**) substantivo masculino Pequeno pássaro, de cor parda, muito comum nas cidades e que se alimenta de grãos e sementes.

pardo (**par**.do) substantivo masculino e adjetivo De cor escura, entre o branco e o preto; mulato.

parecer (pa.re.**cer**) verbo 1. Ter a aparência de, o aspecto de: *ela se parece muito com a irmã*. 2. Dar a impressão de: *parece que está triste*. ★ substantivo masculino 3. Opinião; conceito: *ouviu um parecer favorável*.

parede (pa.**re**.de) [ê] substantivo feminino Parte de uma construção que fecha o exterior de uma casa ou edifício e que separa os cômodos internos: *atrás da parede da sala fica o quarto*.

parente (pa.**ren**.te) substantivo masculino Pessoa ligada a outra, por laços de sangue, por afinidade, por casamento ou por adoção: *no Natal todos os parentes se reúnem, cunhadas, cunhados, primos etc.*

parêntese (pa.**rên**.te.se) substantivo masculino Cada um dos dois sinais de pontuação colocados no início e no final de uma palavra ou de uma frase para separá-la das outras: *a Emília (que era uma boneca muito esperta) chamou os amigos para ver o peixe*.

par ou ímpar (par ou **ím**.par) substantivo masculino Jogo para dois participantes em que vence quem adivinhar se é par ou ímpar a soma dos dedos colocados pelos dois, ao mesmo tempo.

parque (**par**.que) substantivo masculino
1. Área, geralmente pública, com árvores e jardins usada para recreação e passeio.
2. Região natural protegida pelo Estado para preservação da fauna e flora.

parquinho (par.**qui**.nho) substantivo masculino
Área para lazer das crianças, com brinquedos, tanque de areia etc. ▶ É o mesmo que *playground*.

parte (**par**.te) substantivo feminino **1.** Porção de um todo: *a melhor parte do filme*. **2.** Porção de um todo dividido; fração: *dividiu a pizza em oito partes*. **3.** Lugar, lado: *andou por toda a parte e não encontrou*.

participar (par.ti.ci.**par**) verbo **1.** Tomar parte de: *participa de todas as brincadeiras*. **2.** Comunicar; fazer saber; anunciar: *participou a todos que ia viajar*.

partida (par.**ti**.da) substantivo feminino
1. Ato de partir; saída: *a partida do ônibus está marcada para as 10 horas*. **2.** Jogo: *o melhor lance da partida*.

partir (par.**tir**) verbo **1.** Quebrar; fazer em pedaços. **2.** Ir-se embora; retirar-se.

parto (**par**.to) substantivo masculino Ato de parir, de dar à luz um filho, uma cria; processo de nascimento: *é durante o parto que o nenê ou os filhotes saem da barriga da mãe e nascem*.

passageiro (pas.sa.**gei**.ro) adjetivo **1.** Que passa rapidamente; transitório; efêmero: *chuva passageira*. ★substantivo masculino **2.** Pessoa que viaja em um veículo; viajante.

passagem (pas.**sa**.gem) substantivo feminino
1. Ato de passar. **2.** Lugar por onde se passa. **3.** Bilhete que dá direito a uma viagem.

passar (pas.**sar**) verbo **1.** Ir de um lugar a outro; atravessar: *passou a porteira*. **2.** Deixar para trás: *passou tão rápido que nem me viu*. **3.** Mudar de um lugar para outro: *passou para o lado da mãe*. **4.** Ser aprovado na escola: *passou de ano com boas notas*. **5.** Alisar a roupa com ferro de passar.

passarela (pas.sa.**re**.la) substantivo feminino
1. Pista por onde desfilam manequins e modelos. **2.** Passagem de pedestres em vias e estradas.

pássaro (**pás**.sa.ro) substantivo masculino Ave pequena, que canta e constrói ninhos, e cujos pés têm três dedos virados para a frente e um para trás; passarinho.

passear (pas.se.**ar**) verbo Ir a algum lugar para se divertir, se exercitar.

passeio (pas.**sei**.o) substantivo masculino **1.** Ato de passear, de ir a um lugar por divertimento ou de percorrer certo trecho para exercitar-se; caminhada. **2.** Calçada.

passo (**pas**.so) substantivo masculino **1.** Ato de deslocar o apoio do corpo de um pé para o outro ao caminhar; passada. **2.** Espaço percorrido cada vez que se faz esse movimento. **3.** Cada um dos movimentos de uma dança: *aprender um passo novo, aprender os primeiros passos de valsa*.

pasta (**pas**.ta) substantivo feminino
1. Massa semissólida e moldável, resultante da mistura de matérias líquidas e sólidas.
2. Pomada, creme. 3. Bolsa de couro ou plástico achatada, em que se carregam papéis e documentos.

pastar (pas.**tar**) verbo Comer ervas que cobrem o pasto, terreno descampado, sem árvores ou lavoura: *os dois homens levaram as ovelhas para pastar na montanha*.

pastel (pas.**tel**) substantivo masculino
1. Massa de farinha de trigo, com recheio salgado ou doce, servida frita, assada ou cozida. 2. Tipo de lápis de cor feito com giz e pigmentos de muitas cores. 3. Pintura que se faz com esse lápis. ▸ Plural: *pastéis*.

pastilha (pas.**ti**.lha) substantivo feminino
1. Pasta de açúcar, com diversos formatos, em que são adicionados medicamentos específicos: *pastilhas para a garganta*.
2. Pasta de açúcar, com diversos formatos, enriquecida com essências e sabores de frutas. 3. Peça pequena vitrificada, usada para revestir paredes, pisos etc.

pastor (pas.**tor**) [ô] substantivo masculino
1. Aquele que leva um rebanho para pastar, para comer capim, e cuida das ovelhas, cabras ou bois. 2. Guia espiritual, líder religioso em relação aos fiéis; sacerdote de algumas igrejas.

pata (**pa**.ta) substantivo feminino 1. Fêmea do pato. 2. Pé dos animais.

paterno (pa.**ter**.no) adjetivo Relacionado ao pai: *atitude paterna*.

patim (pa.**tim**) substantivo masculino Calçado que tem na sola rodinhas ou uma lâmina, para deslizar no solo ou no gelo.

patinar (pa.ti.**nar**) verbo 1. Deslizar sobre patins: *aprendeu a patinar aos dez anos*.
2. Deslizar, derrapar, escorregar: *as rodas patinaram e o carro rodou*.

patinete (pa.ti.**ne**.te) [é] substantivo masculino Prancha com rodas e um longo guidão: *ganhou um patinete de brinquedo; a fábrica era grande e usavam um patinete como veículo*.

pátio (**pá**.tio) substantivo masculino Área descoberta no interior de uma casa, prédio ou escola.

pato (**pa**.to) substantivo masculino Ave aquática, doméstica ou selvagem, com pernas curtas e bico chato.

patrão (pa.**trão**) substantivo masculino Pessoa que contrata empregados, em uma empresa ou em uma residência: *era uma boa patroa e a empregada ficou com ela por muitos anos*.
▸ Plural: *patrões*.

pátria (**pá**.tria) substantivo feminino País em que se nasce e a que se pertence como cidadão: *a pátria dos brasileiros é o Brasil*.

pau substantivo masculino Qualquer pedaço de madeira, utilizado para vários fins.

pau-brasil (pau-bra.**sil**) substantivo masculino Árvore de madeira avermelhada, típica do Brasil, de que se extrai um corante para tecidos. ▸ Plural: *paus-brasis*.

pau de sebo (pau de **se**.bo) [ê] substantivo masculino Tradição popular das festas juninas em que se disputa quem consegue subir em um mastro untado com sebo para pegar o prêmio colocado no topo.

pau-ferro (pau-**fer**.ro) substantivo masculino Árvore alta de tronco manchado e flores amarelas, de madeira apreciada na marcenaria. ▸ Plural: *paus-ferro* ou *paus-ferros*.

pavão (pa.**vão**) substantivo masculino Ave doméstica grande, cujo macho possui uma cauda que se abre em forma de leque com penas muito coloridas. ▸Plural: *pavões*.

pavê (pa.**vê**) substantivo masculino Doce gelado feito com camadas de biscoito umedecido e creme.

pavio (pa.**vi**.o) substantivo masculino Fio ou cordão em que se coloca fogo na vela, na lamparina e nos artefatos explosivos.

paz substantivo feminino Estado tranquilo e pacífico, sem conflitos, guerra ou combates; harmonia, sossego.

pé substantivo masculino **1.** Parte do corpo que fica no fim da perna e se apoia no chão, com a qual caminhamos. (Veja apêndice da página 261) **2.** Base, apoio, pedestal: *pé da mesa*. **3.** Planta, vegetal: *pé de alface; pé de laranjeira*.

peão (pe.**ão**) substantivo masculino **1.** Homem que conduz uma tropa ou um rebanho, ou que monta animais. **2.** Cada uma das peças do xadrez que se deslocam apenas para a frente. **3.** Pessoa que faz trabalhos braçais em uma fábrica ou em uma obra; operário. ▸ Plural: *peões*.

pedal (pe.**dal**) substantivo masculino **1.** Peça em que se faz força com o pé, para mover uma bicicleta, pedalinho e veículos semelhantes. **2.** Controle acionado com o pé, usado em carros, tratores, máquinas e certos instrumentos musicais. ▸ Plural: *pedais*.

pedalar (pe.da.**lar**) verbo **1.** Mover ou empurrar os pedais de. **2.** Andar de bicicleta.

pedalinho (pe.da.**li**.nho) substantivo masculino Barco pequeno acionado com pedais, próprio para passeios em represas ou lagoas.

pé de moleque (pé de mo.**le**.que) substantivo masculino Doce em tabletes feito com amendoim e calda de açúcar ou mel, típico das festas juninas: *ganhamos uma caixa de pés de moleque*.

pé de pato (pé de **pa**.to) substantivo masculino Equipamento flexível que os nadadores e mergulhadores usam nos pés para se deslocar mais rapidamente dentro da água.

pedestre (pe.**des**.tre) substantivo Pessoa que anda a pé, que se desloca andando por uma rua, estrada ou via: *os pedestres devem atravessar a rua na faixa de segurança*.

pediatra (pe.di.**a**.tra) substantivo de dois gêneros Médico especializado em cuidar de crianças e doenças infantis.

pedir (pe.**dir**) verbo Solicitar, querer receber, rogar: *pediu uma bola de presente; pediu perdão; pediu a todos que dessem as mãos*.

pedra (pe.dra) substantivo feminino **1.** Mineral duro e sólido, com a mesma natureza das rochas: *o rio tinha muitas pedras*. **2.** Peça de jogo de tabuleiro: *joguei com as pedras brancas*.

pega-pega (pe.ga-**pe**.ga) substantivo masculino Brincadeira infantil em que uma pessoa, o pegador, deve correr para pegar alguém do grupo, que se for pego ficará em seu lugar; pegador. ▶ Plural: *pegas-pegas* ou *pega-pegas*.

pegar (pe.**gar**) verbo **1.** Segurar, agarrar, dominar: *pegou a bola*. **2.** Adquirir uma doença por contágio: *todos na escola já pegaram sarampo*. **3.** Tomar, entrar em: *pegamos o ônibus*. **4.** Lançar raízes, viver, firmar-se: *a plantinha pegou*.

peito (**pei**.to) substantivo masculino **1.** Região do tronco entre o pescoço e o abdome, onde se localizam o coração e os pulmões; tórax. (Veja apêndice da página 261) **2.** Seio da mulher ou mama de animais, em linguagem popular: *os filhotes mamavam no peito da gata*.

peixada (pei.**xa**.da) substantivo feminino Prato feito com peixe cozido com cebola, tomate, ervas, azeite etc.

peixe (**pei**.xe) substantivo masculino Animal vertebrado que vive dentro da água e respira por meio de guelras e brânquias.

peixe-boi (pei.xe-**boi**) [ô] substantivo masculino Mamífero que vive nos rios da Amazônia, se alimenta de ervas e atinge até 4 metros de comprimento. ▶ Plural: *peixes-boi* ou *peixes-bois*.

pelado (pe.**la**.do) adjetivo **1.** Que não tem pelo ou penas cobrindo o corpo: *o urubu tem o pescoço pelado*. **2.** Que está sem roupas, que se despiu; nu.

pele (**pe**.le) [é] substantivo feminino **1.** Tecido que cobre o corpo dos seres humanos e de muitos animais. **2.** Casca de certos frutos e tubérculos: *a pele do pêssego tem uma penugem*.

pelo (**pe**.lo) [ê] substantivo masculino Fio delicado que cresce na pele das pessoas e de alguns animais; cabelo; penugem. Esta palavra era escrita com acento circunflexo, para diferenciá-la de "pelo", de "por" + "o".

pelúcia (pe.**lú**.cia) substantivo feminino Tecido em que um dos lados é cheio de pelos, aveludado ou felpudo.

pena (**pe**.na) [ê] substantivo feminino **1.** Cada uma das estruturas cobertas de fios que cobrem o corpo das aves, de formatos variados; pluma. **2.** Dó, piedade: *tinha pena dos cães abandonados*. **3.** Punição; castigo: *o criminoso deverá cumprir pena de 20 anos de prisão*.

150

penacho (pe.**na**.cho) substantivo masculino
1. Tufo de penas que algumas aves têm no alto da cabeça. 2. Penas com que se enfeita o chapéu ou o penteado.

penca (**pen**.ca) substantivo feminino
1. Conjunto de cachos de frutos ou flores: *penca de bananas*. 2. Grande quantidade; monte: *desfiou uma penca de motivos para não ir*.

pender (pen.**der**) verbo 1. Estar pendurado, suspenso ou inclinado: *a laranja pendia do galho*. 2. Ter tendência; dar preferência: *o rapaz pendia para o automobilismo*.

pêndulo (**pên**.du.lo) substantivo masculino
Corpo pesado e suspenso por um fio, que oscila de um lado para outro, em um movimento de vaivém: *pêndulo do relógio*.

pendurar (pen.du.**rar**) verbo Suspender, prender a uma certa altura do chão.

peneira (pe.**nei**.ra) substantivo feminino
Utensílio geralmente circular com o fundo cheio de furos de tamanho determinado, que se usa para separar substâncias mais grossas das mais finas ou partículas sólidas de um líquido: *passou a farinha na peneira; peneira de areia*.

penico (pe.**ni**.co) substantivo masculino Vaso com asa, próprio para urinar; urinol.

pênis (**pê**.nis) substantivo masculino Órgão sexual masculino. ▶Plural: *pênis*.

pensamento (pen.sa.**men**.to) substantivo masculino 1. Ato ou efeito de pensar; aquilo que se pensa; reflexão, ideia. 2. Maneira de pensar; opinião.

pensar (pen.**sar**) verbo Trabalhar na mente, criar ou imaginar, trazer à lembrança: *pensou em uma nova brincadeira; pensou no amigo; pensou até encontrar o resultado do problema*.

pentágono (pen.**tá**.go.no) substantivo masculino Figura plana formada por cinco lados. (Veja ilustração no apêndice V)

pentagrama (pen.ta.**gra**.ma) substantivo masculino Conjunto de cinco linhas paralelas, usado para escrever música.

pente (**pen**.te) substantivo masculino Objeto com dentes finos ligados a uma barra usado para desembaraçar e pentear o cabelo.

pentear (pen.te.**ar**) verbo Alisar, desembaraçar, arrumar com um pente: *pentear o cabelo; penteou-se para sair*.

penúltimo (pe.**núl**.ti.mo) adjetivo Que vem imediatamente, logo antes do último.

pepino (pe.**pi**.no) substantivo masculino
Fruto alongado, verde-escuro por fora e claro por dentro, apreciado cru em saladas ou em conserva.

pequeno (pe.**que**.no) [ê] adjetivo **1.** Que é de tamanho ou volume reduzidos; que não é grande: *o osso do dedo é pequeno, o da perna é grande*. **2.** Que ainda não cresceu, que está em desenvolvimento: *quando era pequeno se alimentava com leite*. ⭐substantivo masculino **3.** Criança. **4.** Criança menor que outras: *o recreio dos pequenos era separado*.

pera (**pe**.ra) [ê] substantivo feminino Fruta com polpa branca e doce, de casca amarela ou verde, que cresce em uma árvore de regiões frias. (Veja apêndice da página 249)

percevejo (per.ce.**ve**.jo) [ê] substantivo masculino **1.** Inseto verde que suga a seiva das plantas ou o sangue dos animais. ⭐substantivo masculino **2.** Tipo de prego de cabeça chata, para fixar cartazes, fotos ou avisos.

percussão (per.cus.**são**) substantivo feminino Grupo de instrumentos musicais que se toca batendo com a mão ou com varinhas, como tambores, bateria, triângulo etc.

perdão (per.**dão**) substantivo masculino Ato de perdoar, de desculpar alguém; desculpa.
▸ Plural: *perdões*.

perdedor (per.de.**dor**) [ô] substantivo masculino e adjetivo Que ou aquele que perde.

perder (per.**der**) verbo **1.** Ficar sem alguma coisa; deixar de ter algo que se possuía. **2.** Deixar de tomar uma condução: *perdeu o avião*. **3.** Deixar de presenciar ou aproveitar: *perdeu o filme*; *perdeu a festa*. **4.** Errar o caminho: *perdeu-se na cidade*. **5.** Ser vencido em um jogo ou competição; não ganhar: *perdeu a corrida porque o carro quebrou*.

perdido (per.**di**.do) adjetivo **1.** Que se perdeu. **2.** Sumido; desaparecido. ⭐substantivo masculino **3.** Aquilo que foi perdido: *achados e perdidos*.

perdoar (per.do.**ar**) verbo Desculpar alguém, dar o perdão; desculpar as faltas de.

perereca (pe.re.**re**.ca) substantivo feminino Animal anfíbio de cor verde ou marrom, com grandes pernas traseiras e ventosas nos dedos, que lhe permitem escalar árvores, paredes e rochas.

perfeito (per.**fei**.to) adjetivo Que foi feito corretamente até o fim, que está completo e sem erros.

perfil (per.**fil**) substantivo masculino **1.** Vista de lado de uma pessoa ou objeto. **2.** Traços do rosto ou do corpo de uma pessoa vista de lado.

perfume (per.**fu**.me) substantivo masculino **1.** Cheiro agradável; aroma. **2.** Preparado feito com essências aromáticas usado para dar cheiro bom ao corpo ou a objetos.

perfurar (per.fu.**rar**) verbo Fazer furos em; furar.

pergunta (per.**gun**.ta) substantivo feminino Palavra ou frase com que se interroga, se pede uma informação; interrogação, questão.

perguntar (per.gun.**tar**) verbo Fazer perguntas, pedir informação; indagar, questionar: *perguntamos o que era aquilo à professora*.

periferia (pe.ri.fe.**ri**.a) substantivo feminino 1. Linha que contorna um círculo ou outra figura. 2. Região da cidade afastada da zona central: *na periferia existem bairros muito ricos e bairros muito pobres.*

perigo (pe.**ri**.go) substantivo masculino Situação em que pode acontecer alguma coisa ruim, alguma coisa que machuca, que faz sofrer ou prejudica: *subir no poste elétrico é um perigo; com a poluição vem o perigo de doenças respiratórias.*

perigoso (pe.ri.**go**.so) [ô] adjetivo Que oferece perigo, que pode ser prejudicial: *peça ajuda antes de fazer coisas perigosas como mexer no fogão.* ▶ Plural: *perigosos* [ó].

período (pe.**rí**o.do) substantivo masculino 1. Qualquer espaço de tempo: *treinaram por um período de três meses.* 2. Época, momento: *período da seca.*

periquito (pe.ri.**qui**.to) substantivo masculino Ave pequena do grupo do papagaio, com penas verdes ou azuis.

periscópio (pe.ris.**có**.pio) substantivo masculino Aparelho usado em submarinos para ver objetos por cima de um obstáculo.

permanente (per.ma.**nen**.te) adjetivo 1. Que permanece, que existe sempre, que se mantém ali; duradouro, contínuo: *o sol é uma presença permanente no céu, mesmo quando coberto por nuvens.* ★ substantivo feminino 2. Bilhete ou carteira que dá direito ao possuidor de entrar sempre no cinema ou em outro tipo de local, sem pagar o ingresso.

perna (**per**.na) substantivo feminino 1. Parte do corpo humano entre o joelho e o tornozelo. (Veja apêndice da página 261) 2. Cada um dos membros com que os animais andam, entre o corpo e a pata. 3. Parte de um objeto que o sustenta, apoiada sobre o solo ou superfície: *perna da cadeira.* 4. Parte da letra que vai para baixo da linha; haste descendente.

perna de pau (per.na de **pau**) substantivo feminino Cada um dos dois paus altos com apoio para os pés, usados em apresentações de circo.

pernil (per.**nil**) substantivo masculino Coxa de animal, principalmente de porco, carneiro ou cabrito que serve de alimento. ▶ Plural: *pernis.*

pernilongo (per.ni.**lon**.go) substantivo masculino Tipo de mosquito que suga o sangue das pessoas e animais.

peroba (pe.**ro**.ba) [ó] substantivo feminino 1. Árvore de madeira muito dura, usada na fabricação de móveis. 2. A madeira desta árvore.

pérola (**pé**.ro.la) substantivo feminino Bolinha clara, cintilante e dura que se forma dentro de algumas ostras a partir de um grão de areia, usada para fazer joias.

perpendicular (per.pen.di.cu.**lar**) substantivo feminino e adjetivo Reta que forma com outra reta dois ângulos retos, como no T maiúsculo.

perseverar (per.se.ve.**rar**) verbo Manter-se firme em uma posição, ideia ou objetivo; persistir, continuar: *a escalada foi difícil mas perseveraram e atingiram o alto da montanha*.

persistente (per.sis.**ten**.te) adjetivo Que persiste, que continua existindo ou tentando; perseverante, firme, insistente: *uma chuva persistente caiu o dia todo*.

persistir (per.sis.**tir**) verbo **1.** Continuar existindo, fazendo ou tentando; insistir, perseverar. **2.** Durar, perdurar, ter persistência.

personagem (per.so.na.**gem**) substantivo de dois gêneros Cada um dos participantes de uma história: *o lobo e Chapeuzinho Vermelho são personagens de uma história muito conhecida*.

pertencer (per.ten.**cer**) verbo **1.** Ser de alguém: *esta caneta pertence à Maria; a praça pertence a todos os cidadãos*. **2.** Ser parte ou fazer parte de conjunto ou grupo: *esta peça pertence ao motor do carro*.

perto (**per**.to) advérbio **1.** Próximo de; nas proximidades; a pequena distância; que não é longe: *a escola é perto de casa*. **2.** Próximo no tempo: *o dia de Natal está perto*.

peru (pe.**ru**) substantivo masculino Ave doméstica de carne muito apreciada.

perua (pe.**ru**.a) substantivo feminino **1.** Fêmea do peru. **2.** Modelo de automóvel para transporte de cargas ou pessoas: *o time viajou em uma perua toda colorida*.

peruca (pe.**ru**.ca) substantivo feminino Cabeleira postiça.

perverso (per.**ver**.so) adjetivo Mau, maldoso, ruim.

pesadelo (pe.sa.**de**.lo) [ê] substantivo masculino Sonho ruim, que causa agitação ou agonia durante o sono.

pesado (pe.**sa**.do) adjetivo **1.** Que tem muito peso: *objeto pesado; pessoa pesada*. **2.** Que exige muito esforço; difícil de suportar: *trabalho pesado; dívida pesada*.

pesca (**pes**.ca) [é] substantivo feminino **1.** Ato de pescar, de apanhar peixes com redes ou anzol; pescaria. **2.** O que se conseguiu pescar: *hoje a pesca foi boa*.

pescar (pes.**car**) verbo **1.** Apanhar peixe ou outro animal na água. **2.** Retirar qualquer coisa da água.

pescoço (pes.**co**.ço) [ô] substantivo masculino **1.** Parte do corpo do ser humano e de alguns animais vertebrados que liga a cabeça ao tronco. (Veja apêndice da página 261) **2.** Gargalo de uma garrafa.

peso (**pe**.so) [ê] substantivo masculino **1.** Resultado da ação da gravidade sobre os corpos; quantidade de quilos ou gramas de um objeto ou ser: *algumas frutas são vendidas por peso e outras são vendidas por unidade*. **2.** Qualquer objeto pesado: *não aguento carregar esse peso*.

pêssego (pês.se.go) substantivo masculino
Fruta de polpa suculenta e doce, com casca fina coberta de penugem macia, que se come ao natural, em calda, em sucos e outros. (Veja apêndice da página 249)

péssimo (pés.si.mo) adjetivo Muito mau, muito ruim.

pessoa (pes.so.a) [ô] substantivo feminino Ser humano, homem ou mulher; indivíduo.

pessoal (pes.so.al) adjetivo **1.** Que pertence ou é próprio de uma pessoa: *documentos pessoais; preferências pessoais.* ★ substantivo masculino **2.** Grupo de pessoas ligadas por algum motivo: *o pessoal da família; o pessoal do trabalho.* **3.** Os amigos: *vou ao cinema com o pessoal.*

pestana (pes.ta.na) substantivo feminino Cada um dos pelos das pálpebras; cílio.

peste (pes.te) [é] substantivo feminino **1.** Qualquer doença que pode matar e é contagiosa, passa de uma pessoa para outra; epidemia: *as pestes são evitadas com vacinas.* ★ substantivo de dois gêneros **2.** Pessoa muito travessa, levada, que apronta muito: *era um pestinha mas respeitava as professoras.*

peteca (pe.te.ca) [é] substantivo feminino Brinquedo feito por um disco achatado com um maço de penas, que se lança ao ar ou ao outro jogador batendo com a palma das mãos ou com raquete.

peteleco (pe.te.le.co) [é] substantivo masculino Pancadinha dada com a ponta dos dedos médio e indicador.

petisco (pe.tis.co) substantivo masculino Prato que se serve como aperitivo; antepasto, tira-gosto.

petróleo (pe.tró.leo) substantivo masculino Óleo mineral negro extraído do subsolo, usado para produção de gasolina, óleo diesel, plásticos e outros produtos.

pia (pi.a) substantivo feminino Bacia fixa na parede, onde se lavam utensílios, ou a mão e o rosto: *pia de cozinha; pia de banheiro.*

piada (pi.a.da) substantivo feminino Pequena história engraçada; anedota: *contaram piadas de papagaio.*

piado (pi.a.do) substantivo masculino Voz ou som dos passarinhos; pio.

piano (pi.a.no) substantivo masculino Instrumento musical de cordas e teclado com 88 teclas.

pião (pi.ão) substantivo masculino Brinquedo em forma de pera, com uma ponta de ferro, que se faz girar puxando um barbante nele enrolado; pinhão, carrapeta. ▶ Plural: *piões.*

picadeiro (pi.ca.dei.ro) substantivo masculino **1.** Nos circos, local onde são feitas as apresentações artísticas. **2.** Local onde os cavalos são amestrados.

pica-pau (pi.ca-**pau**) substantivo masculino Ave com penacho, de bico reto e forte, que fura o tronco das árvores para se alimentar de larvas e insetos.

picar (pi.**car**) verbo **1.** Ferir com objeto pontiagudo; furar. **2.** Morder, furar com presa ou ferrão: *a cobra picou o cavalo; a pulga picou o nenê*. **3.** Cortar, reduzir a pedaços pequenos: *picou a carta em pedacinhos*.

picareta (pi.ca.**re**.ta) [ê] substantivo feminino Instrumento para escavar a terra e retirar ou picar pedras.

pichação (pi.cha.**ção**) substantivo feminino Inscrição ou dizeres em muros e prédios, feitos sem autorização.

pijama (pi.**ja**.ma) substantivo masculino Roupa confortável para dormir, formada por calças e camisa ou camiseta. (Veja apêndice da página 260)

pilha (**pi**.lha) substantivo feminino **1.** Conjunto de coisas amontoadas umas sobre as outras. **2.** Aparelho que transforma energia química em energia elétrica, usado em rádios, lanternas etc.

pilotar (pi.lo.**tar**) verbo **1.** Dirigir ou conduzir um veículo de corrida, avião, embarcação ou carro de corrida. **2.** Exercer as funções de piloto.

piloto (pi.**lo**.to) [ô] substantivo masculino **1.** Aquele que dirige um avião, um carro de corrida ou uma embarcação. **2.** Bico principal de um acendedor a gás, que propaga a chama para os demais bicos.

pimenta (pi.**men**.ta) substantivo feminino Fruto ou semente de sabor picante, ardido, usado como condimento ou tempero.

pimentão (pi.men.**tão**) substantivo masculino Legume verde, vermelho ou amarelo, de sabor doce ou levemente picante, que se come cru, cozido, assado ou frito.

pinacoteca (pi.na.co.**te**.ca) substantivo feminino Local onde se guardam e exibem quadros; museu, galeria ou coleção de quadros.

pinça (**pin**.ça) substantivo feminino **1.** Instrumento para segurar firmemente um objeto pequeno, formado de duas hastes que apertam, seguram e arrancam sob pressão; tenaz. **2.** Ponta com essa forma, presente na pata ou na cauda de alguns animais, como o siri e o escorpião.

pincel (pin.**cel**) substantivo masculino Tufo de pelos preso a um cabo, usado para pintar.
▶Plural: *pincéis*.

pingo (**pin**.go) substantivo masculino **1.** Pequena porção de qualquer líquido; gota. **2.** Porção muito pequena de alguma coisa: *não fez nem um pingo da lição*. **3.** Sinal em forma de ponto, colocado sobre as letras **i** e **j**.

pinguela (pin.**gue**.la) [é] substantivo feminino Tronco de árvore ou prancha de madeira que se coloca sobre um córrego ou rio, de uma margem à outra, para fazer a passagem quando não há ponte.

pingue-pongue (pin.gue-**pon**.gue) substantivo masculino Jogo que se pratica sobre uma mesa, dividida em dois campos por uma rede, com dois participantes, duas raquetes e uma bolinha; tênis de mesa. ▶ Plural: *pingue-pongues*.

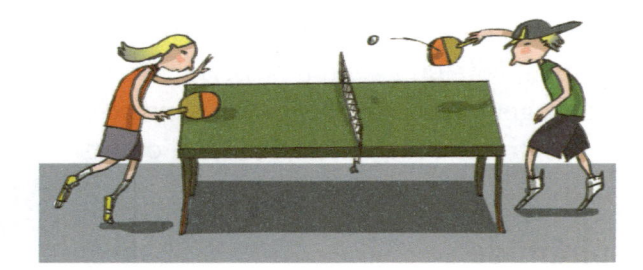

pinguim (pin.**guim**) [gUi] substantivo masculino Ave marinha que não voa, tem asas curtas, usadas para nadar, pés com nadadeiras, e vive nas regiões frias do hemisfério Sul. Esta palavra era escrita com um acento sobre a letra **u**, para indicar que é pronunciada.

pinha (**pi**.nha) substantivo feminino 1. Conjunto de sementes do pinheiro, que cresce em um cone. 2. Fruta doce, de polpa branca e muitas sementes, com casca rugosa; fruta-do-conde, araticum, ata.

pinhão (pi.**nhão**) substantivo masculino 1. Semente do pinheiro-do-paraná, que se come cozida. 2. Semente de qualquer pinheiro. ▶ Plural: *pinhões*.

pinheiro (pi.**nhei**.ro) substantivo masculino Árvore alta de que há vários tipos, usados para ornamentação, produção de madeira, fabricação de papel, construção e reflorestamento.

pinheiro-do-paraná (pi.nhei.ro-do-pa.ra.**ná**) substantivo masculino Araucária. ▶ Plural: *pinheiros-do-paraná*.

pinho (**pi**.nho) substantivo masculino A madeira do pinheiro, usada para fazer caixotes, móveis e outros: *a mesa da cozinha é de pinho*.

pino (**pi**.no) substantivo masculino Haste, cilindro fino que se introduz em outras peças para fixá-las.

pinote (pi.**no**.te) [ó] substantivo masculino 1. Movimento de um cavalo ou outro animal, que pula e dá coices ao mesmo tempo: *o cavalo do rodeio dava pinotes bem altos*. 2. Salto, pulo.

pintado (pin.**ta**.do) adjetivo 1. Que se pintou; colorido. 2. Representado pela pintura. ★ substantivo masculino 3. Grande peixe de água doce, sem escamas, apreciado na culinária.

pintar (pin.**tar**) verbo 1. Cobrir de tinta: *pintar um muro*. 2. Colorir, tingir: *pintar os cabelos*. 3. Reproduzir por linhas e cores: *pintar um quadro*.

pinto (**pin**.to) substantivo masculino 1. Filhote da galinha quando começa a cobrir-se de penas; franguinho. 2. Pênis, em linguagem popular.

pintor (pin.**tor**) substantivo masculino 1. Artista que cria quadros, que se dedica à pintura de quadros e murais. 2. Aquele que pinta muros, paredes etc.

pintura (pin.**tu**.ra) substantivo feminino **1.** Arte de criar imagens e representar ideias, seres ou figuras aplicando tintas em tela, papel ou em outra superfície; quadro. **2.** Aplicação de tinta em muros, paredes e outras superfícies ou objetos. **3.** Aplicação de batom ou cosméticos no rosto ou no corpo: *alguns povos indígenas capricham na pintura corporal*.

pio substantivo masculino **1.** Voz de certas aves; ato de piar: *ouvimos um pio; soltou um pio*. **2.** Apito usado pelos caçadores para atrair pássaros.

piolho (pi.**o**.lho) [ô] substantivo masculino Inseto de corpo achatado e sem asas, que suga o sangue e põe seus ovos na cabeça do ser humano ou nas penas e pelos de animais.

pipa (**pi**.pa) substantivo feminino **1.** Quadrado de varetas revestido de papel, preso a um cordão, que se empina ao vento; quadrado, papagaio de papel. **2.** Recipiente com tampa, redondo e alto, feito de madeira para guardar vinho, azeite ou outro líquido.

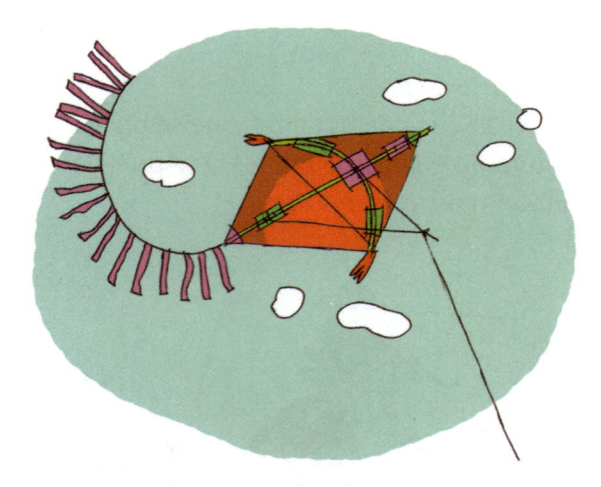

pipoca (pi.**po**.ca) substantivo feminino Milho branco, estourado ao fogo, em geral com óleo ou manteiga.

pipoqueiro (pi.po.**quei**.ro) substantivo masculino Aquele que faz e vende pipoca.

pique (**pi**.que) substantivo feminino **1.** Corte pequeno; picote. **2.** Brincadeira em que uma criança tem de pegar as outras antes que alcancem um ponto. **3.** Esse ponto. **4.** Disposição, energia, entusiasmo, em linguagem de gíria: *as crianças estavam no maior pique*.

piquenique (pi.que.**ni**.que) substantivo masculino Refeição ao ar livre, em jardim ou parque, feita durante um passeio, excursão ou viagem, na qual são servidos sanduíches, bolos, frutas, refrigerantes, tortas e outros petiscos.

pirâmide (pi.**râ**.mi.de) substantivo feminino **1.** Objeto de base quadrada ou retangular e quatro faces triangulares, que se unem no ponto mais alto. (Veja apêndice da página 256) **2.** Monumento egípcio em que os faraós eram sepultados.

piranha (pi.**ra**.nha) substantivo feminino **1.** Peixe pequeno carnívoro, voraz e de dentes afiados, que vive em cardumes principalmente nos rios da Amazônia. **2.** Prendedor de cabelos com dentes, que se fecha por pressão.

pirata (pi.**ra**.ta) substantivo de dois gêneros **1.** Ladrão dos mares, que roubava ou saqueava outros navios: *os piratas eram muito temidos*. ⭐ adjetivo **2.** Diz-se da cópia de um filme, música ou programa de computador feita sem autorização legal. **3.** Diz-se da emissora de rádio ou televisão que transmite sem autorização.

pires (**pi**.res) substantivo masculino Pratinho sobre o qual se coloca a xícara. ▶ Plural: *pires*.

pirotecnia (pi.ro.tec.**ni**.a) substantivo feminino Arte de usar com segurança, para exibição ou festejo, bombas, rojões e fogos de artifício.

pirotécnico (pi.ro.**téc**.ni.co) adjetivo **1.** Que diz respeito à pirotecnia, que é a arte de preparar fogos de artifício. ★ substantivo masculino **2.** Aquele que fabrica ou solta fogos de artifício.

pirralho (pir.**ra**.lho) substantivo masculino Criança, moleque, menino.

pirueta (pi.ru.**e**.ta) [ê] substantivo feminino **1.** Rodopio sobre um só pé. **2.** Volta que o cavalo dá sobre uma pata.

pirulito (pi.ru.**li**.to) substantivo masculino Bala ou caramelo preso a um palito.

pisar (pi.**sar**) verbo Pôr o pé sobre, andar sobre: *pisar na grama*.

pisca-pisca (pis.ca-**pis**.ca) substantivo masculino Luz de um veículo que, quando acionada, acende e apaga, para indicar a direção que ele vai tomar. ▶ Plural: *pisca-piscas*.

piscar (pis.**car**) verbo **1.** Abrir e fechar os olhos rapidamente. **2.** Mandar um sinal para outra pessoa, abrindo e fechando rapidamente um ou os dois olhos; dar uma piscada. **3.** Acender e apagar: *o enfeite de Natal tinha luzes que piscavam*.

piscina (pis.**ci**.na) substantivo feminino **1.** Grande tanque com água tratada, onde entram várias pessoas para lazer e natação. **2.** Tanque para criação de peixes.

piso (**pi**.so) substantivo masculino **1.** Solo, chão, terreno em que se pisa ou anda: *o piso era coberto de tapete*. **2.** Revestimento colocado sobre o chão: *piso de cerâmica*, *piso de pedra*.

pista (**pis**.ta) substantivo feminino **1.** Sinal que uma pessoa ou um animal deixa por onde passa; rastro, vestígio. **2.** Indício, dica, orientação: *deram uma pista de onde estaria o tesouro*. **3.** Local, espaço para prática de esportes ou trânsito: *pista de corrida*; *pista de atletismo*; *uma rodovia com quatro pistas*.

pistão (pis.**tão**) substantivo masculino **1.** Instrumento de sopro semelhante ao trompete. **2.** Peça do motor de carros, motocicletas, aeronaves e embarcações. ▶ Plural: *pistões*.

pitanga (pi.**tan**.ga) substantivo feminino Frutinha vermelha, doce e levemente ácida, de aroma característico, muito apreciada ao natural e em geleias, sucos e sorvetes. (Veja apêndice da página 249)

pitu (pi.**tu**) substantivo masculino Camarão grande de água doce.

pixaim (pi.xa.**im**) substantivo masculino e adjetivo Cabelo afro, encarapinhado, bem crespo.

pizza [pítça] substantivo feminino Massa fina assada com cobertura de queijo mussarela e tomates ou de outros ingredientes, servida quente, de origem italiana e muito apreciada em São Paulo.

placa (**pla**.ca) substantivo feminino **1.** Folha, chapa, lâmina. **2.** Chapa de metal que identifica um veículo. **3.** Sinal de sinalização de trânsito ou da estrada.

placar (pla.**car**) substantivo masculino **1.** Quadro que mostra o resultado de um jogo. **2.** O resultado de um jogo: *o placar foi de 0 x 0*.

planador (pla.na.**dor**) [ô] substantivo masculino Tipo de avião sem motor, que é rebocado por outro até bem alto no céu e depois desce flutuando ou planando.

planeta (pla.**ne**.ta) [ê] substantivo masculino Astro que gira em torno de uma estrela e dela recebe luz e calor: *a Terra é um dos planetas que giram em torno do Sol*. (Veja apêndice da página 258)

planície (pla.**ní**.cie) substantivo feminino Grande extensão de terreno plano; campina.

plano (**pla**.no) adjetivo **1.** Que não tem altos e baixos, subidas ou descidas: *um terreno plano*. ⭐ substantivo masculino **2.** Sequência de ações que se pretende fazer para atingir um objetivo; projeto: *ter planos de viajar*.

planta (**plan**.ta) substantivo masculino **1.** Qualquer tipo de vegetal. **2.** Desenho que representa uma construção.

plantação (plan.ta.**ção**) substantivo feminino Local onde foram plantados muitos pés de um mesmo vegetal: *uma plantação de cacau; uma plantação de soja*.

plástico (**plás**.ti.co) substantivo masculino **1.** Material que pode ser moldado, mais ou menos flexível, utilizado na fabricação dos mais variados objetos. ⭐ adjetivo **2.** Que é feito desse material: *uma peça plástica*. **3.** Relacionado às formas visuais, à estética: *artes plásticas, cirurgia plástica*.

plataforma (pla.ta.**for**.ma) substantivo feminino **1.** Construção plana mais ou menos elevada. **2.** Local em que os passageiros embarcam e desembarcam nas estações de trem, ônibus ou metrô. **3.** Construção para o lançamento de foguetes.

plugue (**plu**.gue) substantivo masculino Peça com um ou mais pinos, que se introduz em uma tomada para ligar ou conectar um aparelho.

pluma (**plu**.ma) substantivo feminino Pena muito macia.

plural (plu.**ral**) substantivo masculino Forma em que uma palavra significa mais de uma unidade: *"doces" é o plural de "doce", "leram" é o plural de "leu", "mães" é o plural de "mãe", "pães" é o plural de "pão" e "opiniões" é o plural de "opinião"*.

pneu substantivo masculino Objeto circular de borracha cheio de ar colocado nas rodas dos carros, bicicletas e outros veículos.

pó substantivo masculino **1.** Partícula leve de terra ou de outra substância, que paira no ar ou que se deposita no chão, nos objetos; poeira: *havia pó nos móveis*. **2.** Substância sólida e seca reduzida a partículas finíssimas: *chocolate em pó; pó de café*.

pobre (po.bre) adjetivo **1.** Que tem pouco; que não tem sobras ou excessos, que não é rico. **2.** Que tem pouco dinheiro: *era uma família pobre mas todos se ajudavam muito e cresceram felizes*. **3.** Que sofre, que dá pena: *o pobre homem tinha dificuldade para usar um computador*. ⭐ substantivo de dois gêneros **4.** Pessoa que tem pouco: *gostava de ajudar os pobres com doações de livros*.

poça (po.ça) [ô] substantivo feminino Buraco raso no solo onde se acumula água. ▶ Plural: *poças* [ó].

poço (po.ço) [ô] substantivo masculino Buraco, escavação na terra feita para retirar água, petróleo ou minérios: *no sítio era preciso retirar água do poço*. ▶ Plural: *poços* [ó].

poder (po.der) substantivo masculino **1.** Direito de agir, possibilidade, facilidade: *tinha o poder de conquistar a todos*. **2.** A autoridade, o governo. ⭐ verbo **3.** Ser capaz de fazer ou agir, de realizar: *podia tirar 10 em todas as matérias*. **4.** Ter capacidade de; aguentar: *não posso com esse peso todo*. **5.** Ter autorização ou permissão: *só posso ver televisão à noite até um certo horário*.

poema (po.e.ma) [ê] substantivo masculino Obra literária em versos, composição poética.

poesia (po.e.si.a) substantivo feminino **1.** Arte de compor e escrever versos. **2.** Composição poética, poema.

poeta (po.e.ta) substantivo masculino Aquele que escreve poesia.

polegar (po.le.gar) substantivo masculino e adjetivo **1.** Dedo mais curto e grosso da mão. **2.** O dedo mais grosso do pé; dedão.

poleiro (po.lei.ro) substantivo masculino Vara em que as aves pousam e dormem, no galinheiro ou no viveiro.

polia (po.li.a) substantivo feminino Roda que transmite movimento, com um sulco na borda por onde passa uma correia: *o varal era suspenso com pequenas polias*.

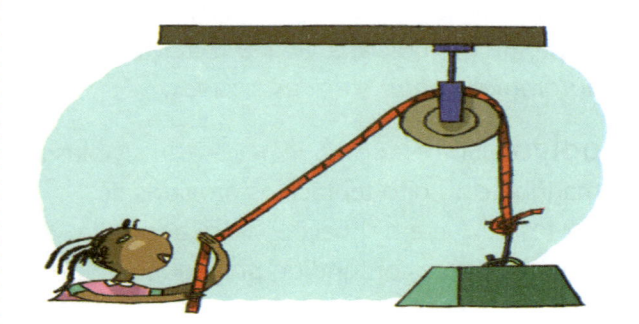

polícia (po.lí.cia) substantivo feminino **1.** Corporação ou associação de pessoas incumbidas de manter a ordem e a segurança pública, de fazer cumprir as leis. ⭐ substantivo de dois gêneros **2.** Agente ou membro dessa corporação; policial.

poliedro (po.li.e.dro) [é] substantivo masculino Sólido limitado por superfícies planas. (Veja apêndice da página 256)

polígono (po.lí.go.no) substantivo masculino Figura plana fechada e formada por vários ângulos e lados. (Veja apêndice da página 256)

polo (po.lo) [ó] substantivo masculino **1.** Cada uma das duas pontas de um eixo, ou de dois pontos extremos, opostos. **2.** Cada uma das regiões em torno do eixo imaginário da Terra, muito frias: *polo Norte e polo Sul*. **3.** Esporte em que duas equipes a cavalo jogam uma bola com tacos. Esta palavra era escrita com acento.

polpa (pol.pa) [ô] substantivo feminino Parte carnuda dos frutos, em geral cheia de suco.

poltrona (pol.tro.na) [ô] substantivo feminino **1.** Cadeira grande e confortável, estofada e provida de braços. **2.** Cadeira de avião, ônibus ou em casa de espetáculos.

poluição ••• pôr

poluição (po.lu.i.**ção**) substantivo feminino
Sujeira, acúmulo de produtos prejudiciais à saúde e ao meio ambiente: *poluição da água; poluição do ar*.

poluir (po.lu.**ir**) verbo Contaminar ou sujar, tornando prejudicial à vida: *a fumaça dos automóveis polui o ar das cidades*.

polvo (**pol**.vo) [ô] substantivo masculino Molusco marinho com oito tentáculos providos de ventosas, que em situações de perigo solta uma tinta para confundir o predador.

pomar (po.**mar**) substantivo masculino Terreno onde estão plantadas várias árvores frutíferas.

pombo (**pom**.bo) substantivo masculino Ave muito comum nas cidades, de asas arredondadas, nas cores branca, cinza ou marrom.

pônei (**pô**.nei) substantivo masculino Cavalo de tamanho pequeno, ágil e de pelos longos.

ponta (**pon**.ta) substantivo feminino
1. Fim, limite, extremidade. **2.** Extremidade aguçada de um objeto: *ponta da caneta*. **3.** Extremidade aguda e perfurante: *uma tesoura sem ponta*.

ponta-cabeça (pon.ta-ca.**be**.ça) substantivo feminino **De ponta-cabeça**: de cabeça para baixo, invertido.

pontapé (pon.ta.**pé**) substantivo masculino Pancada com a ponta do pé; chute.

ponte (**pon**.te) substantivo feminino
1. Construção para unir os dois lados de um rio ou de um vale. **2.** Conjunto de dentes postiços que se prendem aos naturais por meio de uma placa.

ponteiro (pon.**tei**.ro) substantivo masculino Haste pequena usada nos relógios, balanças, painéis dos carros ou aeronaves etc., com a finalidade de marcar as horas, o peso ou a velocidade, temperatura, altitude etc.

ponto (**pon**.to) substantivo masculino
1. Pequeno sinal redondo: *os pontos pretos no mapa indicam cidades*. **2.** Local, lugar: *naquele ponto da avenida*. **3.** Local onde os ônibus e táxis param para pegar ou deixar os passageiros. **4.** Cada uma das unidades ganhas ou perdidas em um jogo. **5.** Sinal de pontuação que indica o fim de um período ou oração. **6.** Furo feito com a agulha em um tecido para passar a linha.

pontuação (pon.tu.a.**ção**) substantivo feminino Conjunto de sinais que se escreve em um texto para indicar pausas, melodia e entonação: *os principais sinais de pontuação são ponto, vírgula, ponto e vírgula, ponto de interrogação etc.*

popa (po.pa) [ô] substantivo feminino A parte de trás de uma embarcação.

pôr verbo **1.** Colocar em algum lugar; depositar: *pôr o caderno na mala*. **2.** Apoiar; firmar: *por o pé no degrau*. **3.** Usar como vestimenta: *pôr um vestido*. **4.** Atribuir, aplicar: *pôs a culpa no irmão*. **5.** Dar nome: *não sabe ainda que nome vai pôr no cachorrinho*.

porco (**por**.co) [ô] substantivo masculino
1. Mamífero doméstico de pernas curtas e pouco pelo, com focinho grande, criado para aproveitamento de carne, banha, couro etc.; suíno: *o filhote da porca é o leitão.* ★ adjetivo **2.** Que come muito ou que não tem higiene: *não gostava de gente porca.* ▶ Plural: *porcos* [ó].

porco-espinho (por.co-es.**pi**.nho) substantivo masculino Mamífero roedor selvagem, pequeno, com o corpo coberto de espinhos. ▶ Plural: *porcos-espinho* ou *porcos-espinhos* [ó].

porta (**por**.ta) substantivo feminino **1.** Abertura feita em muro ou parede para entrada e saída das pessoas. **2.** Peça plana, em geral de madeira, com que se fecha essa abertura.

porta-bandeira (por.ta-ban.**dei**.ra) substantivo de dois gêneros Pessoa que conduz a bandeira em um desfile militar, escolar ou de escola de samba. ▶ Plural: *porta-bandeiras*.

portão (por.**tão**) substantivo masculino
1. Porta de ferro ou madeira, aberta em muro ou grade, que dá acesso ao jardim, à garagem ou ao quintal de uma casa. **2.** Entrada de edifícios como estádios, escolas, clubes etc. ▶ Plural: *portões*.

porto (**por**.to) [ô] substantivo masculino Abrigo de embarcações com instalações para embarque e desembarque de passageiros e cargas. ▶ Plural: *portos* [ó].

português (por.tu.**guês**) adjetivo **1.** De Portugal, país da Europa. ★ substantivo masculino **2.** Pessoa que nasceu nesse lugar ou que mora lá. **3.** Língua falada no Brasil, em Portugal e alguns países da África e da Ásia: *o português brasileiro é um pouco diferente do português de Portugal*.

posição (po.si.**ção**) substantivo feminino
1. Lugar em que uma pessoa ou coisa está, onde se situa. **2.** Colocação, lugar em uma classificação. **3.** Postura do corpo; pose: *posição da cabeça.* ▶ Plural: *posições*.

positivo (po.si.**ti**.vo) adjetivo **1.** Que afirma, que diz sim: *uma resposta positiva.* **2.** Que tem valor, que se aprecia, que contribui para o bem; bom, valorizado: *a campanha teve resultados positivos; o filme tinha uma mensagem positiva*.

poste (**pos**.te) [ó] substantivo masculino Coluna de madeira ou cimento cravada no chão, para sustentar os arames de uma cerca ou os fios de iluminação, telefone etc.

posterior (pos.te.ri.**or**) [ô] adjetivo **1.** Que vem depois, que acontece depois. **2.** Que está na parte de trás; traseiro: *as patas de trás são os membros posteriores e as da frente, os anteriores*.

posto (pos.to) [ô] substantivo masculino
1. Lugar ocupado por uma pessoa ou coisa; cargo, função: *tem um alto posto na empresa*. **2.** Estabelecimento dedicado a uma atividade: *posto de observação de estrelas; posto de saúde; posto policial*. ▶ Plural: *postos* [ó].

pote (po.te) [ó] substantivo masculino
1. Vaso de barro, louça ou vidro etc. de boca larga, geralmente com tampa, para guardar líquidos, grãos etc. **2.** Pequeno recipiente de vidro, plástico, metal para guardar cremes, geleias, mel etc.

potro (po.tro) [ô] substantivo masculino
Cavalo novo.

pouco (pou.co) pronome **1.** Pequena quantidade: *poucas pessoas chegaram até o alto da montanha*. ⭐ substantivo masculino **2.** Aquilo que existe em pouca quantidade: *tomou um pouco de café*. ⭐ advérbio **3.** Em pequena quantidade ou de modo insuficiente: *estudou pouco naquele dia e muito no outro*.

pouso (pou.so) substantivo masculino **1.** Ato de pousar ou de aterrissar: *o avião fez um pouso tranquilo*. **2.** Lugar onde se pousa ou aterrissa. **3.** Local onde se descansa; pousada.

povo (po.vo) [ô] substantivo masculino
1. Conjunto dos habitantes de um país ou local; população. **2.** Parte mais numerosa e mais pobre de uma população, por oposição aos ricos ou aos governantes; plebe: *o povo de Roma cultuava o Imperador*. **3.** Grande quantidade de pessoas: *o povo foi às ruas*. ▶ Plural: *povos* [ó].

praça (pra.ça) substantivo feminino **1.** Local público com árvores, bancos, jardins, rodeado de casas, estabelecimentos comerciais, prédios etc. **2.** Mercado; feira.

praia (prai.a) substantivo feminino Faixa de terra que se encontra com o mar ou com um rio, em geral coberta de areia; beira-mar.

prancha (pran.cha) substantivo feminino
1. Tábua larga e resistente usada para o desembarque de passageiros de uma embarcação. **2.** Tábua comprida e estreita para a prática do surfe e de outros esportes. **3.** Placa de papel resistente, sobre a qual se faz uma ilustração; quadro.

prancheta (pran.che.ta) [ê] substantivo feminino **1.** Mesa apropriada para desenhar. **2.** Prancha pequena.

pranto (pran.to) substantivo masculino Choro, lamentação.

prata (pra.ta) substantivo feminino Metal branco e brilhante, precioso, usado na fabricação de joias, talheres e outros objetos.

prateado (pra.te.a.do) adjetivo **1.** Revestido de prata. **2.** Branco e brilhante como a prata.

prateleira (pra.te.lei.ra) substantivo feminino
1. Tábua que se fixa à parede para colocar pratos, panelas, livros, papéis, objetos etc. **2.** Cada uma das tábuas horizontais de uma estante ou armário.

prato (pra.to) substantivo masculino
1. Recipiente raso, geralmente circular, em que se coloca comida para comer: *colocou duas colheres de arroz no prato*. **2.** O conteúdo desse recipiente: *comeu dois pratos de macarrão*. **3.** Cada preparação ou receita que faz parte de uma refeição: *o prato principal era peixe assado*.

prece (**pre**.ce) substantivo feminino Pedido a um santo ou a uma divindade, oração com pedido ou agradecimento; reza.

preço (**pre**.ço) [ô] substantivo masculino
1. Valor de uma mercadoria ou de um trabalho: *preço do café*; *preço da consulta médica*. **2.** Custo: *o preço de uma vitória na guerra são muitas vidas*.

predador (pre.da.**dor**) [ô] substantivo masculino e adjetivo Animal que preda, isto é, que caça outro animal e o mata para se alimentar: *a onça é o maior predador das florestas brasileiras*.

prédio (**pré**.dio) substantivo masculino Construção para habitação ou para atividades comerciais e industriais; edifício: *prédio de apartamentos*; *prédio da escola*; *prédio do hospital*.

preencher (pre.en.**cher**) verbo **1.** Encher completamente; completar: *preencher um espaço*. **2.** Cumprir plenamente: *preencher as exigências*. **3.** Ocupar: *preenche o tempo com leituras*.

pré-escola (**pré**-es.**co**.la) substantivo feminino **1.** Curso de educação infantil para crianças com menos de 6 ou 7 anos de idade, antes do ensino fundamental. **2.** Escola que oferece esse curso. ▶ Plural: *pré-escolas*.

prefeito (pre.**fei**.to) substantivo masculino Chefe político de uma cidade, aquele que a governa.

preferido (pre.fe.**ri**.do) adjetivo Que se preferiu; escolhido, predileto, eleito.

preferir (pre.fe.**rir**) verbo Gostar mais de uma coisa ou pessoa dentre outras; escolher.

prego (**pre**.go) [é] substantivo masculino Pino com uma ponta afiada e uma cabeça no lado oposto, usado para fixar peças uma na outra ou para pendurar algum objeto.

preguiça (pre.**gui**.ça) substantivo feminino
1. Falta de vontade de fazer qualquer esforço ou trabalho; indolência, moleza. **2.** Mamífero desdentado, de pelos espessos, patas com garras longas e curvas, e movimentos bem lentos, que vive dependurado nas árvores e é nativo da América do Sul e Central; bicho-preguiça.

prêmio (**prê**.mio) substantivo masculino
1. Recompensa ou presente oferecido pela realização de um trabalho ou ao vencedor de uma competição. **2.** Dinheiro dado aos ganhadores da loteria.

prenome (pre.**no**.me) substantivo masculino Nome de batismo de uma pessoa; seu primeiro nome.

presente (pre.**sen**.te) substantivo masculino
1. O tempo atual, o agora. **2.** Objeto que se oferece a alguém para agradar ou para comemorar uma data especial; mimo.
⭐ adjetivo **3.** Que acontece nesta época, nos dias de hoje. **4.** Que está ali, que participa de um acontecimento: *todos os alunos presentes na competição ganharam uma medalha*.

presilha (pre.**si**.lha) substantivo feminino
1. Tira de pano ou couro com que se prende algo. **2.** Fivela para prender os cabelos.

presidente (pre.si.**den**.te) substantivo masculino Pessoa que dirige, que governa uma nação, uma empresa, um clube etc.

preso (**pre**.so) [ê] adjetivo **1.** Encarcerado, encerrado em um lugar fechado; aprisionado. **2.** Amarrado, atado: *o cachorro está preso; usava o cabelo preso.* ⭐ substantivo masculino **3.** Aquele que cumpre pena de prisão; presidiário.

pressa (**pres**.sa) substantivo feminino **1.** Rapidez, ligeireza. **2.** Aflição, aperto, urgência.

prestidigitação (pres.ti.di.gi.ta.**ção**) substantivo feminino Habilidade e técnica do prestidigitador; ilusionismo.

prestidigitador (pres.ti.di.gi.ta.**dor**) [ô] substantivo masculino Aquele que, graças à sua habilidade e destreza manual, movimenta os objetos de um lugar para outro, dando a impressão de que eles desapareceram; ilusionista.

presunto (pre.**sun**.to) substantivo masculino Pernil de porco salgado e defumado.

preto (**pre**.to) [ê] adjetivo **1.** Que é da cor do carvão; negro: *o tabuleiro tinha peças pretas e peças brancas.* (Veja apêndice da página 256) ⭐ substantivo masculino **2.** Essa cor; negro: *o preto combina com todas as cores.* ⭐ substantivo masculino e adjetivo **3.** Pessoa negra: *pretos, brancos, orientais e índios formam o povo brasileiro.* O mesmo que negro.

primavera (pri.ma.**ve**.ra) substantivo feminino **1.** Estação do ano que vai de 22 de setembro a 21 de dezembro no hemisfério Sul. **2.** Planta trepadeira com flores coloridas.

primo (**pri**.mo) substantivo masculino **1.** Filho de tio ou tia. (Veja apêndice da página 262) **2.** Primeiro.

princesa (prin.**ce**.sa) [ê] substantivo feminino Mulher de príncipe ou filha de rei ou imperador.

principal (prin.ci.**pal**) adjetivo **1.** Que é o primeiro ou o mais importante: *é a principal empresa da cidade.* **2.** Fundamental, essencial. **3.** Que se destaca: *principal rio da região; principal cidade do Estado.* ▶ Plural: *principais.*

príncipe (**prín**.ci.pe) substantivo masculino Filho de rei ou rainha.

principiante (prin.ci.pi.**an**.te) adjetivo Que está principiando em alguma atividade, que está começando; aprendiz, calouro: *era um piloto principiante.*

principiar (prin.ci.pi.**ar**) verbo Dar princípio a; iniciar, começar.

prisão (pri.**são**) substantivo feminino **1.** Ato de prender; captura: *o delegado fez a prisão do bandido.* **2.** Lugar fechado onde ficam os prisioneiros; cadeia, cárcere, presídio. ▶ Plural: *prisões.*

prisioneiro (pri.si.o.**nei**.ro) substantivo masculino Aquele que está privado da liberdade; preso, detento.

prisma (**pris**.ma) substantivo masculino 1. Sólido formado por paralelogramos e dois polígonos. 2. Cristal com duas faces planas inclinadas que decompõe a luz, isto é, que separa um raio luminoso solar nas várias cores que o compõem.

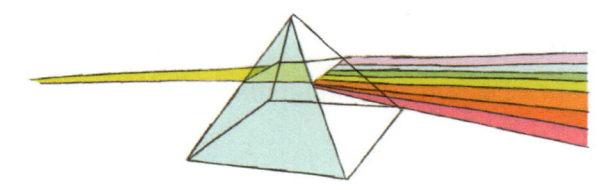

privada (pri.**va**.da) substantivo feminino Vaso sanitário.

proa [ô] substantivo feminino Parte da frente de uma embarcação.

problema (pro.**ble**.ma) [ê] substantivo masculino 1. Questão apresentada para ser solucionada: *resolvi todos os problemas da prova*. 2. Situação difícil de se resolver: *está cheio de problemas no trabalho*.

procurar (pro.cu.**rar**) verbo 1. Esforçar-se por achar ou conseguir algo: *procurou a carteira por toda a casa*. 2. Tentar conseguir; ir atrás de alguma coisa: *procurou ajuda*. 3. Empenhar-se por: *procura ser gentil*.

produto (pro.**du**.to) substantivo masculino Resultado do que é produzido pela natureza ou pelo trabalho do homem: *produto industrial; produto natural; produto artesanal*.

produzir (pro.du.**zir**) verbo 1. Dar origem a alguma coisa, criar: *a vaca produz leite, a abelha produz mel, o escritor produz textos*. 2. Fabricar, fazer existir por meio do trabalho: *a empresa produz brinquedos*.

professor (pro.fes.**sor**) [ô] substantivo masculino Pessoa que dá aulas em escolas ou não, sobre determinado assunto.

programa (pro.**gra**.ma) substantivo masculino 1. Série de ações ou eventos planejados; plano. 2. Apresentação de um espetáculo no rádio ou na televisão: *programa infantil; programa de esportes*. 3. Diversão planejada: *um bom programa é ir ao zoológico*. 4. Conjunto de informações e instruções que um computador usa para fazer alguma coisa: *programa de troca de mensagens; programa de textos*.

proibido (pro.i.**bi**.do) [o-i] adjetivo Que não é permitido, que não deve ser feito, usado ou visto; que se proibiu: *é proibido jogar lixo no chão*.

projétil (pro.**jé**.til) substantivo masculino Corpo arremessado por arma de fogo; bala.
▶ Plural: *projéteis*.

promessa (pro.**mes**.sa) substantivo feminino Compromisso, combinado; ato ou efeito de prometer alguma coisa: *cumpriu a promessa de nos levar para a praia no final do ano*.

prometer (pro.me.**ter**) verbo Combinar algo; assumir um compromisso, comprometer-se: *mamãe prometeu que nos levaria para a praia no final do ano*.

pronto (**pron**.to) adjetivo **1.** Que se acabou de fazer e pode ser consumido ou entregue: *o almoço está pronto; o trabalho está pronto.* **2.** Que não demora, que responde no mesmo instante; rápido, ágil: *tinha sempre respostas prontas; o pronto atendimento salvou a vida das vítimas.*

propaganda (pro.pa.**gan**.da) substantivo feminino **1.** Anúncio, divulgação de uma ideia, informação, produto ou religião: *propaganda política; propaganda da igreja.* **2.** Divulgação de mensagens em rádio, televisão, revistas, jornais; publicidade: *propaganda de carros, propaganda de refrigerante.*

proparoxítono (pro.pa.ro.**xí**.to.no) [cs] substantivo masculino e adjetivo Palavra que tem a antepenúltima sílaba pronunciada com mais força e deve ser marcada com acento, como: *mágica, árvore, último.*

prosa (**pro**.sa) substantivo feminino **1.** A maneira como se fala ou escreve, sem seguir padrão de rimas e contagem silábica, em oposição ao verso. **2.** Conversa, bate-papo.

proteção (pro.te.**ção**) substantivo feminino Ato, ação de proteger ou cuidar, de evitar que se machuque: *o capacete é um equipamento para proteção da cabeça; a família dá proteção aos filhos.*

proteger (pro.te.**ger**) verbo **1.** Cuidar, evitar que se machuque ou corra perigo: *vamos proteger as crianças menores e os mais fracos.* **2.** Beneficiar, favorecer: *acusaram o juiz de proteger um dos times.*

protestante (pro.tes.**tan**.te) substantivo e adjetivo de dois gêneros Membro de uma das Igrejas cristãs surgidas na Europa a partir do século XVI, como Luterana e Calvinista, Anglicana, Batista, Metodista e outras.

protetor (pro.te.**tor**) [ô] substantivo masculino e adjetivo Que ou aquele que protege.

prova (**pro**.va) substantivo feminino **1.** Avaliação escolar; exame: *prova de matemática.* **2.** Testemunho; demonstração: *prova de amizade.* **3.** Competição esportiva: *prova de natação.* **4.** Degustação de comida ou bebida, para conferir o tempero.

provador (pro.va.**dor**) [ô] substantivo masculino **1.** Aquele que prova ou experimenta alimentos, bebidas, perfumes. **2.** Cabine onde se experimentam roupas em uma loja.

provar (pro.**var**) verbo **1.** Mostrar que uma afirmação é verdadeira; demonstrar: *foi bem na prova e provou que tinha entendido a lição.* **2.** Experimentar, testar: *provou a comida para ver se estava boa de sal.*

provedor (pro.ve.**dor**) [ô] substantivo masculino **1.** Aquele que provê, dá o que é necessário. **2.** Empresa que vende acesso à internet.

provérbio (pro.**vér**.bio) substantivo masculino Sentença ou dito popular; ditado, adágio, como "quem tudo quer, tudo perde".

próximo (**pró**.xi.mo) [ss] adjetivo **1.** Que está perto; vizinho. **2.** Que se segue; seguinte: *o próximo da fila.* ⭐ substantivo masculino **3.** Cada pessoa ou a humanidade: *o bem do próximo.* ⭐ advérbio **4.** Perto; nas redondezas.

público (pú.bli.co) adjetivo **1.** Que é do uso de todos: *jardim público*. **2.** Que é do conhecimento geral. ★substantivo masculino **3.** Pessoas que assistem a uma apresentação artística, filme etc.; plateia: *o público aplaudiu de pé.*

pular (pu.lar) verbo **1.** Elevar-se do chão empurrando-se com as próprias pernas; saltar, dar um pulo. **2.** Passar por cima, ignorar: *respondeu quase todas as perguntas, só pulou uma que não sabia.*

pulga (pul.ga) substantivo feminino Inseto pequeno e saltador, que pica e suga o sangue dos homens e de outros animais.

pulmão (pul.mão) substantivo masculino Cada um dos órgãos que ficam dentro do peito e que servem para respirar. ▶Plural: *pulmões.*

pulôver (pu.lô.ver) substantivo masculino Agasalho de lã, fechado na frente, usado sobre a roupa. (Veja apêndice da página 260)

pulso (pul.so) substantivo masculino Articulação entre a mão e o braço; punho. (Veja apêndice da página 261)

purê (pu.rê) substantivo masculino Prato feito com frutas ou legumes cozidos e amassados: *purê de batatas; purê de mandioquinha; purê de maçã.*

puro (pu.ro) adjetivo **1.** Que não tem misturas: *gosto de leite puro*. **2.** Limpo; que não foi poluído; límpido: *água pura*. **3.** Inocente; sem maldade: *olhar puro.*

puxa-puxa (pu.xa-pu.xa) substantivo masculino Bala ou doce de consistência elástica, pegajosa ou grudenta. ▶Plural: *puxa-puxas ou puxas-puxas.*

puxar (pu.xar) verbo **1.** Mover ou arrastar alguma coisa: *o burro puxava a carroça*. **2.** Mover uma parte do próprio corpo para junto de si; trazer. **3.** Sacar, retirar de onde estava guardado: *puxou o lenço do bolso*. **4.** Herdar traços de, parecer, lembrar: *puxou ao pai.*

Qq

q, Q substantivo masculino Décima sétima letra do nosso alfabeto, consoante, de nome "quê".

quadra (**qua**.dra) substantivo feminino
1. Campo retangular, próprio para a prática de um esporte: *quadra de basquete; quadra de tênis*. **2.** Distância entre uma esquina e outra, do mesmo lado da rua; quarteirão. **3.** Estrofe de quatro versos: *uma quadra muito famosa é "Batatinha quando nasce"*.

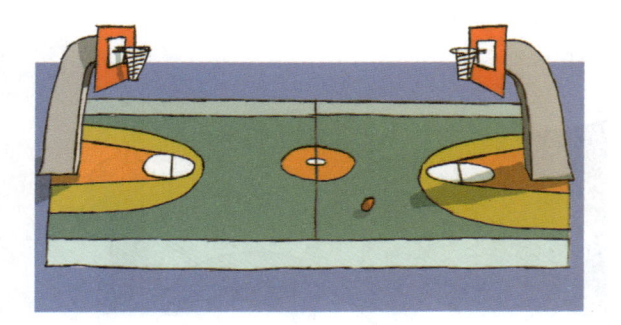

quadrado (qua.**dra**.do) substantivo masculino
1. Figura formada por quatro lados retos iguais e quatro ângulos retos: *cada lado do dado é um quadrado*. **2.** Pipa. ⭐ adjetivo **3.** Que tem a forma dessa figura: *desenhou uma casa com janelas quadradas e portas retangulares*. (Veja apêndice da página 256)

quadriculado (qua.dri.cu.**la**.do) adjetivo Que é dividido em pequenos quadrados.

quadril (qua.**dril**) substantivo masculino Cada uma das regiões laterais do corpo, entre a cintura e a articulação superior da coxa; anca. (Veja apêndice da página 261) ▶ Plural: *quadris*.

quadrilátero (qua.dri.**lá**.te.ro) substantivo masculino Figura formada por quatro lados retos: *o quadrado e o losango são quadriláteros*.

quadrilha (qua.**dri**.lha) substantivo feminino
1. Dança típica das festas juninas, em que vários pares executam uma coreografia ao som de um ritmo chamado polca, tocado com sanfona. **2.** Grupo de bandidos, bando de malfeitores, de ladrões.

quadrinha (qua.**dri**.nha) substantivo feminino
1. Forma dos poemas que têm estrofes de quatro versos, como "Batatinha quando nasce". **2.** Pequena quadra.

quadrinhos (qua.**dri**.nhos) substantivo masculino plural História contada em pequenos quadros, com desenhos e legendas; história em quadrinhos.

quadro (**qua**.dro) substantivo masculino
1. Imagem, cena feita por um artista e pintada em uma tela; pintura. **2.** Objeto quadrado ou retangular, na parede: *quadro de luz; quadro de avisos*.

quadrúpede (qua.**drú**.pe.de) adjetivo
1. Que tem quatro patas: *o gato e a vaca são animais quadrúpedes*. ⭐ substantivo masculino **2.** Animal que tem quatro patas: *o burro é um quadrúpede*.

quádruplo (**quá**.dru.plo) substantivo masculino Quantidade quatro vezes maior que outra: *oito é o quádruplo de dois, porque quatro vezes dois dá oito*.

quantidade (quan.ti.**da**.de) substantivo feminino Número de unidades, elementos ou pessoas: *a quantidade de 12 elementos forma uma dúzia; uma grande quantidade de pessoas assistiu ao jogo.*

quarteirão (quar.tei.**rão**) substantivo masculino Grupo de casas ou prédios que forma um quadrilátero; quadra.

quarto (**quar**.to) numeral **1.** Que está na posição do número 4, que vem depois do terceiro: *chegou em quarto lugar.* **2.** Cada uma das partes de algo que foi dividido igualmente em quatro: *um quarto de 100 é 25; um quarto de hora é 15 minutos.* ★ substantivo masculino **3.** Lugar onde se dorme; dormitório.

quebra-cabeça (que.bra-ca.**be**.ça) [ê] substantivo masculino **1.** Jogo com pecinhas que se encaixam formando figuras. **2.** Problema difícil de resolver. **3.** Adivinhação, passatempo. ▸ Plural: *quebra-cabeças.*

quebrado (qua.**dra**.do) adjetivo Que se quebrou; partido.

quebrar (que.**brar**) verbo **1.** Reduzir a pedaços; despedaçar, partir: *quebrou o prato.* **2.** Machucar o osso de; fraturar: *quebrar o braço.* **3.** Deixar de funcionar ou de trabalhar, ficar inútil: *o rádio quebrou.* **4.** Partir-se, ficar em pedaços: *o vidro se quebrou.*

queda-d'água (que.da-**d'á**.gua) substantivo feminino Local onde a água de um rio cai; cachoeira, salto, cascata. ▸ Plural: *quedas-d'água.*

queijo (**quei**.jo) substantivo masculino Alimento produzido a partir do leite, geralmente de vaca mas também de cabra, búfala ou ovelha.

queimar (quei.**mar**) verbo **1.** Fazer arder, machucar pela ação do fogo ou do calor: *o fogo queima a mão; ela queimou o dedo no fogão.* **2.** Destruir, desaparecer pela ação do fogo: *queimou a floresta.* **3.** Escurecer devido ao sol: *saiu sem boné e voltou com o rosto queimado.* **4.** Sofrer queimaduras, machucar-se com fogo: *queimou-se na fogueira.*

quente (**quen**.te) adjetivo **1.** Que tem muito calor: *estava um dia quente, o leite estava quente.* **2.** Que aquece, que conserva o calor ou dá a sensação de calor: *vestiu um casaco bem quente.*

querer (que.**rer**) verbo **1.** Ter vontade de; desejar: *queremos viajar nas férias*. **2.** Exigir, ordenar: *ela quis que todos fossem embora*. **3.** Gostar de; sentir afeição por: *quer muito bem o sobrinho*.

questão (ques.**tão**) substantivo feminino **1.** Pergunta: *a prova tinha dez questões*. **2.** Problema: *precisava resolver a questão de quem ia levar o lixo para fora*. **3.** Assunto, tema: *o professor expôs a questão*.

quiabo (qui.**a**.bo) substantivo masculino Legume que é um fruto alongado, com a ponta fina, comestível apenas enquanto está verde e depois de cozido.

quilha (**qui**.lha) substantivo feminino Peça de madeira que sustenta todo o casco de uma embarcação, da popa à proa.

quilo (**qui**.lo) substantivo masculino Forma reduzida, e muito utilizada, de quilograma: *um quilo de batatas*; *um quilo de carne*.

quilograma (qui.lo.**gra**.ma) substantivo masculino Unidade de massa que equivale a mil gramas, de símbolo kg; quilo.

quimono (qui.**mo**.no) [ô] substantivo masculino **1.** Roupa de mangas largas e tecido delicado, presa com uma faixa, usada no Japão como traje de ocasiões importantes. **2.** Casaco resistente, de amarrar, usado para prática de judô e outras lutas marciais. (Veja apêndice da página 260)

quindim (quin.**dim**) substantivo masculino Doce preparado com coco, gemas e açúcar.

quintal (quin.**tal**) substantivo masculino Terreno, em geral situado atrás da casa, que pode ter jardim, horta etc.

quinzena (quin.**ze**.na) [ê] substantivo feminino Período de quinze dias: *o mês tem duas quinzenas*.

quitanda (qui.**tan**.da) substantivo feminino Estabelecimento que se dedica a vender frutas, hortaliças, ovos, cereais etc.: *a quitanda ficava perto da esquina*.

R r

r, R substantivo masculino Décima oitava letra do alfabeto português, consoante, de nome "erre" ou "rê".

rã substantivo feminino Anfíbio de pele lisa, verde ou cinza, com pernas mais compridas que as do sapo, e que vive em beiras de lagos e rios.

rabanete (ra.ba.**ne**.te) [ê] substantivo masculino Hortaliça que embaixo da terra tem uma parte carnosa e arredondada, vermelha por fora e branca por dentro, com sabor picante, que se come crua, em saladas.

rabicho (ra.**bi**.cho) substantivo masculino 1. Rabo ou cauda pequena. 2. Trança de cabelo pendente da nuca.

rabicó (ra.bi.**có**) adjetivo Que não tem rabo ou que tem o rabo cortado; cotó.

rabino (ra.**bi**.no) substantivo masculino Líder religioso de uma comunidade judaica; rabi.

rabiola (ra.bi.**o**.la) substantivo feminino Rabo do papagaio de papel.

rabiscar (ra.bis.**car**) verbo Fazer rabiscos; riscar, traçar.

rabisco (ra.**bis**.co) substantivo masculino 1. Risco tortuoso, mal traçado. 2. Desenho sem significado.

rabo (ra.bo) substantivo masculino 1. Prolongamento da coluna vertebral de vários animais; cauda. 2. A parte traseira de qualquer objeto.

rabo de arraia (ra.bo de ar.**rai**.a) substantivo masculino Golpe de capoeira em que o lutador abaixa o tronco e gira, esticando uma perna no ar, para atingir o peito ou a cabeça do adversário com o calcanhar ou com o pé. É usado em outras lutas.

rabo de cavalo (ra.bo de ca.**va**.lo) substantivo masculino Penteado em que se prendem os cabelos juntos, na nuca ou no alto da cabeça.

rabugento (ra.bu.**gen**.to) adjetivo Que se queixa de tudo, que está toda hora reclamando; ranzinza, ranheta, mal--humorado.

raça (**ra**.ça) substantivo feminino 1. Tamanho e forma do corpo, cor dos pelos, habilidades e outras características que estão sempre presentes em um grupo de animais domésticos criados para algum fim: *os cavalos de raça correm bastante; todos os cachorros daquela raça são bons cães de guarda*. 2. Para pessoas, traços físicos como cor de pele e forma dos cabelos, associados a um grupo de povos como indígenas, negros ou europeus.

ração (ra.**ção**) substantivo feminino 1. Porção, quantidade de alimento para uma refeição. 2. Alimento produzido para animais: *a ração para cavalos é uma mistura de farelos, a de gatos pode ser em pedacinhos secos*. ▶ Plural: *rações*.

raciocinar (ra.ci.o.ci.**nar**) verbo Pensar, refletir, encadear pensamentos para alcançar o entendimento dos fatos, formular ideias, solucionar problemas, tirar conclusões.

radar ••• rajado

A B C D E F G H I J K L M N O P Q **R** S T U V W X Y Z

radar (ra.**dar**) substantivo masculino
Aparelho para identificar a posição, a distância e a velocidade de um navio, aeronave, veículo etc.

rádio (**rá**.dio) substantivo masculino
1. Meio de comunicação com programas que se ouve, ou programas de áudio, transmitidos por ondas invisíveis: *ouvia rádio no carro e em casa assistia à televisão*. **2.** Essas ondas: *as ondas de rádio servem também para acionar controle remoto*. **3.** Aparelho que capta ou transmite essas ondas: *o despertador vinha com rádio junto; os navios e os aviões se comunicam pelo rádio*. ★substantivo feminino **4.** Empresa que cria e transmite esses programas: *a rádio da universidade tem uma programação bem variada*.

radiografia (ra.di.o.gra.**fi**.a) substantivo feminino Imagem de ossos ou órgãos internos, feita com uma máquina que emite raios X.

raia (**rai**.a) substantivo feminino
1. Cada uma das divisões ou pistas feitas em uma piscina, para competições ou aulas. **2.** Peixe marinho de corpo achatado, com nadadeiras peitorais em forma de asas e cauda longa e afilada; arraia. **3.** Listra, risco, traço.

rainha (ra.**i**.nha) substantivo feminino
1. A soberana de um reino; a esposa ou a viúva de um rei: *a rainha da Inglaterra nunca se casou; o rei e a rainha foram ao desfile*. **2.** No jogo de xadrez, peça de maior valor abaixo do rei e que pode se mover em todas as direções. **3.** A abelha de uma colmeia que põe os ovos.

raio (**rai**.o) substantivo masculino
1. Luz que sai de um astro ou fonte luminosa e segue em linha reta: *raios solares*. **2.** Descarga elétrica que ocorre de uma nuvem para o solo, produzindo um clarão, o relâmpago, e som forte, o trovão.

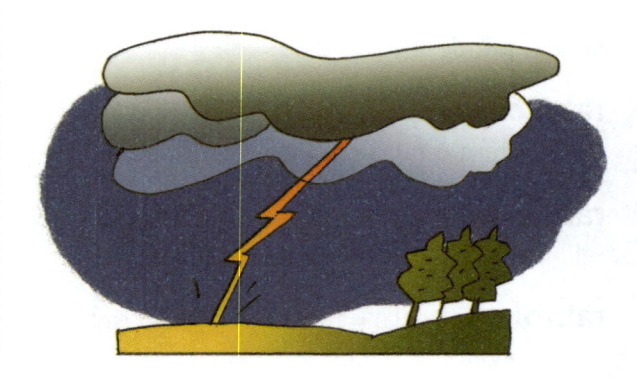

raiva (**rai**.va) substantivo feminino
1. Sentimento forte e violento de fúria, ódio, ira: *vovô tinha raiva de quem maltratasse os animais*. **2.** Doença que ataca o sistema nervoso de cães ou de pessoas, e é transmitida pela saliva do animal infectado; hidrofobia: *a raiva pode ser evitada com vacina*.

raiz (ra.**iz**) substantivo feminino Parte da planta, quase sempre abaixo da terra, que prende o vegetal no solo e absorve os nutrientes e a água necessários à vida da planta: *a velha árvore tem raízes muito longas*. ▶ Plural: *raízes*.

rajado (ra.**ja**.do) adjetivo Que tem raias, riscos, listras ou manchas pequenas: *o ovo de codorna é rajado*.

ralador (ra.la.**dor**) substantivo masculino
Grade com superfície áspera, usada para ralar alimentos: *usou um ralador para fazer purê de maçã.*

ralo (**ra**.lo) substantivo masculino
1. Grade que deixa passar a água ou outros líquidos e retém folhas, fios de cabelo ou objetos: *colocou um ralo para a pia não entupir.* ★ adjetivo **2.** Diz-se de líquido fino, pouco espesso ou pouco denso: *o caldo é uma sopa bem rala.*

ramo (**ra**.mo) substantivo masculino Galho pequeno de árvore ou planta: *a pomba da paz tem um ramo de oliveira no bico.*

rampa (**ram**.pa) substantivo feminino Trecho inclinado de um caminho: *colocaram rampas em todas as calçadas, para eliminar os degraus.*

rancho (**ran**.cho) substantivo masculino
1. Cabana, abrigo para se ficar pouco tempo: *viajavam de canoa e dormiam em ranchos na beira do rio.* **2.** Grupo de pessoas que cantam, dançam e representam na festa de Reis. **3.** Bloco carnavalesco.

rap [inglês: "répi"] substantivo masculino Forma de poesia e música em que os versos são ditos com ritmo muito marcado, com acompanhamento de música gravada.

rapadura (ra.pa.**du**.ra) substantivo feminino
Doce em tablete feito de puro açúcar mascavo ou caldo de cana, típico do Nordeste.

rapaz (ra.**paz**) substantivo masculino **1.** Pessoa do sexo masculino durante a adolescência, homem na época em que é adolescente; moço. **2.** Homem adulto, mas jovem.
▸ Feminino: *rapariga*.

rapidez (ra.pi.**dez**) [ê] substantivo feminino
Qualidade do que é rápido.

rápido (**rá**.pi.do) adjetivo **1.** Que se move depressa, que tem muita velocidade; ligeiro, veloz: *trem rápido.* **2.** Que dura pouco, que termina logo; breve: *viagem rápida; visita rápida; chuva rápida.*

rapina (ra.**pi**.na) substantivo feminino Ato ou ação de tirar com violência, como fazem algumas aves predadoras quando caçam.

raposa (ra.**po**.sa) [ô] substantivo feminino
Mamífero carnívoro, semelhante ao cão, de focinho pontudo, cauda espessa e felpuda, que vive em matilhas e tem muita esperteza para caçar seu alimento.

raquete (ra.**que**.te) [é] substantivo feminino
Objeto com que se bate na bola no tênis, no pingue-pongue e outros jogos, formado por uma moldura oval com uma rede ou toda de madeira, com cabo.

raro (**ra**.ro) adjetivo Que não é frequente, que se usa pouco ou que não existe em todos os lugares; incomum: *palavras raras; um talento raro; o ouro é um metal raro e valorizado.*

rascunho (ras.**cu**.nho) substantivo masculino **1.** Primeira versão de um trabalho, que será depois melhorado e finalizado. **2.** Papel para anotar ou registrar o que será trabalhado depois.

rasgar (ras.**gar**) verbo Separar, dividir em pedaços ou fragmentos; romper: *rasgar uma folha de papel; rasgar a roupa.*

raso (**ra**.so) adjetivo De pouca profundidade; que não é fundo: *piscina rasa; prato raso.*

raspa (**ras**.pa) substantivo feminino Pequena lasca tirada de um objeto ou alimento que se raspou: *raspas de chocolate.*

raspar (ras.**par**) verbo **1.** Tirar parte da superfície ou resíduos com um instrumento adequado: *raspou a tinta da parede.* **2.** Limpar, esfregando: *raspou a panela.* **3.** Arranhar: *raspou o joelho no chão.*

rasteira (ras.**tei**.ra) substantivo feminino Golpe em que se mete o pé entre as pernas de outra pessoa para fazê-la cair.

rastejar (ras.te.**jar**) verbo **1.** Arrastar-se pelo chão: *o cachorro rastejou para passar por baixo da cerca.* **2.** Seguir um rasto ou pista; rastrear.

rasto (**ras**.to) substantivo masculino Sinal, vestígio de passagem; pegada, pista. O mesmo que rastro.

rasura (ra.**su**.ra) substantivo feminino Ato de apagar ou emendar palavras de um texto, para corrigi-lo ou alterá-lo: *quando um texto contém muitas rasuras, é melhor passá-lo a limpo para facilitar a leitura.*

rato (**ra**.to) substantivo masculino Mamífero roedor com dentes pontudos e rabo comprido, que vive em esgotos, depósitos e no lixo e que muitas vezes transmite doenças como a peste bubônica.

ratoeira (ra.to.**ei**.ra) substantivo feminino **1.** Armadilha para caçar ou capturar ratos. **2.** Armadilha, cilada.

razão (ra.**zão**) substantivo feminino **1.** Capacidade que o ser humano tem de avaliar, julgar, compreender; raciocínio, juízo: *usou a razão.* **2.** Capacidade de avaliar com sabedoria; bom senso: *perdeu a razão.* **3.** Motivo que explica, justifica uma ação, atitude, ponto de vista: *tinha uma razão para agir dessa maneira.* ▶ Plural: *razões.*

reação (re.a.**ção**) substantivo feminino **1.** Ato ou efeito de reagir. **2.** Resposta, efeito, resultado: *a notícia teve reações favoráveis e contrárias.* **3.** Resposta a um ataque ou provocação: *não teve nenhuma reação durante o assalto.* ▶ Plural: *reações.*

reagir (re.a.**gir**) verbo Agir em resposta a uma ação ou estímulo; demonstrar reação: *quando o cachorro latiu, o gato reagiu subindo na árvore; ouvi uma provocação mas preferi não reagir.*

real (re.**al**) adjetivo **1.** Que existe mesmo, de fato; verdadeiro: *histórias reais; perigos reais*. **2.** Relativo ou pertencente ao rei: *família real*. ★ substantivo masculino **3.** Moeda do Brasil a partir de 1º de julho 1994, de símbolo R$ e dividida em centavos: *o lanche custou dois reais*. ▶ Plural: *reais*.

realce (re.**al**.ce) substantivo masculino Destaque, distinção, relevo: *a tinta vermelha dava realce às correções do professor*.

rebanho (re.**ba**.nho) substantivo masculino Conjunto de animais criados para a produção de lã, carne ou leite: *o rebanho tinha quase duzentas ovelhas*.

rebater (re.ba.**ter**) verbo **1.** Bater de novo, bater outra vez. **2.** Bater de volta, devolver: *rebater a bola*.

rebelde (re.**bel**.de) adjetivo **1.** Que se rebela, que vai contra a autoridade, que não obedece: *era uma criança rebelde e fazia muita bagunça mas nunca bateu nos mais fracos*. ★ substantivo **2.** Pessoa que participa de uma rebelião, que faz um levante contra a autoridade: *os rebeldes se recusavam a mandar dinheiro para o rei*.

rebocar (re.bo.**car**) verbo **1.** Puxar um veículo com outro. **2.** Revestir uma superfície com massa própria, ou reboco.

reboque (re.**bo**.que) [ó] substantivo masculino Veículo próprio para ser puxado por outro.

rebote (re.**bo**.te) [ó] substantivo masculino **1.** O segundo salto que a bola faz ao bater no chão ou em outro lugar. **2.** Salto que qualquer corpo elástico dá, ao se chocar contra um obstáculo.

rebuliço (re.bu.**li**.ço) substantivo masculino Agitação, desordem, confusão.

recado (re.**ca**.do) substantivo masculino Mensagem curta, escrita ou oral: *mandou um recado para a amiga pelo celular*.

recanto (re.**can**.to) substantivo masculino **1.** Lugar retirado ou um pouco escondido: *o gatinho se escondeu no recanto do jardim*. **2.** Local agradável, confortável.

receber (re.ce.**ber**) verbo **1.** Aceitar, ganhar em pagamento: *recebeu o salário*. **2.** Obter, ganhar, adquirir como recompensa ou favor: *recebeu o prêmio; recebeu uma medalha*. **3.** Hospedar, acolher: *vai receber os avós em casa*.

receita (re.**cei**.ta) substantivo feminino **1.** Instrução para fazer algo: *a receita de bolo tem uma lista de ingredientes e o modo de fazer*. **2.** Papel em que o médico escreve qual medicamento deve ser tomado por aquela pessoa e de que maneira.

recém-nascido (re.cém-nas.**ci**.do) substantivo masculino e adjetivo Que ou quem nasceu há pouco tempo: *os recém-nascidos ficam no berçário; o cavalinho era recém-nascido mas já conseguia ficar em pé*. ▶ Plural: *recém-nascidos*.

recepção (re.cep.**ção**) substantivo feminino **1.** Local onde as pessoas são recebidas ao entrar em uma empresa, hospital etc. **2.** Festa, reunião onde são recebidas muitas pessoas: *após o casamento haveria uma recepção*. ▶ Plural: *recepções*.

recheio (re.**chei**.o) substantivo masculino
Aquilo que recheia, que fica dentro de algo; conteúdo: *pão com recheio de queijo; o recheio da almofada era de flocos de espuma.*

reciclagem (re.ci.**cla**.gem) substantivo feminino
Tratamento de uma embalagem ou outro material que foi usado, para que se possa aproveitar novamente o material de que foi feito: *encaminhamos as latinhas de alumínio para a reciclagem, elas serão derretidas.*

recife (re.**ci**.fe) substantivo masculino
1. Rochedo próximo do mar. **2.** Rocha coberta de corais.

recipiente (re.ci.pi.**en**.te) substantivo masculino
Objeto que serve para se colocar outros dentro dele, objeto para receber coisas: *um saco é um recipiente para objetos, um copo é um recipiente para líquidos.*

recitar (re.ci.**tar**) verbo Ler em voz alta, declamar: *vamos recitar poesias na festa.*

reclamação (re.cla.ma.**ção**) substantivo feminino Ato de reclamar, de dizer que não está de acordo e pedir uma providência: *fizeram tantas reclamações sobre o latido do cachorro que ele foi mandado embora.*
▶ Plural: *reclamações.*

reclamar (re.cla.**mar**) verbo **1.** Queixar-se de alguma coisa, achar ruim, pedir uma providência: *o vizinho reclamou que a música estava muito alta; reclamaram do calor.*
2. Pedir com insistência; exigir, reivindicar.

recolher (re.co.**lher**) verbo **1.** Pôr em local próprio ou no abrigo; guardar, reunir, juntar: *recolham os brinquedos do chão.* **2.** Cobrar, receber, arrecadar: *recolheu as doações.*

recompensa (re.com.**pen**.sa) substantivo feminino Presente dado a alguém como reconhecimento por uma boa ação, trabalho ou favor prestado; prêmio, gratificação.

recordação (re.cor.da.**ção**) substantivo feminino
1. Ato ou efeito de recordar, de trazer novamente à lembrança, de lembrar.
2. Objeto que faz lembrar algum lugar, pessoa ou coisa; lembrança: *trouxe uma recordação da viagem.* ▶ Plural: *recordações.*

recorde (re.**cor**.de) substantivo masculino
1. Realização esportiva observada e registrada que ultrapassa outra: *o recorde na corrida era de 14 segundos.* **2.** Maior valor já registrado: *foi um recorde de público.*
3. Proeza, façanha, feito.

reco-reco (re.co-**re**.co) substantivo masculino
Instrumento musical de percussão formado por um cilindro metálico ou de bambu, com com pequenos cortes, sobre os quais se esfrega uma vareta. ▶ Plural: *reco-recos.*

recortar (re.cor.**tar**) verbo Cortar seguindo os contornos; separar de onde estava por meio de corte: *recortou a figura; recortou as notícias sobre a corrida.*

recorte (re.**cor**.te) [ó] substantivo masculino
1. Ato ou efeito de recortar. **2.** Artigo ou notícia recortados de jornal ou revista: *o professor pediu que levássemos recortes para a aula.*

recreação (re.cre.a.**ção**) substantivo feminino Recreio, lazer, divertimento.

recreio (re.**crei**.o) substantivo masculino Período para brincar ou se divertir, para atividades de descanso ou lazer: *saímos para o recreio; titio comprou um sítio para recreio da família*.

rede (**re**.de) [ê] substantivo feminino 1. Trançado de malhas mais ou menos largas, para apanhar peixes, aves, borboletas. 2. Peça pendurada pelas extremidades, utilizada para dormir ou descansar: *balançou-se na rede até pegar no sono*. 3. Trançado que segura a bola no gol, ou sobre o qual deve passar a bola de tênis, voleibol etc. 4. Distribuição dos meios de comunicação, das vias de transporte, da energia elétrica, de canalização de água, gás ou esgoto: *um defeito na rede elétrica deixou o bairro às escuras*. 5. Série de computadores e outros equipamentos interligados.

redemoinho (re.de.mo.i.nho) [o-i] substantivo masculino 1. Movimento em espiral das águas de um rio ou de vento; rodamoinho. 2. Mecha de cabelos que cresce em sentido contrário ao dos outros; rodamoinho.

redigir (re.di.**gir**) verbo 1. Escrever um texto, fazer uma redação; exprimir por escrito aquilo que se pensa. 2. Escrever para um jornal ou revista.

redondo (re.**don**.do) adjetivo 1. Que tem a forma de uma esfera ou de um círculo. 2. Curvo, cilíndrico.

reduzir (re.du.**zir**) verbo 1. Tornar menor; diminuir: *reduzir os gastos*. 2. Resumir; tornar mais curto: *reduzir o texto*.

refeição (re.fei.**ção**) substantivo feminino Porção de alimentos que se toma em certas horas do dia. ▶Plural: *refeições*.

refletir (re.fle.**tir**) verbo 1. Reproduzir a imagem de: *o espelho reflete nossa imagem*. 2. Rebater, reenviar a luz: *a Lua reflete a luz do sol*. 3. Pensar, meditar; considerar com profundidade: *refletiu sobre o assunto durante muito tempo*.

reflexão (re.fle.**xão**) [cs] substantivo feminino 1. Ato de refletir; meditação. 2. Forma como os raios de luz são refletidos nas superfícies.

reforço (re.**for**.ço) [ô] substantivo masculino 1. Ato ou efeito de reforçar, de tornar mais forte. 2. Peça ou material colocado sobre outro, para torná-lo mais resistente: *a calça tinha reforço no joelho*. ▶ Plural: *reforços* [ó].

refrão (re.**frão**) substantivo masculino Versos que se repetem em uma canção ou outra forma de poema; estribilho. ▶ Plural: *refrões*.

refresco (re.**fres**.co) [ê] substantivo masculino 1. Aquilo que refresca. 2. Suco de frutas servido geralmente gelado.

refrigerador (re.fri.ge.ra.**dor**) [ô] substantivo masculino Aparelho usado para refrigerar alimentos, para manter frio o que estiver em seu interior; geladeira.

refrigerante (re.fri.ge.**ran**.te) substantivo masculino Bebida ou refresco doce, em geral com gás e servido gelado.

refúgio (re.**fú**.gio) substantivo masculino **1.** Local para onde alguém foge em procura de segurança; abrigo, asilo. **2.** Apoio, proteção, amparo.

regar (re.**gar**) verbo Molhar, colocar água em: *toda tarde ela regava as plantas do jardim e dos vasos*.

regata (re.**ga**.ta) substantivo feminino **1.** Competição de barcos. **2.** Camiseta sem mangas. (Veja apêndice da página 260)

região (re.gi.**ão**) substantivo feminino **1.** Grande extensão de terra. **2.** Território com características especiais e diferentes de outras: *o Brasil é dividido em cinco regiões: Norte, Nordeste, Centro-Oeste, Sudeste e Sul*. **3.** Parte, área, pedaço de um todo: *região das costas*. ▶Plural: *regiões*.

regime (re.**gi**.me) substantivo masculino **1.** Modo de reger, de governar ou dirigir. **2.** Regras para escolher alimentos; restrição alimentar, dieta: *fez um regime leve com exercícios e logo emagreceu*.

registrar (re.gis.**trar**) verbo **1.** Fazer anotação de; documentar, descrever ou guardar como foi de algum jeito: *registrou os lugares que visitamos em fotografias e descrições no diário*. **2.** Inscrever em uma lista própria: *registrou-se no hotel*.

registro (re.**gis**.tro) substantivo masculino **1.** Ato de registrar. **2.** Repartição onde se faz a inscrição de fatos ou documentos; cartório. **3.** Certidão de nascimento. **4.** Livro em que são feitos registros. **5.** Aparelho que mede o consumo de água, luz, gás; relógio.

regra (**re**.gra) substantivo feminino **1.** Aquilo que regula, dirige; norma. **2.** Fórmula que determina como agir ou como falar: *regra de um jogo*; *regra gramatical*. **3.** Aquilo que foi determinado e que deve ser seguido: *regras de boa educação*.

régua (**ré**.gua) substantivo feminino Instrumento plano e retangular, usado para medir ou traçar linhas retas.

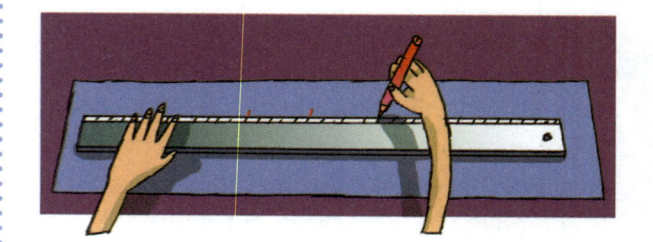

rei substantivo masculino **1.** Soberano, homem que governa um reino; monarca: *a esposa do rei é a rainha*. **2.** No jogo de xadrez, peça de maior valor, que só anda uma casa por vez e se for comida determina a derrota no jogo. **3.** No baralho, a carta que tem a letra K e a figura de um homem com coroa.

reino (**rei**.no) substantivo masculino **1.** Estado governado por um rei ou uma rainha. **2.** Maior grupo da classificação dos seres vivos, em que estão os reinos animal, vegetal, mineral, dos fungos e outros.

relação (re.la.**ção**) substantivo feminino **1.** Lista de nomes ou coisas. **2.** Relacionamento entre pessoas: *tinha uma ótima relação de amizade com a vizinha*. **3.** Ligação, elo: *existe uma relação entre a poluição e o aumento da temperatura do planeta*.

relacionar (re.la.ci.o.**nar**) verbo **1.** Fazer relação, listar: *relacionamos todas as frutas redondas*. **2.** Manter relacionamento; fazer amizade: *relacionava-se com muita gente*. **3.** Ligar; unir; estabelecer relação: *relacione as palavras que pertencem ao mesmo grupo*.

relâmpago (re.**lâm**.pa.go) substantivo masculino Clarão intenso produzido pelo raio, descarga elétrica na atmosfera, muito comum durante as tempestades e às vezes acompanhado de trovões.

relato (re.**la**.to) substantivo masculino Ação de contar, descrever ou narrar alguma coisa que se viveu, algo que se estudou ou observou: *os participantes da excursão às cavernas fizeram relatos incríveis, com textos, fotos e até filmes.*

relevo (re.**le**.vo) [ê] substantivo masculino **1.** Conjunto de diferenças de níveis da superfície da Terra, como montanhas, vales, planaltos, planícies etc. **2.** Aquilo que sobressai em uma superfície plana.

relógio (re.**ló**.gio) substantivo masculino **1.** Aparelho que serve para medir intervalos de tempo e indicar as horas. **2.** Aparelho que mede o consumo de água, luz, gás; registro.

remédio (re.**mé**.dio) substantivo masculino **1.** Aquilo que pode tratar ou ajudar a combater uma doença ou um problema; tratamento: *experimentou chás, repouso e outros remédios caseiros.* **2.** Substância receitada por médico para tratar uma doença; medicamento.

remendo (re.**men**.do) substantivo masculino **1.** Pedaço de tecido com que se conserta parte da roupa que foi danificada. **2.** Recorte de madeira, couro etc. com que se conserta um objeto.

remessa (re.**mes**.sa) [é] substantivo feminino **1.** Ato de remeter. **2.** Aquilo que foi remetido; encomenda.

remetente (re.me.**ten**.te) substantivo de dois gêneros e adjetivo Pessoa que remete, que envia uma mensagem ou encomenda.

remeter (re.me.**ter**) verbo Enviar, expedir, mandar: *remeti um cartão de aniversário; remetemos um presente para nosso amigo.*

remo (**re**.mo) [ê] substantivo masculino **1.** Haste longa com uma pá na ponta, que se puxa com as mãos para mover uma embarcação. **2.** Disputa esportiva com barcos movidos a remos.

remorso (re.**mor**.so) [ó] substantivo masculino Arrependimento; sentimento de culpa por haver cometido um erro ou omissão.

remover (re.mo.**ver**) verbo **1.** Tornar a mover, transportar; mudar de lugar. **2.** Fazer sair, tirar: *remover uma mancha.*

rena (**re**.na) [ê] substantivo feminino Mamífero das áreas frias do hemisfério Norte, com grandes chifres em forma de galhos, utilizado como animal de carga e fonte de leite e carne.

renda (**ren**.da) substantivo feminino **1.** Tecido de fios entrelaçados que formam desenhos, usado em trajes femininos, guarnições de cama e mesa. **2.** Dinheiro pago como remuneração por investimento.

reparar (re.pa.**rar**) verbo **1.** Consertar o que se havia estragado; restaurar. **2.** Corrigir: *reparou o erro.* **3.** Fixar a vista com atenção; notar, observar.

repente (re.**pen**.te) substantivo masculino **1.** O que se diz ou faz sem pensar ou planejar: *num repente jogou tudo pela janela*; *tinha repentes de coragem e outros de medo*. **2.** Versos improvisados em um desafio ou disputa de cantadores, chamados de repentistas, tradição popular do Nordeste. **De repente:** em pouco tempo e sem preparo, de modo súbito: *começou a chover de repente*.

repentista (re.pen.**tis**.ta) substantivo de dois gêneros Poeta popular nordestino, cantador que faz repente, que improvisa versos em desafios.

repetente (re.pe.**ten**.te) adjetivo **1.** Que repete. ⭐substantivo masculino **2.** Aluno que não foi aprovado e tem de repetir a mesma série ou ano em que estava.

repetir (re.pe.**tir**) verbo **1.** Fazer de novo. **2.** Dizer de novo o que já se disse. **3.** Tornar a acontecer: *uma festa que se repete todos os anos*.

repolho (re.**po**.lho) [ô] substantivo masculino Espécie de couve cujas folhas verdes ou roxas crescem muito grudadas, em forma de bola, e são comestíveis cruas ou cozidas.

reportagem (re.por.ta.**gem**) substantivo feminino Conjunto de informações sobre determinado evento, fato ou tema transmitido pelo rádio, televisão, internet, jornais e revistas.

represa (re.**pre**.sa) [ê] substantivo feminino Construção para conter as águas de um rio; barragem, açude.

reprodução (re.pro.du.**ção**) substantivo feminino **1.** Ato de reproduzir. **2.** Cópia; imitação.

reproduzir (re.pro.du.**zir**) verbo **1.** Produzir em grande número; copiar; multiplicar. **2.** Representar com exatidão. **3.** Gerar, dar vida a um novo ser: *coelhos se reproduzem muito rapidamente*.

residência (re.si.**dên**.cia) substantivo feminino Casa onde se mora; domicílio, habitação.

resistência (re.sis.**tên**.cia) substantivo feminino **1.** Capacidade de resistir, de suportar um ataque ou sofrimento. **2.** Capacidade de manter uma corrida ou outro esforço físico contínuo. **3.** Defesa contra um ataque.

respeito (res.**pei**.to) substantivo masculino **1.** Ato de respeitar; sentimento que leva alguém a tratar algo ou alguém com atenção, consideração ou reverência: *tinha grande respeito pelo avô*. **2.** Obediência: *respeito às leis*.

respiração (res.pi.ra.**ção**) substantivo feminino **1.** Ato de respirar. **2.** Processo pelo qual os seres vivos absorvem oxigênio e expelem gás carbônico.

respirar (res.pi.**rar**) verbo **1.** Absorver e expelir o ar. **2.** Ter vida, viver.

responder (res.pon.**der**) verbo **1.** Dizer ou escrever uma resposta ao que foi dito ou perguntado; replicar: *respondeu que vai ao teatro*; *respondeu que era inocente*. **2.** Agir em reação a alguma coisa; retribuir: *respondeu com gentilezas*. **3.** Questionar em vez de obedecer: *esse menino só responde*.

resposta (res.**pos**.ta) substantivo feminino **1.** Ato de responder. **2.** Palavras com que se responde a uma pergunta.

restar (res.**tar**) verbo **1.** Ficar, continuar existindo, sobrar: *restaram dois biscoitos no pacote*. **2.** Faltar para fazer: *restam duas páginas para terminar o livro*.

restaurante (res.tau.**ran**.te) substantivo masculino Estabelecimento comercial que prepara e serve refeições.

resto (**res**.to) substantivo masculino **1.** O que restou; resíduo, detrito. **2.** O resultado de uma subtração matemática.

resultado (re.sul.**ta**.do) substantivo masculino **1.** Consequência; efeito. **2.** Produto ou solução de uma operação matemática.

reta (**re**.ta) substantivo feminino **1.** Traço, linha que segue sempre na mesma direção; a menor distância entre dois pontos. **2.** Trecho de uma estrada em linha reta.

retangular (re.tan.gu.**lar**) adjetivo Que tem a forma de um retângulo.

retângulo (re.**tân**.gu.lo) substantivo masculino **1.** Quadrilátero com quatro ângulos retos e com lados iguais dois a dois: *o caderno tem forma de retângulo*. ⭐adjetivo **2.** Que tem um ângulo reto: *triângulo retângulo*. (Veja apêndice da página 256)

reticências (re.ti.**cên**.cias) substantivo feminino plural Sinal de pontuação (…) que pode indicar interrupção do pensamento ou da fala, bem como sugerir alguma coisa.

retirante (re.ti.**ran**.te) adjetivo **1.** Que se retira. ⭐substantivo de dois gêneros **2.** Sertanejo nordestino que sai de sua propriedade, da terra que cultivava no Nordeste, para fugir da seca ou da miséria e vai procurar trabalho em outro lugar.

reto (**re**.to) adjetivo **1.** Sem curvas: *linha reta*. **2.** Que segue na mesma direção, que não tem desvios. **Ângulo reto:** o ângulo de 90°, como o formado no T maiúsculo.

retrato (re.**tra**.to) substantivo masculino **1.** Representação de uma pessoa por fotografia ou pintura. **2.** Descrição de uma situação.

retrovisor (re.tro.vi.**sor**) [ô] substantivo masculino Espelho de um veículo para mostrar o que está atrás.

reunião (reu.ni.**ão**) substantivo feminino Encontro entre pessoas, marcado com uma certa finalidade ou objetivo: *foram a uma reunião de estudo; uma festa é um tipo de reunião social*. ▶ Plural: *reuniões*.

reverendo (re.ve.**ren**.do) adjetivo **1.** Digno de reverência. ⭐substantivo masculino **2.** Tratamento de respeito dado a pastores, padres e outros sacerdotes ou líderes religiosos.

revista (re.**vis**.ta) substantivo feminino Publicação periódica com textos e ilustrações sobre assuntos variados ou um tema determinado: *fomos à banca comprar revistas; vovó recebe sua revista pelo correio*.

revistinha (re.vis.**ti**.nha) substantivo feminino Revista com histórias em quadrinhos e atividades criadas para crianças, como colorir, ligar pontos, recortar e colar: *Rute leu toda sua revistinha*.

revólver (re.**vól**.ver) substantivo masculino
Arma de fogo com um cano curto e local para várias balas, que dispara uma bala de cada vez: *no filme os bandidos tinham muitos revólveres mas só o mocinho acertava todos os tiros.* ▸ Plural: *revólveres*.

rezar (re.**zar**) verbo Dizer ou recitar orações, dirigir palavras a Deus, a uma divindade ou aos santos: *rezavam todos os dias antes de ir para a cama.*

riacho (ri.**a**.cho) substantivo masculino Rio pequeno; córrego.

ribeira (ri.**bei**.ra) substantivo feminino
1. Curso de água menor que um rio, que em geral corre de lugares altos para o rio no fundo do vale. **2.** Lugar ou terreno à beira de um rio. **3.** Porção de terreno banhada por um rio.

ribeirão (ri.bei.**rão**) substantivo masculino Ribeira grande; curso de água maior que um riacho e menor que um rio. ▸Plural: *ribeirões*.

rico (**ri**.co) adjetivo **1.** Que possui muitos bens, muito dinheiro ou coisas de valor: *homem rico; países ricos.* **2.** Que possui ou contém em abundância: *um povo rico em tradições culturais e artes; frutas ricas em vitaminas.* ★ substantivo masculino **3.** Aquele que possui riquezas: *ricos e pobres sofriam com a violência de criminosos.*

rijo (**ri**.jo) adjetivo Duro, rígido, inflexível: *o capacete é rijo, o boné é mole.*

rim substantivo masculino Cada um dos dois órgãos responsáveis por filtrar o sangue e eliminar as impureza pela urina. ▸Plural: *rins*.

rima (**ri**.ma) substantivo feminino
1. Repetição de um som no final dos versos. **2.** Palavra que rima, que tem o mesmo som de outra: *uma rima para "flor" é "cor".*

rimar (ri.**mar**) verbo **1.** Escrever em versos rimados, fazer versos. **2.** Formar rima: *"chocolate" rima com "pirulito que bate, bate".*

ringue (**rin**.gue) substantivo masculino Tablado quadrado, alto e cercado de cordas, onde se realizam lutas de boxe e outros esportes.

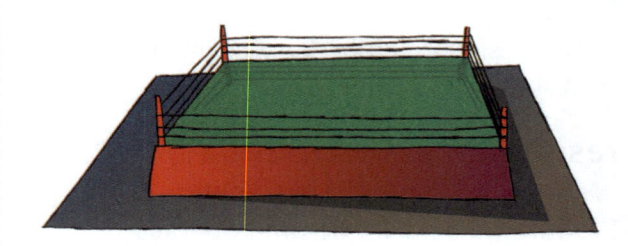

rinoceronte (ri.no.ce.**ron**.te) substantivo masculino Grande mamífero quadrúpede com um ou dois chifres no focinho e o corpo coberto de placas duras, que vive na África e na Ásia.

rio substantivo masculino Curso de água natural que deságua no mar, em um lago ou outro rio: *os índios faziam canoas para navegar no rio; um dos maiores rios do mundo é o Amazonas.*

riqueza (ri.**que**.za) [ê] substantivo feminino
1. Qualidade ou condição de rico; abundância, fartura: *viviam na riqueza.* **2.** Coisas de valor: *a região tinha ouro, diamantes e outras riquezas naturais.*

rir verbo **1.** Exprimir alegria com movimentos dos músculos da face; sorrir: *era um filme engraçado e rimos muito.* **2.** Zombar de alguém ou de alguma coisa; caçoar, zoar: *riram da ideia de encontrar um dragão no jardim.*

riscar (ris.**car**) verbo **1.** Fazer riscos ou traços em, traçar linhas; rabiscar: *riscou toda a capa do caderno.* **2.** Retirar de uma lista, eliminar, cancelar fazendo um traço em cima: *risque as palavras erradas da lista.*

riso (ri.so) substantivo masculino Ação de rir, de dar risada, de demonstrar que acha graça ou que está alegre.

ritmo (rit.mo) substantivo masculino
1. Sequência de sons que se repetem: *o som do tambor marca o ritmo do samba*.
2. Velocidade em que se faz algo: *saíam da sala andando, iam aumentando o ritmo e chegavam no portão da escola correndo*.

robô (ro.**bô**) substantivo masculino 1. Máquina eletrônica que segura objetos e executa tarefas como montar e pintar carros, controlada por programas de computador e seres humanos. 2. Máquina com forma humana, capaz de fazer coisas ou falar controlada por programas de computador.

roca (**ro**.ca) [ó] substantivo feminino Aparelho que se usava antigamente para fiar, isto é, fazer fios a partir da lã da ovelha ou de outros animais: *a menina da história Bela Adormecida machucou o dedo quando estava fiando em uma roca*.

roça (**ro**.ça) [ó] substantivo feminino 1. Terreno onde se roçou ou cortou o mato e plantou uma lavoura pequena: *ao lado da casinha havia uma roça de mandioca e uma hortinha*.
2. O campo, a zona rural, o mundo das pessoas que moram em fazendas e trabalham na terra: *o Jeca Tatu vivia na roça*.

rocambole (ro.cam.**bo**.le) [ó] substantivo masculino Bolo enrolado com recheio em geral doce, que forma uma espiral: *rocambole de goiabada*.

rocha (**ro**.cha) [ó] substantivo feminino Massa compacta de pedra muito dura: *o morro do Corcovado é uma grande massa de rocha*.

roda (**ro**.da) [ó] substantivo feminino 1. Peça em formato circular, que se movimenta ao redor de um eixo ou de seu centro: *a bicicleta tem duas rodas, o carro tem quatro*. 2. Grupo de pessoas em círculo: *roda de conversa*. 3. Brincadeira ou dança em que as pessoas ficam em círculo e giram para os lados; ciranda: *brincaram de roda a tarde toda*.

roda-gigante (ro.da-gi.**gan**.te) substantivo feminino Brinquedo de parque de diversões, constituído de cadeirinhas montadas em uma roda que gira. ▶Plural: *rodas-gigantes*.

rodamoinho (ro.da.mo.i.nho) [o-i] substantivo masculino O mesmo que redemoinho.

rodapé (ro.da.**pé**) substantivo masculino
1. Barra ou faixa colocada na parte inferior das paredes, para proteger ou decorar, em geral de madeira. 2. Parte inferior de uma página impressa.

rodar (ro.**dar**) verbo 1. Fazer movimento circular como o da roda; girar, virar: *rodou o volante para a direita*. 2. Percorrer com veículo de rodas: *rodaram pelas estradas próximas das praias*.

rodeio (ro.**dei**.o) substantivo masculino 1. Volta em redor de alguma coisa. 2. Desculpa, enrolação. 3. Vaquejada. 4. Competição em que se monta um cavalo ou um boi bravo, não amansado, e ganha quem se mantiver sobre o animal por mais tempo.

rodízio (ro.**dí**.zio) substantivo masculino
1. Rodinha que se fixa aos pés de móveis ou eletrodomésticos para deslocá-los.
2. Revezamento em trabalhos ou funções.

rodo (ro.do) [ô] substantivo masculino
1. Utensílio para puxar água ou líquido esparramados sobre o chão ou outra superfície, formado por uma tira de borracha na extremidade de um cabo. 2. Utensílio de forma semelhante, para juntar cereais.

rodovia (ro.do.**vi**.a) substantivo feminino
Estrada pavimentada, para tráfego de carros, ônibus e caminhões.

rodoviária (ro.do.vi.**á**.ria) substantivo feminino
Estação para embarque e desembarque das viagens por rodovia, onde se entra ou sai dos ônibus.

roer (ro.**er**) verbo Morder algo bem duro com os dentes, até transformar em pó e comer.

rojão (ro.**jão**) substantivo masculino Fogo de artifício que sobe muito rápido e estoura fazendo barulho; foguete. ▶ Plural: *rojões*.

rola (**ro**.la) [ô] substantivo feminino Ave pequena, semelhante à pomba; rolinha.

rolante (ro.**lan**.te) adjetivo 1. Que rola ou gira sobre si mesmo. 2. Diz-se de escadas, esteiras etc. movidas por um motor, para transportar pessoas ou cargas.

rolar (ro.**lar**) verbo 1. Empurrar para fazer girar: *rolou a bola pelo gramado*. 2. Mover-se girando sobre si próprio: *rolamos pelo barranco*.

roleta (ro.**le**.ta) [ê] substantivo feminino
1. Roda com casas numeradas e coloridas, em que uma bolinha se encaixa quando a roda para de girar. 2. Jogo de apostar sobre o número em que cairá a bolinha: *perdeu o dinheiro na roleta*.

rolha (**ro**.lha) [ô] substantivo feminino Peça cilíndrica, geralmente de cortiça, usada para tampar garrafas.

rolimã (ro.li.**mã**) substantivo masculino
1. Roda ou anel encaixado dentro de outro, com pequenas esferas de aço entre eles; rolamento. 2. Veículo de brinquedo feito com uma tábua montada sobre esses rolamentos, que se usa sentado ou deitado, em descidas.

rolo (**ro**.lo) [ô] substantivo masculino Objeto de forma cilíndrica e alongada: *pegou um rolo de fios; fez um rolo com a toalha*.

romano (ro.**ma**.no) adjetivo 1. Pertencente ou relativo a Roma, cidade que hoje é capital da Itália e que na Antiguidade era sede de um Império. ⭐substantivo masculino e adjetivo 2. Pessoa que nasceu nesse lugar.

rosa (**ro**.sa) substantivo feminino 1. Flor muito bonita, com muitas pétalas e cheiro agradável, com cabo longo e firme: *ganhou um buquê de rosas vermelhas*. ⭐substantivo masculino 2. Cor entre o vermelho e o branco; cor-de-rosa: *o rosa é a cor associada às meninas e ao mundo feminino*. ⭐adjetivo 3. Que é dessa cor: *um tênis rosa; duas camisetas rosa*. (Veja apêndice da página 256)

rosca (**ros**.ca) [ô] substantivo feminino
1. Espiral em que se encaixam parafusos ou outros objetos: *para abrir uma tampa de rosca, você deve girar; se for uma tampa de encaixe, puxe*. **2.** Pão com formato de argola, em geral, doce.

roseira (ro.**sei**.ra) substantivo feminino Arbusto de galhos espinhosos que dão lindas flores, as rosas.

rosnar (ros.**nar**) verbo **1.** Emitir (um cão, um lobo) som baixo, rouco e ameaçador, arreganhando os dentes: *o cachorro rosnou e depois tentou morder*. **2.** Dizer por entre dentes, com voz baixa.

rosto (**ros**.to) [ô] substantivo masculino Parte da frente, anterior da cabeça; cara, face: *desenhou um rosto com olhos, nariz, boca e tudo o mais*. ▶ Plural: *rostos*.

roteiro (ro.**tei**.ro) substantivo masculino
1. Descrição da rota, do caminho ou itinerário que se vai percorrer: *o roteiro da excursão passava pelas cidades históricas*. **2.** Relação de passos ou etapas para uma atividade: *roteiro para o trabalho de Ciências*. **3.** Texto que descreve as ações de um filme.

rótulo (**ró**.tu.lo) substantivo masculino Inscrição colocada em um recipiente ou embalagem, para identificar seu conteúdo e dar outras informações sobre o produto.

roubar (rou.**bar**) verbo **1.** Pegar, apropriar-se de uma coisa que pertence a outra pessoa sem autorização: *roubaram o dinheiro do banco*. **2.** Enganar, iludir, mentir; agir contra as regras: *roubar no jogo*.

roubo (**rou**.bo) substantivo masculino **1.** Ato ou efeito de roubar. **2.** Aquilo que se roubou.

rouco (**rou**.co) adjetivo **1.** Diz-se de voz ou som áspero e grave, difícil de entender: *falava com a voz rouca dos fumantes*. **2.** Que está com essa voz: *gritou tanto que ficou rouco*.

roupa (**rou**.pa) substantivo feminino
1. Qualquer peça de vestuário; traje, veste, vestimenta: *guardou as roupas no armário*. **2.** Peça de pano para uso doméstico: *roupa de cama; roupa de mesa; roupa de banho*.

rouxinol (rou.xi.**nol**) substantivo masculino Pássaro de canto muito melodioso, de cor parda ou ruiva, encontrado na Europa, Ásia e África. ▶ Plural: *rouxinóis*.

roxo (**ro**.xo) [ô] adjetivo **1.** Que é da cor da uva, ou da mistura do azul com o vermelho: *roupas roxas*. ★ substantivo masculino **2.** Essa cor: *no arco-íris, o roxo fica do lado oposto ao vermelho*. (Veja apêndice da página 256)

rua (**ru**.a) substantivo feminino Caminho público urbano, em geral ladeado de casas, prédios etc.

rugido (ru.**gi**.do) substantivo masculino Ação de rugir; a voz ou som dos leões, tigres e outros felinos.

rugir (ru.**gir**) verbo **1.** Soltar rugidos; urrar. **2.** Produzir som muito forte, semelhante a rugido, e que pode ser assustador: *a tempestade rugia*.

ruído (ru.**í**.do) substantivo masculino Som sem sentido, barulho.

ruim (ru.**im**) [u-ím] adjetivo **1.** Mau, nocivo: *comer doces demais é ruim para a saúde*. **2.** Cruel, mau; que não é bom, que não tem bondade: *foi uma coisa muito ruim atirar o pau no gato*. **3.** Desagradável, de má qualidade ou estragado: *o suco estava ruim*.

ruína (ru.**í**.na) [u-í] substantivo feminino Restos de uma construção que foi quase toda desmanchada, pelo tempo ou por incêndio, explosão etc.: *visitamos as ruínas do presídio antigo*.

ruivo (**rui**.vo) adjetivo **1.** Diz-se de cabelo ou pelo vermelhos ou quase vermelhos: *ele tinha uma barba ruiva*. ★ substantivo masculino **2.** Pessoa que tem os cabelos dessa cor: *aquela senhora roqueira sempre foi ruiva*.

rupestre (ru.**pes**.tre) adjetivo **1.** Que cresce sobre os rochedos: *planta rupestre*. **2.** Desenhado ou gravado na rocha: *pintura rupestre*.

rural (ru.**ral**) adjetivo Que pertence ao campo, que é próprio do campo ou da vida agrícola: *nas zonas rurais existem grandes plantações e pastos*.

S s

s, S ••• saci-pererê

s, S substantivo masculino Décima nona letra do alfabeto, consoante, de nome "esse" (que se diz "ésse"). ▸ O som de um só **s** entre duas vogais é o mesmo do **z**: *asa, meses, visita, gasoso, usual*; o grupo **ss** tem sempre o som do **s** no começo da palavra: *massa, soubesse, isso.*

sabão (sa.**bão**) substantivo masculino **1.** Produto que se mistura à água para fazer limpeza, lavar, retirar a sujeira. **2.** Bronca, repreensão, em linguagem popular: *a professora passou o maior sabão nas pessoas que fizeram bagunça na aula.* ▸ Plural: *sabões.*

saber (sa.**ber**) verbo **1.** Ter dentro da mente, conhecer, ter a informação, o conhecimento ou a notícia: *sabia tudo sobre carros.* ★ substantivo masculino **2.** Conhecimento, sabedoria: *aumentou seu saber estudando e fazendo experiências.*

sabiá (sa.bi.**á**) substantivo masculino Pássaro de peito amarelo ou alaranjado e com canto muito bonito.

sábio (**sá**.bio) adjetivo **1.** Que sabe muito, que tem conhecimentos profundos: *era um homem muito sábio.* ★ substantivo masculino **2.** Pessoa que tem grande saber, que é respeitada pelo conhecimento e sabedoria: *o rei pediu a opinião dos sábios.*

sabonete (sa.bo.**ne**.te) [ê] substantivo masculino Sabão para lavar o rosto, as mãos e o corpo, em barra ou líquido.

sabor (sa.**bor**) [ô] substantivo masculino **1.** Sensação que as substâncias causam na língua e na boca, nos órgãos do paladar; gosto: *as balas tinham sabores variados.* **2.** Gosto bom: *a comida congelada quase não tem sabor.*

saboroso (sa.bo.**ro**.so) [ô] adjetivo Muito gostoso, que tem muito sabor; agradável de se saborear. ▸ Plural: *saborosos* [ó].

sabugo (sa.**bu**.go) substantivo masculino Espiga de milho sem os grãos.

sacerdote (sa.cer.**do**.te) substantivo masculino Homem que celebra ou conduz um culto religioso, que cuida dos seguidores de uma religião: *sacerdotes de várias religiões fizeram um culto pela paz.* ▸ Feminino: *sacerdotisa.*

saci (sa.**ci**) substantivo masculino Saci-pererê.

saci-pererê (sa.ci-pe.re.**rê**) substantivo masculino Criatura fantástica do folclore brasileiro, representada por um menino negro encantado, com uma perna só mas muito ágil, que vive na floresta, usa um gorro vermelho e fuma cachimbo, que faz artes, assusta os viajantes, esconde objetos etc. O mesmo que *saci.* ▸ Plural: *sacis-pererês* ou *saci-pererês.*

saco (**sa**.co) substantivo masculino **1.** Objeto flexível, de plástico, papel, pano etc., aberto no lado de cima e que se usa para transportar mercadorias em geral: *colocaram as compras no saco*. **2.** Bolsa que contém os testículos, em linguagem popular. **3.** Chateação; enfado, em linguagem popular e que pode ofender algumas pessoas: *mamãe pediu para a gente não falar na frente da vovó que a festa foi um saco*. **4.** Paciência; disposição, na gíria: *estava sem saco para estudar*.

sacudir (sa.cu.**dir**) verbo **1.** Agitar, balançar várias vezes: *sacudiu o vidro de xarope*. **2.** Fazer tremer ou estremecer: *o vento sacudia a casa*. **3.** Limpar, agitando: *sacudiu a toalha*.

sadio (sa.**di**.o) adjetivo **1.** Que tem boa saúde; saudável, são: *todos estavam sadios*. **2.** Que é bom para a saúde, que não faz mal ou que não tem perigo de fazer mal: *alimentos sadios, diversões sadias*.

safári (sa.**fá**.ri) substantivo masculino Expedição, viagem através da selva para caçar, ver, estudar ou fotografar grandes animais selvagens.

safra (**sa**.fra) substantivo feminino **1.** Produção agrícola de um ano; colheita. **2.** Época do ano em que se colhe a produção da lavoura ou vende o gado gordo: *na safra da uva todos colhem as frutas*.

sagrado (sa.**gra**.do) adjetivo **1.** Dedicado a Deus ou a uma divindade; reservado por motivos religiosos: *os templos são lugares sagrados*. **2.** Que se trata com profundo respeito, que se cumpre sempre: *o compromisso com seus filhos era sagrado*.

saguão (sa.**guão**) substantivo masculino Sala grande logo após a entrada em um prédio grande de escola, hotel, teatro, cinema etc., ou principal ambiente em uma rodoviária, aeroporto, shopping.

sagui (sa.**gui**) [gUi] substantivo masculino Macaco pequenino, de cauda comprida e peluda, que vive em bandos nas florestas tropicais. Esta palavra era escrita com um sinal sobre o **u**, para indicar que é pronunciado.

saia (**sai**.a) substantivo feminino Peça do vestuário que desce da cintura até próximo dos joelhos ou dos tornozelos, usada geralmente por mulheres. (Veja apêndice da página 260)

saída (sa.**í**.da) substantivo feminino **1.** Ação de sair, de ir para fora de um local: *a saída da escola era muito alegre*. **2.** Local por onde se sai. **3.** Modo, maneira de sair de um problema ou de uma dificuldade: *encontrou uma saída para o problema*.

sair (sa.**ir**) verbo **1.** Passar de dentro para fora. **2.** Deixar um local; partir: *saiu da festa; o ônibus sai às cinco horas*. **3.** Deixar de fazer parte de; demitir-se: *saiu da fábrica*. **4.** Ser publicado: *a revista sai sempre aos domingos*. **5.** Ir a um lugar para se divertir: *adora sair e tomar sorvete*.

sal substantivo masculino Substância branca em pó usada para temperar e conservar alimentos, retirada do mar ou de minas.
▶ Plural: *sais*.

sala (**sa**.la) substantivo feminino **1.** Em uma casa, cômodo onde se recebem as visitas ou se fazem as refeições. **2.** Local para apresentações teatrais ou musicais: *sala de cinema; sala de espetáculo*. **3.** Em um prédio comercial, divisão onde funcionam escritórios ou consultórios. **4.** Divisão interna da escola onde acontecem as aulas, reuniões de professores etc.: *sala de aula; sala dos professores; sala da diretoria*.

salada (sa.**la**.da) substantivo feminino **1.** Prato frio que se faz com vegetais temperados como alface e outras folhas, cenoura, tomate etc. **2.** Prato frio feito com várias frutas picadas.

salamandra (sa.la.**man**.dra) substantivo feminino **1.** Animal semelhante a um lagarto, de corpo longo e cauda cilíndrica. **2.** Animal fantástico indestrutível pelo fogo.

salame (sa.**la**.me) substantivo masculino Alimento feito com carne de porco em conserva, comido em fatias finas, puro ou colocadas no pão.

salão (sa.**lão**) substantivo masculino **1.** Sala grande em que são feitos bailes, festas etc. **2.** Estabelecimento com cabeleireiros, manicures etc. **3.** Exposição de objetos de arte, produtos industrializados, com ou sem venda: *salão de artes; salão do automóvel*. ▶ Plural: *salões*.

salário (sa.**lá**.rio) substantivo masculino Pagamento em dinheiro dado a um empregado pelo seu trabalho, quase sempre combinado por mês; ordenado.

saldo (**sal**.do) substantivo masculino **1.** Resto de uma quantia a pagar ou a receber: *ainda resta um saldo de 100 reais para pagar a dívida*. **2.** Resultado, efeito: *o saldo da campanha foi positivo*. **3.** Mercadoria que sobra, vendida por um preço mais baixo.

salgadinho (sal.ga.**di**.nho) substantivo masculino **1.** Comida apetitosa, ou gostosa, feita em porção individual, servida em festas ou como lanche: *empada e coxinha são meus salgadinhos prediletos*. **2.** Biscoito pequeno e salgado: *comeu um pacote de salgadinhos*.

salgado (sal.**ga**.do) adjetivo **1.** Que contém sal: *água salgada*. **2.** Que contém sal demais: *o arroz estava salgado*. ★substantivo masculino e adjetivo **3.** Comida, prato ou petisco com sal: *doces e salgados*.

salina (sa.**li**.na) substantivo feminino **1.** Local onde se represa a água do mar para que, após a sua evaporação, o sal possa ser extraído. **2.** Empresa que se dedica à produção de sal.

saliva (sa.**li**.va) substantivo feminino Líquido transparente lançado na boca por algumas glândulas e que tem importância na digestão dos alimentos e outras funções; cuspe.

salmão (sal.**mão**) substantivo masculino **1.** Peixe marinho, que na época da reprodução sobe os rios e desova em locais de água corrente e fria, de carne muito apreciada. **2.** A cor entre rosa e laranja, da carne desse peixe. (Veja apêndice da página 256)

salsa (**sal**.sa) substantivo feminino Erva de folhas verdes e triangulares, muito usadas como tempero; salsinha: *o maço de cheiro-verde tem salsa e cebolinha*.

salsão (sal.**são**) substantivo masculino Hortaliça cujos talos são comidos crus ou usados no preparo de sopas, caldos e molhos, por seu sabor marcante; aipo.

salsicha (sal.**si**.cha) substantivo feminino Alimento feito geralmente de carne de porco moída e temperada com formato de cilindro, muito consumido no cachorro-quente.

saltar (sal.**tar**) verbo **1.** Passar por cima dando um pulo, elevar-se do chão: *saltou uma poça de lama*. **2.** Descer, sair de dentro de: *saltou do trem*.

salto (**sal**.to) substantivo masculino **1.** Ato de saltar; pulo. **2.** Competição em que os atletas disputam quem salta mais alto e mais longe. **3.** Queda d'água; cascata. **4.** Parte do calçado que sustenta o calcanhar.

salvar (sal.**var**) verbo **1.** Livrar algo ou alguém de algum perigo ou da morte: *salvou a vida do amigo; salvou-se de morrer afogado*. **2.** Preservar, proteger, resguardar. **3.** Gravar um arquivo no computador.

salva-vidas (sal.va-**vi**.das) substantivo masculino **1.** Nadador profissional que tem como função zelar pela segurança dos banhistas na praia ou na piscina. **2.** Bote ou boia usado para socorrer pessoas que estão se afogando. ▶ Plural: *salva-vidas*.

salvo (**sal**.vo) adjetivo **1.** Livre de perigo. **2.** Defendido; abrigado. **A salvo:** fora de perigo.

samambaia (sa.mam.**bai**.a) substantivo feminino Planta sem flor e com folhas verdes, cultivada em vasos e no jardim, como ornamental.

samba (**sam**.ba) substantivo masculino Dança e música típicas do Brasil, com influências africanas, de que há vários tipos, como samba-enredo, samba-canção e outros. **Escola de samba:** organização cujos membros desfilam juntos no Carnaval, cantando, dançando e tocando um samba que conta uma história, representada em fantasias.

sambaqui (sam.ba.**qui**) substantivo masculino Monte formado por conchas, esqueletos e utensílios domésticos, acumulados por povos indígenas há milhares de anos, no litoral e na margem de rios e lagos.

samburá (sam.bu.**rá**) substantivo masculino Cesto feito com cipó ou bambu.

samurai (sa.mu.**rai**) substantivo masculino Guerreiro nobre da tradição japonesa.

sandália (san.**dá**.lia) substantivo feminino Calçado aberto, com a sola presa ao pé por tiras ou cordões. (Veja apêndice da página 260)

sanduíche (san.du.**í**.che) substantivo masculino Comida feita com pão aberto ou fatiado, no qual se coloca recheios.

sanfona (san.**fo**.na) [ô] substantivo feminino Instrumento musical com teclado e fole, muito usado no baião e na música gaúcha; acordeão, harmônica.

sangrar (san.grar) verbo Derramar sangue, perder sangue: *o machucado estava sangrando um pouco.*

sangue (san.gue) substantivo masculino
1. Líquido vermelho e espesso, que percorre as veias e artérias do corpo dos seres humanos e de vários animais. **2.** Família, parentes, filhos: *todos na festa eram gente do meu sangue.*

sanitário (sa.ni.tá.rio) substantivo masculino
1. Objeto onde se urina ou defeca, em geral ligado a esgoto; privada, latrina, vaso. **2.** Local onde fica esse objeto; banheiro: *os sanitários da escola ficavam ao lado da cantina.* ⭐adjetivo **3.** Que diz respeito à saúde e à higiene: *a vigilância sanitária estabelece regras de higiene para as lanchonetes.*

santo (san.to) substantivo masculino **1.** Pessoa de grande bondade e fé, reconhecida pela Igreja Católica como modelo de comportamento para os fiéis: *os devotos de São João foram à missa.* **2.** Estátua, imagem dessa pessoa: *colocaram a santa no altar.* **3.** Divindade cultuada no candomblé, no espiritismo e em outras religiões: *fizeram oferendas aos santos.* ⭐adjetivo **4.** Relacionado a deus ou a divindades: *locais santos, pessoas santas.* **5.** Muito bom, que faz o bem: *um santo remédio.*

são substantivo masculino e adjetivo **1.** Que tem saúde; sadio. ⭐substantivo masculino **2.** Forma reduzida de santo, usada antes de nomes começados por consoantes, como São Pedro.

sapato (sa.pa.to) substantivo masculino Calçado de sola firme, feito de couro, tecido, plástico etc. (Veja apêndice da página 260)

sapeca (sa.pe.ca) [é] adjetivo Que se mexe muito; arteiro, levado: *jeitinho sapeca; criança sapeca.*

sapinho (sa.pi.nho) substantivo masculino
1. Sapo pequeno. **2.** Mancha esbranquiçada no canto da boca, causada por um fungo, muito comum em bebês em fase de amamentação.

sapo (sa.po) substantivo masculino Animal vertebrado anfíbio, sem cauda, de pernas fortes sempre dobradas, com pele seca, rugosa e com verrugas, que em algumas espécies lançam veneno.

saque (sa.que) substantivo masculino
1. Jogada inicial de tênis, pingue-pongue ou vôlei. **2.** Retirada de dinheiro que estava depositado no banco. **3.** Resultado, produto de um roubo ou assalto.

sarado (sa.ra.do) adjetivo **1.** Que sarou, que foi curado. **2.** Que tem músculos cultivados e visíveis: *barriguinha sarada.*

sarampo (sa.ram.po) substantivo masculino Doença infecciosa cujos sinais são febre, inflamação nos olhos e manchas vermelhas em vários locais do corpo.

sarar (sa.rar) verbo **1.** Recuperar a saúde; curar-se: *teve uma gripe mas sarou em poucos dias.* **2.** Ficar bem, cicatrizar: *o machucado sarou.*

sarau (sa.rau) substantivo masculino Reunião alegre em que os participantes fazem apresentações de poesia, música ou outras artes. ▶ Plural: *saraus.*

sarda (sar.da) substantivo feminino Pequena mancha castanho-escura que aparece no rosto e no corpo de algumas pessoas, principalmente as de pele clara.

sardento (sar.den.to) adjetivo Que tem sardas: *as pessoas que têm as costas sardentas deveriam passar filtro solar quando tomam sol sem camiseta*.

sardinha (sar.di.nha) substantivo feminino Peixe marinho de até 15 centímetros, de grande importância comercial, consumido fresco ou após industrialização, em latas.

sarjeta (sar.je.ta) [ê] substantivo feminino Local para as águas de chuva, junto ao meio-fio da calçada de ruas e praças.

satélite (sa.té.li.te) substantivo feminino 1. Corpo celeste sem luz própria que gira em torno de um planeta: *a Lua é o satélite da Terra*. 2. Aparelho construído pelo homem e colocado para girar em torno de um astro para coletar informações de interesse científico ou para captar e retransmitir sinais de comunicação entre pontos distantes: *os satélites de comunicação giram em torno da Terra e transmitem sinais de televisão, rádio, internet ou telefone*.

satisfazer (sa.tis.fa.zer) verbo 1. Realizar, cumprir, atender: *foi jogar bola e satisfez a vontade de brincar*. 2. Contentar, convencer: *a explicação satisfez a todos*.

satisfeito (sa.tis.fei.to) adjetivo 1. Que comeu o suficiente, que não tem fome; saciado, farto: *não, obrigada, não quero porque estou satisfeita*. 2. Realizado, cumprido: *as exigências de documentos foram satisfeitas*. 3. Contente, feliz.

saudação (sau.da.ção) substantivo feminino Palavra ou expressão usadas no início de uma conversa ou de uma mensagem, maneira de saudar a pessoa que irá ouvir ou ler: *"bom dia" e "oi" são saudações muito usadas*.
▶ Plural: *saudações*.

saudade (sau.da.de) substantivo feminino Recordação de pessoas e coisas que estão longe ou que se foram para sempre, acompanhada do desejo de vê-las de novo: *estava com saudades da avó; senti saudades da praia*.

saudável (sau.dá.vel) adjetivo 1. Que é bom para a saúde, que faz bem: *comer frutas é um hábito muito saudável*. 2. Que tem boa saúde; sadio, são.

saúde (sa.ú.de) substantivo feminino 1. Estado de quem é sadio, são. 2. Força, vigor, bem-estar.

saúva (sa.ú.va) substantivo feminino Formiga grande, que corta pedaços de folha e os carrega para o formigueiro, para que neles cresça um fungo que é o alimento.

saveiro (sa.vei.ro) substantivo masculino Barco comprido, em geral com duas velas, para transporte de pessoas, carga e pesca no mar.

saxofone (sa.xo.fo.ne) [cs...ô] substantivo masculino Instrumento musical metálico de sopro, com chaves e embocadura; sax.

seca (se.ca) [ê] substantivo feminino 1. Falta de chuvas; estiagem. 2. Falta de abastecimento de água por longo tempo.

secador (se.ca.**dor**) [ô] adjetivo **1.** Que seca. ★substantivo masculino **2.** Aparelho que sopra ar quente, para secar os cabelos.

secadora (se.ca.**do**.ra) [ô] substantivo feminino Máquina para secar roupas, com ar quente.

seção (se.**ção**) substantivo feminino **1.** Divisão, parte, pedaço de um todo, de uma organização: *a loja tinha seção de roupas e seção de calçados*. **2.** Corte, fatia. ▸É diferente de *sessão*. ▸Plural: *seções*.

secar (se.**car**) verbo Tornar seco; enxugar; retirar a água ou a umidade: *secar a roupa*; *secar o cabelo*.

seco (**se**.co) [ê] adjetivo **1.** Que não contém líquido nem umidade, que não está molhado; enxuto: *o chão está seco*. **2.** Que não tem vegetação; árido: *região seca*. **3.** Diz-se do clima sem umidade: *o tempo anda muito seco*.

secreção (se.cre.**ção**) substantivo feminino Substância produzida por uma glândula ou célula, lançada dentro ou fora do corpo: *as lágrimas e o suor são secreções*. ▸Plural: *secreções*.

secretaria (se.cre.ta.**ri**.a) substantivo feminino **1.** Função ou trabalho de cuidar da correspondência, dos documentos e da coordenação das atividades de uma escola, empresa ou profissional: *ele trabalhava na secretaria da escola*. **2.** Divisão de um governo com funções específicas: *Secretaria de Educação; Secretaria de Obras*.

secretário (se.cre.**tá**.rio) substantivo masculino **1.** Pessoa que é responsável por uma secretaria: *a secretária da escola colou os avisos no quadro*. **2.** Titular de uma secretaria de governo.

secreto (se.**cre**.to) [é] adjetivo **1.** Escondido, oculto: *passagem secreta*. **2.** Que deve ser mantido em segredo: *informações secretas*.

século (**sé**.cu.lo) substantivo masculino Período de cem anos: *estamos no século 21*. (Veja apêndice da página 254)

seda (**se**.da) [ê] substantivo feminino **1.** Fio macio e flexível produzido pelo bicho-da-seda, que é a lagarta de certa mariposa. **2.** Tecido feito com esse fio.

sede[1] (**se**.de) [ê] substantivo feminino Vontade, necessidade de beber água ou outro líquido: *nos dias quentes sentimos mais sede*.

sede[2] (**se**.de) [é] substantivo feminino **1.** Local onde se estabelece uma organização: *a sede do clube fica perto da praça*. **2.** Local onde se realiza um acontecimento.

sedento (se.**den**.to) adjetivo Que está com sede.

segmento (seg.**men**.to) substantivo masculino Parte de um todo; seção; trecho.

segredo (se.**gre**.do) [ê] substantivo masculino **1.** Aquilo que não deve ser revelado a ninguém; assunto secreto. **2.** Combinação de movimentos que abre a maçaneta de certos cofres; senha.

seguinte (se.**guin**.te) adjetivo Que vem ou acontece em seguida; imediato: *o dia seguinte de sábado é domingo; o ano seguinte do primeiro é o segundo*.

seguir (se.guir) verbo **1.** Ir atrás de, acompanhar: *os patinhos seguiam a mãe na lagoa*. **2.** Tomar certa direção, ir: *seguiu pela direita*. **3.** Acreditar, obedecer, acatar: *seguir os conselhos; seguir as instruções; seguir uma religião*.

segundo (se.gun.do) numeral **1.** Que está na posição do número 2, que vem depois do primeiro: *o segundo lugar ganha medalha de prata*. ⭐substantivo masculino **2.** A sexagésima parte de um minuto: *terminou a corrida um segundo na frente do segundo colocado*. **3.** Curtíssimo espaço de tempo, em linguagem figurada: *espere um segundo, volto logo*.

segurança (se.gu.ran.ça) substantivo feminino **1.** Condição do que está seguro, protegido: *debaixo do telhado os passarinhos estavam em segurança*. ⭐substantivo masculino **2.** Pessoa contratada para vigiar e proteger um local ou uma pessoa: *o segurança da loja nos ajudou a atravessar a rua*.

segurar (se.gu.rar) verbo **1.** Pegar, manter em mãos, controlar: *segurou a boneca no colo*. **2.** Sustentar, amparar: *a corda segura o balanço; segurou-se no corrimão da escada*. **3.** Conter-se, controlar-se: *segurou-se para não dar risada durante a aula*.

seguro (se.gu.ro) adjetivo **1.** Que não oferece perigo: *lugar seguro*. **2.** Certo, sem dúvida, firme: *resposta segura*. ⭐substantivo masculino **3.** Contrato que garante um pagamento em caso de roubo, incêndio, acidente, doença etc.

seio (sei.o) substantivo masculino Parte do corpo da mulher onde estão as glândulas mamárias; mama, peito: *mamou no seio da mãe até os dez meses de idade*.

seiva (sei.va) substantivo feminino Líquido dos vegetais que transporta os nutrientes absorvidos do solo para as folhas.

seixo (sei.xo) substantivo masculino Pedra pequena; pedregulho, cascalho.

sela (se.la) [ê] substantivo feminino Assento colocado no lombo dos animais que serão montados.

selar (se.lar) verbo **1.** Colocar sela em: *selou o cavalo*. **2.** Colar selo: *selou a carta*.

seleção (se.le.ção) substantivo feminino **1.** Ato de selecionar ou escolher; escolha; aquilo que se selecionou: *fez uma seleção dos melhores filmes; gostei da seleção dos melhores momentos*. **2.** Grupo de atletas escolhidos entre os melhores para constituir um time ou equipe: *seleção de futebol*. ▶ Plural: *seleções*.

selim (se.lim) substantivo masculino **1.** Assento, banco de bicicleta. **2.** Sela pequena.

selo (se.lo) [ê] substantivo masculino **1.** Figura impressa em papel que se cola nas cartas e encomendas, usada para pagar o envio da correspondência; selo postal. **2.** Sinal ou marca estampada por carimbo.

selva (sel.va) substantivo feminino Floresta, mata, bosque.

selvagem (sel.**va**.gem) adjetivo **1.** Que pertence à selva, floresta ou mato; que não foi criado pelo homem: *os animais selvagens caçam seu alimento na floresta*. **2.** Que age como um bicho do mato, que não foi domado nem educado. ⭐substantivo de dois gêneros **3.** Pessoa que vive nas selvas ou florestas: *os selvagens da Amazônia fazem lindas pinturas corporais*.

semáforo (se.**má**.fo.ro) substantivo masculino **1.** Aparelho de sinalização colocado nos cruzamentos de ruas e avenidas para orientar o tráfego; farol, sinal, sinaleira. **2.** Poste de sinalização das linhas férreas e das costas.

semana (se.**ma**.na) substantivo feminino **1.** Período de sete dias, que vai do domingo ao sábado. (Veja apêndice da página 254) **2.** Sete dias seguidos: *passei uma semana na casa da minha avó*.

semear (se.me.**ar**) verbo Espalhar sementes para que germinem.

semelhança (se.me.**lhan**.ça) substantivo feminino **1.** Qualidade de semelhante; aspecto, aparência, parecidos. **2.** Comparação entre duas coisas: *não há semelhança entre os dois quadros*.

semelhante (se.me.**lhan**.te) adjetivo **1.** Que é parecido, que se parece; similar: *o sapo é semelhante à rã*. ⭐substantivo de dois gêneros **2.** Ser que é da mesma natureza ou espécie que outro: *os seres humanos são semelhantes*.

semente (se.**men**.te) substantivo feminino **1.** Grão que, lançado à terra, germina e dá origem a novos vegetais; parte da planta que gera uma nova planta. (Veja apêndice da página 249) **2.** Aquilo que dá início a algo; ponto inicial, origem: *a festa foi a semente de uma longa amizade*.

semestre (se.**mes**.tre) substantivo masculino Sequência de seis meses: *o ano tem dois semestres, um de janeiro a junho e outro de julho a dezembro*. (Veja apêndice das páginas 254-255)

semicírculo (se.mi.**cír**.cu.lo) substantivo masculino Metade de um círculo.

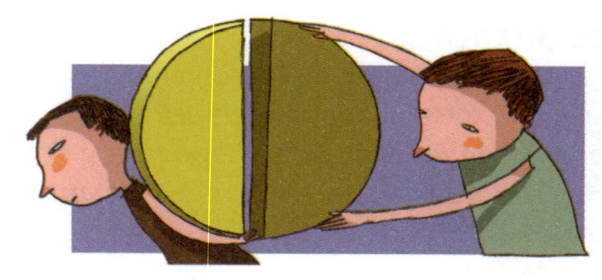

sempre (**sem**.pre) advérbio **1.** Por todo o tempo; constantemente: *sempre morou nessa casa*. **2.** Sem parar ou sem mudar, de maneira igual: *vire sempre à direita e dará a volta no quarteirão*. **3.** Todas as vezes; de qualquer maneira: *sai de casa sempre às 7 horas*.

senha (se.nha) [ê] substantivo feminino **1.** Sinal, gesto ou código combinado entre duas ou mais pessoas; código. **2.** Combinação de letras ou números que dá acesso a um computador, conta bancária etc.

senhor (se.**nhor**) [ô] substantivo masculino **1.** Tratamento respeitoso entre pessoas que não têm intimidade. **2.** Tratamento dado a homens idosos. **3.** Tratamento dado a homens importantes. **4.** Dono, proprietário. **5.** Com inicial maiúscula, o ser divino, a divindade, Deus. ▶ Feminino: *senhora* [ó].

sênior (sê.ni.or) adjetivo e substantivo masculino **1.** Diz-se daquele que é o mais velho entre duas pessoas da mesma família que têm o mesmo nome. **2.** Que é mais antigo ou mais conceituado em uma carreira ou atividade: *estilista sênior; advogado sênior*. **3.** Nos esportes, atleta experiente, já premiado, e a categoria em que competem esses atletas: *corredor sênior*. ▸ Plural: *seniores* [ô].

sensação (sen.sa.**ção**) substantivo feminino **1.** Impressão produzida nos órgãos dos sentidos e levada ao sistema nervoso central: *sensação de frio*. **2.** Impressão física em geral: *sensação de bem-estar*. **3.** Impressão causada por um acontecimento surpreendente: *sua chegada causou sensação*. ▸ Plural: *sensações*.

sensacional (sen.sa.ci.o.**nal**) adjetivo Que causa sensação; surpreendente: *no parque havia brinquedos sensacionais como a montanha-russa e o barco viking; a feira de ciências mostrou inventos sensacionais de realidade virtual*. ▸ Plural: *sensacionais*.

sensível (sen.**sí**.vel) adjetivo **1.** Que é percebido pelos sentidos. **2.** Que sente, que tem sensibilidade. **3.** Impressionável. **4.** Delicado. **5.** Dolorido. ▸ Plural: *sensíveis*.

sensor (sen.**sor**) [ô] substantivo masculino Dispositivo utilizado para detectar alvos inimigos, localizar acidentes geográficos ou identificar movimentos inesperados, como nos alarmes contra ladrões.

sentar (sen.**tar**) verbo Flexionar as pernas e apoiar as nádegas em: *sentou na almofada, sentou-se na cadeira*.

sentença (sen.**ten**.ça) substantivo feminino **1.** Julgamento proferido por um juiz ou tribunal; decisão. **2.** Frase que contém um pensamento moral; provérbio; máxima. **3.** Frase; oração.

sentido (sen.**ti**.do) substantivo masculino **1.** Capacidade de perceber sensações e impressões: *os órgãos dos sentidos são visão, audição, olfato, paladar e tato*. **2.** Direção: *siga por aquele sentido*. **3.** Significado: *não entendeu o sentido da frase*.

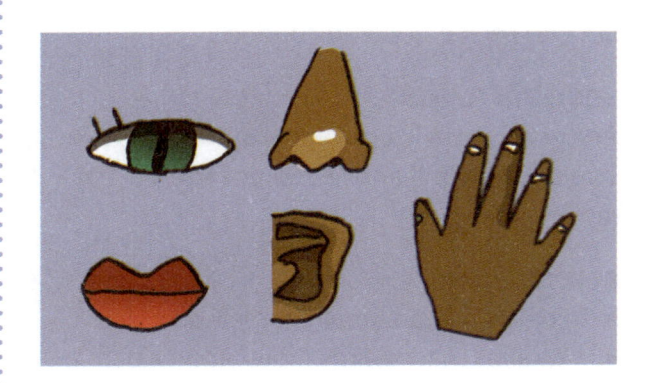

sentimento (sen.ti.**men**.to) substantivo masculino **1.** Ato de sentir. **2.** Capacidade para sentir; sensibilidade. **3.** Emoção; afeto: *tem um grande sentimento pelo irmão*.

sentir (sen.**tir**) verbo **1.** Ser sensível a: *sentia a alegria do amigo*. **2.** Perceber por meio de qualquer um dos órgãos dos sentidos: *sentiu um gosto amargo*. **3.** Pressentir, imaginar, supor, desconfiar, achar.

separação (se.pa.ra.**ção**) substantivo feminino **1.** Ato de separar ou afastar; afastamento. **2.** Aquilo que separa; divisória. ▸ Plural: *separações*.

separar (se.pa.**rar**) verbo **1.** Desunir, afastar, distanciar: *separou os dedos e desenhou a mão no papel*. **2.** Dividir, diferenciar: *separou as pedras brancas das pedras pretas*. **3.** Terminar uma união; ficar longe um do outro, afastar-se: *o grupo se separou e foi cada um para seu lado; meus pais se separaram*.

sepultura (se.pul.**tu**.ra) substantivo feminino Cova, buraco no chão em que se enterra um morto; túmulo.

sequência (se.**quên**.cia) [qUe] substantivo feminino Conjunto de objetos, números ou fatos que vêm um depois do outro; série; Esta palavra era escrita com um sinal sobre o **u**, para indicar que é pronunciado.

sequilho (se.**qui**.lho) substantivo masculino Biscoito seco e quebradiço, doce.

sequoia (se.**quoi**.a) [ói] substantivo feminino Árvore da América do Norte que chega a viver mais de mil anos e medir cerca de 100 metros de altura.

sereia (se.**rei**.a) substantivo feminino Ser mitológico, metade mulher, metade peixe, que atrai os marinheiros e pescadores para o fundo do mar com seu canto maravilhoso.

sereno (se.**re**.no) [ê] substantivo masculino **1.** Vapor atmosférico que cai à noite; orvalho, relento. ⭐ adjetivo **2.** Calmo, sossegado, tranquilo: *o nenê dormia com o rosto sereno*.

seriado (se.ri.**a**.do) adjetivo **1.** Colocado em série. ⭐ substantivo masculino **2.** Filme que é exibido em capítulos, ou episódios, na televisão.

série (**sé**.rie) substantivo feminino **1.** Conjunto de elementos da mesma natureza. **2.** Sequência. **3.** Ano ou curso escolar: *está na segunda série*. **4.** Conjunto de livros de vários autores publicados com um título comum: *estou lendo uma série de livros de mistério*.

seringa (se.**rin**.ga) substantivo feminino **1.** Aparelho cilíndrico, de plástico ou de vidro, com uma agulha, usado para aplicar injeções. **2.** Tubo de plástico que se enche de água para molhar as pessoas durante as festas de carnaval; bisnaga.

seringueira (se.rin.**guei**.ra) substantivo feminino Árvore da qual se extrai o látex, líquido com que é feita a borracha.

sério (**sé**.rio) adjetivo **1.** Que não ri ou ri pouco; sisudo: *homem sério*. **2.** Que merece atenção; importante: *fez uma pesquisa séria*. **3.** Verdadeiro, honesto, confiável: *um trabalho sério, uma pessoa séria*. **4.** Grave, perigoso: *acidente sério*.

serpente (ser.**pen**.te) substantivo feminino Cobra.

serra (**ser**.ra) substantivo feminino **1.** Cadeia de montanhas com muitos picos. **2.** Lâmina com dentes irregulares, para cortar ou serrar madeira, metal, pedra etc.

serrar (ser.**rar**) verbo Cortar com serra ou serrote.

serrote (ser.**ro**.te) substantivo masculino Ferramenta para cortar madeira formada por uma serra em um cabo.

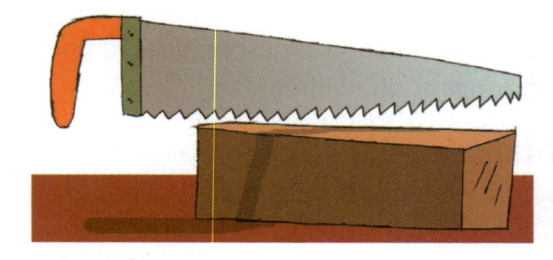

sertanejo (ser.ta.**ne**.jo) [ê] substantivo masculino e adjetivo **1.** Aquele que vive no sertão. ⭐ adjetivo **2.** Próprio do sertão: *luar sertanejo, casinha sertaneja*. **3.** Diz-se da música de um estilo rural, com duas vozes e viola: *modinha sertaneja, música sertaneja*.

sertão (ser.**tão**) substantivo masculino
1. Região afastada das cidades e do litoral; interior. **2.** Região muito seca do Nordeste brasileiro. ▶ Plural: *sertões*.

servente (ser.**ven**.te) substantivo masculino
1. Pessoa que faz trabalhos de limpeza ou conservação em uma obra ou em uma empresa. **2.** Operário que trabalha como ajudante do oficial nas construções.

serviço (ser.**vi**.ço) substantivo masculino
1. Tarefa, dever, atividade: *varrer o chão é um dos serviços da casa*. **2.** Ocupação, trabalho: *o serviço do pedreiro é fazer paredes, o serviço do pintor é pintar*.

servir (ser.**vir**) verbo **1.** Colocar à mesa: *serviu o almoço*. **2.** Colocar à disposição, oferecer um alimento ou bebida: *serviu bolo para as visitas*. **3.** Ser útil: *a faca serve para cortar*. **4.** Prestar serviço: *servir à pátria*. **5.** Executar trabalhos domésticos; cuidar: *serviu à família por várias décadas*. **6.** Vestir, cair bem: *ele cresceu e a calça não serve mais*.

sessão (ses.**são**) substantivo feminino
1. Tempo marcado, com início e fim, para realização de uma atividade que em geral irá se repetir: *um tratamento em dez sessões; sessões de estudo*. **2.** Cada apresentação de um espetáculo, de um filme etc.: *assistimos ao filme na sessão das duas horas da tarde*. ▶ É diferente de *seção*. Plural: *sessões*.

seta (**se**.ta) [é] substantivo feminino **1.** Flecha que se atira com um arco. **2.** Sinal que indica direção.

setentrional (se.ten.tri.o.**nal**) adjetivo Que diz respeito à direção norte ou às regiões do norte; que se situa ao norte. ▶ Plural: *setentrionais*.

setor (se.**tor**) [ô] substantivo masculino
1. Divisão ou subdivisão de uma área, região; parte: *setor norte da cidade*. **2.** Ramo de atividade; área: *setor comercial*.

sexagenário (se.xa.ge.**ná**.rio) [cs] substantivo masculino e adjetivo Que ou aquele que está na casa dos sessenta anos.

sexo (**se**.xo) [cs] substantivo masculino
1. Conjunto de características que diferenciam o homem da mulher ou o macho da fêmea, entre os demais animais: *sexo masculino e sexo feminino*. **2.** Os órgãos sexuais, os órgãos genitais: *a estátua era de um homem pelado com uma folhinha cobrindo o sexo*.

sílaba (**sí**.la.ba) substantivo feminino Som emitido de uma só vez, formado por pelo menos uma vogal acompanhada ou não de uma ou mais consoantes: *as palavras "ovo" e "pilha" são formadas por duas sílabas, mas uma tem três letras e a outra tem cinco letras*.

silêncio (si.**lên**.cio) substantivo masculino
1. Estado de quem se cala: *ficaram em silêncio durante a explicação*. **2.** Falta de ruído ou barulho; sossego: *o silêncio da noite*. **3.** Mistério, segredo: *sobre aquele assunto, só silêncio*.

silencioso (si.len.ci.**o**.so) [ô] adjetivo Que não faz barulho; sossegado, calado. ▶ Plural: *silenciosos* [ó].

silvestre (sil.**ves**.tre) adjetivo **1.** Que vive nas selvas; selvagem: *animais silvestres*. **2.** Que nasce ou cresce espontaneamente, que não foi cultivado ou plantado; agreste: *frutas silvestres*.

sim advérbio **1.** Exprime afirmação, aprovação, acordo ou permissão. ★substantivo masculino **2.** Aprovação, permissão: *ela deu o sim e fomos passear*.

símbolo (**sím**.bo.lo) substantivo masculino **1.** Sinal, imagem ou objeto que representa alguma coisa: *a bandeira é o símbolo da pátria*. **2.** Representação gráfica: *símbolo matemático*.

simétrico (si.**mé**.tri.co) adjetivo Que tem dois lados iguais, que é igual dos dois lados: *as letras H, T, X e O são simétricas*.

simpatia (sim.pa.**ti**.a) substantivo feminino **1.** Sentimento agradável e espontâneo que uma pessoa sente por outra: *o professor tinha grande simpatia pelos alunos*. **2.** Atração por uma coisa, por uma ideia: *tem simpatia pelo automobilismo; simpatiza com as ideias daquele político*. **3.** Ritual ou superstição para conseguir algo que se deseja: *no dia de Santo Antônio algumas moças fazem simpatia para casar*.

simpático (sim.**pá**.ti.co) adjetivo Que inspira simpatia, que é agradável: *uma pessoa simpática; um gesto simpático*.

simples (**sim**.ples) adjetivo Sem complicação; fácil: *a prova foi muito simples; eram brinquedos muito simples de montar*.
▸ Plural: *simples*.

sinal (si.**nal**) substantivo masculino **1.** Marca, vestígio, indício. **2.** Gesto, luz ou som de aviso: *o caminhão deu sinal para esquerda; o guarda fez sinal dizendo que para esperar*. **3.** Campainha ou sirene tocada para indicar o começo e o final de alguma coisa: *tocou o sinal no teatro avisando que a peça ia começar; tocou o sinal indicando o final da aula*. **4.** Letreiro, placa com instruções. **5.** Semáforo. **6.** Cicatriz, marca na pele.
▸ Plural: *sinais*.

sincero (sin.**ce**.ro) adjetivo Que diz o que pensa e sente; franco, autêntico, verdadeiro.

sinfonia (sin.fo.**ni**.a) substantivo feminino Obra musical composta para orquestra.

sinfônico (sin.**fô**.ni.co) adjetivo Que diz respeito à sinfonia; feito para ser tocado por orquestra: *música sinfônica*.

sino (**si**.no) substantivo masculino Instrumento em forma de cone invertido, oco, que produz sons quando tocado com um badalo na parte interna ou com um martelo na parte exterior.

sinônimo (si.**nô**.ni.mo) substantivo masculino Palavra que tem a mesma ou quase a mesma significação que outra: *seis e meia dúzia são sinônimos*.

siri (si.**ri**) substantivo masculino Animal marinho semelhante ao caranguejo, com cinco pares de patas e o último em forma de remo, de carne usada na preparação de vários pratos.

site [inglês: "saite"] substantivo masculino Página ou conjunto de páginas interligadas na internet; sítio, website: *o site da escola mostra as fotos e a lista de material.*

sítio (**sí**.tio) substantivo masculino **1.** Pequena propriedade rural: *foram passar o final de semana no sítio.* **2.** Local, espaço, localidade: *os viajantes pararam para descansar em um sítio agradável.* **3.** Site.

situação (si.tu.a.**ção**) substantivo feminino Local, estado ou posição em que se está.
▶ Plural: *situações*.

skate [inglês: "isqueite"] substantivo masculino **1.** Prancha com quatro rodas, sobre a qual a pessoa se equilibra em pé e, dando impulso ou aproveitando rampas, pode fazer saltos e manobras: *ganhou um skate no dia do aniversário.* **2.** Atividade de lazer e esporte praticados com essa prancha.

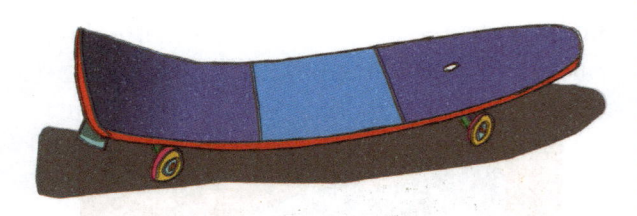

soar (so.**ar**) verbo Produzir som; tocar, ecoar: *as buzinas soaram a noite toda.* **Não soar bem:** parecer esquisito ou duvidoso: *a história do encontro com extraterrestres não lhe soou muito bem.* ▶ É diferente de suar.

sob [ô] preposição Debaixo de: *a toalha está sob o prato; abrigaram-se da chuva sob o telhado.*

sobra (**so**.bra) substantivo feminino O que fica depois de tirado o necessário; resto, excesso: *sobras de comida; sobras de tecido.*

sobrancelha (so.bran.**ce**.lha) [ê] substantivo feminino Conjunto de pelos sobre os olhos, em forma de arco.

sobrar (so.**brar**) verbo Existir como sobra ou resto, em excesso; exceder, restar: *dividimos cinco bolas para duas pessoas e sobrou uma.*

sobre (**so**.bre) [ô] preposição **1.** Em cima de; por cima de: *a xícara está sobre a mesa.* **2.** A respeito de: *leu um livro sobre os índios.*

sobremesa (so.bre.**me**.sa) [ê] substantivo feminino Doce ou fruta que se come ao final de uma refeição.

sobrenome (so.bre.**no**.me) [ô] substantivo masculino Nome de família, o último dos nomes da pessoa: *seu nome é Pedro e seu sobrenome é Santos.*

sobrevivente (so.bre.vi.**ven**.te) substantivo de dois gêneros e adjetivo Aquele que sobrevive ou que sobreviveu, que não morreu: *os animais sobreviventes da seca estavam muito fracos; os sobreviventes da queda do avião ainda lembram da tragédia.*

sobreviver (so.bre.vi.**ver**) verbo **1.** Continuar a viver depois de: *apesar da intensidade, muitos sobreviveram ao terremoto.* **2.** Escapar; resistir: *o quadro sobreviveu ao incêndio.* **3.** Continuar a viver ou existir depois de outras pessoas ou coisas: *sobreviveu ao marido.*

sobrinho (so.**bri**.nho) substantivo masculino Filho do irmão ou da irmã, ou filho de cunhada e cunhado. (Veja apêndice da página 262)

social (so.ci.**al**) adjetivo **1.** Que diz respeito à sociedade. **2.** Que vive em sociedade; sociável: *a abelha é um inseto social*. ▶Plural: *sociais*.

sociável (so.ci.**á**.vel) adjetivo Que gosta de viver em sociedade; social. ▶ Plural: *sociáveis*.

sociedade (so.ci.e.**da**.de) substantivo feminino **1.** Reunião de homens ou animais que vivem em grupos organizados: *sociedade humana; as formigas vivem em sociedade*. **2.** Conjunto de pessoas com atividades e interesses comuns; comunidade. **3.** Organização, grupo para um fim determinado, dividida entre os sócios: *fizeram sociedade para montar uma banca de revistas*.

sócio (**só**.cio) substantivo masculino Membro de qualquer sociedade com ou sem fins lucrativos; associado.

soco (**so**.co) [ô] substantivo masculino Pancada que se dá com a mão fechada; murro.

socorro (so.**cor**.ro) [ô] substantivo masculino Ato de socorrer, de oferecer proteção, auxílio, ajuda. ▶ Plural: *socorros* [ó].

sofá (so.**fá**) substantivo masculino Móvel estofado com encosto e braços, para duas ou mais pessoas.

sofredor (so.fre.**dor**) [ô] adjetivo Que sofre, que sente dor física ou mental; que aguenta uma coisa ruim, um sofrimento.

sofrer (so.**frer**) verbo **1.** Suportar uma coisa ruim, ser afligido por; padecer: *sofreu muitas dores*. **2.** Passar por; experimentar: *sofreu um abalo*; *os carros sofreram um aumento*. **3.** Ser alvo de: *sofreu uma pancada durante o jogo*. **4.** Padecer de, ter: *sofre de asma*.

sogro (**so**.gro) [ô] substantivo masculino Pai do marido ou da mulher em relação à mulher ou ao marido. ▶ Feminino: *sogra* [ó].

soja (**so**.ja) substantivo feminino Planta originária da China, cujas sementes são usadas para fabricação de óleo, na alimentação humana e animal. O mesmo que feijão-soja.

sol substantivo masculino **1.** Astro que fica no centro do sistema solar, estrela em torno da qual giram a Terra e os outros planetas do sistema solar: *a Terra gira em torno do Sol*. (Veja apêndice da página 258) **2.** Luz e calor transmitidos pelo Sol: *o sol entrava por todas as janelas*. ▶ Plural: *sóis*.

sola (**so**.la) substantivo feminino **1.** Parte do calçado que fica em contato com o chão; solado. **2.** A planta do pé.

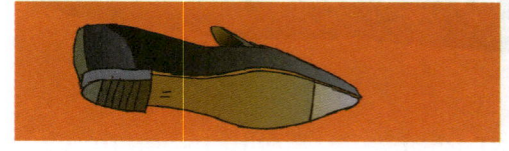

soldado (sol.**da**.do) substantivo masculino **1.** Homem que entrou para o exército ou para a polícia; militar. **2.** Aquele que luta por uma causa, partido ou ideia; militante: *soldado da fé*.

soletrar (so.le.**trar**) verbo Ler pronunciando separadamente letra por letra de uma palavra: *aprendeu a soletrar bem cedo*.

solicitar (so.li.ci.**tar**) verbo Pedir, tentar conseguir, requerer: *solicitou permissão para sair da sala um pouco; solicitou ajuda aos bombeiros*.

solidariedade (so.li.da.ri.e.**da**.de) substantivo feminino **1.** Qualidade, característica de solidário. **2.** Sensibilidade aos problemas ou sofrimentos de outras pessoas, com tentativa de auxílio.

solidário (so.li.**dá**.rio) adjetivo Que se comove com os problemas, os sofrimentos ou as lutas de outras pessoas e tenta ajudar, dar apoio: *gesto solidário; pessoas solidárias*.

sólido (**só**.li.do) adjetivo **1.** Que apresenta volume e forma definidos; que não é líquido nem gás: *alimentos sólidos como uma maçã e líquidos como leite*. **2.** Firme, resistente: *construções sólidas*.

solitário (so.li.**tá**.rio) adjetivo **1.** Que vive na solidão; só, sozinho. ★ substantivo masculino **2.** Aquele que está ou vive longe do convívio dos outros. **3.** Anel com um só brilhante.

solo (**so**.lo) substantivo masculino **1.** Chão; terra. **2.** Obra ou trecho de obra musical para uma só pessoa.

soltar (sol.**tar**) verbo **1.** Deixar ir ou vir, deixar livre, dar a liberdade a: *soltou o passarinho*. **2.** Retirar aquilo que prende; desprender: *soltou os cabelos*. **3.** Dizer; exclamar: *soltou aquelas piadas engraçadas*. **4.** Libertar-se; desprender-se.

solteiro (sol.**tei**.ro) substantivo masculino Pessoa que não se casou: *o jogo era de casados contra solteiros*.

solto (**sol**.to) [ô] adjetivo **1.** Que está livre; desprendido; desatado. **2.** Libertado. **3.** Largo, folgado.

solução (so.lu.**ção**) substantivo feminino **1.** Meio para resolver um problema, uma dificuldade. **2.** Resultado de uma questão ou exercício. **3.** Desfecho, conclusão. ▸ Plural: *soluções*.

soluço (so.**lu**.ço) substantivo masculino **1.** Contração de músculos do abdome, que provoca um ruído característico: *a criança não parava de soluçar*. **2.** Choro acompanhado de suspiros.

som substantivo masculino **1.** Tudo o que se pode ouvir, que pode ser captado pelo sentido da audição. **2.** Música: *ouvir um som; pegou o violão e fez um som*.

soma (**so**.ma) [ô] substantivo feminino **1.** Operação matemática de adição. **2.** O resultado de uma adição. **3.** Quantia em dinheiro.

somar (so.**mar**) verbo **1.** Fazer a soma de; adicionar: *ela aprendeu a somar*. **2.** Ajuntar; acrescentar.

sombra (**som**.bra) substantivo feminino **1.** Espaço menos iluminado, onde não bate luz direta. **2.** Local onde não bate sol. **3.** Escuridão; noite.

sombrinha (som.**bri**.nha) substantivo feminino Espécie de guarda-chuva, em geral usado por mulheres e crianças para se proteger do sol e da chuva.

sombrio (som.**bri**.o) adjetivo **1.** Em que há sombra; pouco iluminado. **2.** Triste; infeliz.

soneca (so.**ne**.ca) substantivo feminino Sono curto; cochilo.

sonhar (so.**nhar**) verbo **1.** Ter sonhos enquanto dorme: *sonhou a noite toda*. **2.** Fantasiar; devanear: *sonha com o príncipe encantado*. **3.** Desejar muito: *sonha em viajar por todo o país*.

sonho (so.nho) [ô] substantivo masculino **1.** Conjunto de imagens que vêm à mente durante o sono: *tive sonhos bons esta noite*. **2.** Fantasia; desejo: *seu sonho é ser piloto*. **3.** Bolinho de farinha de trigo e ovos, frito, servido com recheio de creme e polvilhado com açúcar.

sono (**so**.no) [ô] substantivo masculino **1.** Vontade de dormir: *é tarde, estamos com sono*. **2.** Estado de quem está dormindo: *durante o sono a pessoa tem sonhos*.

sonolento (so.no.**len**.to) adjetivo Que sente sono, que está com vontade de dormir.

sonoro (so.**no**.ro) adjetivo Relacionado a som, feito por som ou que produz som: *sinal sonoro*.

sopa (**so**.pa) [ô] substantivo feminino Prato em geral quente, líquido e salgado, feito com caldo de carne, frango ou legumes cozidos, massas.

soprar (so.**prar**) verbo **1.** Empurrar o ar com a boca; assoprar: *soprou as velinhas; soprou para esfriar o pastel*. **2.** Dizer em voz muito baixa; cochichar: *soprou a resposta da pergunta bem baixinho*.

sopro (**so**.pro) [ô] substantivo masculino Ar que se expulsa pela boca.

sorrir (sor.**rir**) verbo Rir discretamente, sem fazer som, apenas com um movimento dos lábios.

sorriso (sor.**ri**.so) substantivo masculino Ato de sorrir, expressando alegria, simpatia ou outro sentimento.

sorte (**sor**.te) substantivo feminino **1.** Coisa boa que acontece sem ser esperada ou que se considerava muito difícil de acontecer: *teve a sorte de receber o prêmio; foi uma sorte encontrar o amigo na esquina*. **2.** Aquilo que acontecerá no futuro e que não se pode prever: *gostava de imaginar qual seria a sua sorte; desejo-lhe boa sorte na prova de amanhã*.

sorteio (sor.**tei**.o) substantivo masculino Ato de sortear, de escolher ou decidir alguma coisa por acaso, pela sorte: *ganhou uma coleção de livros no sorteio*.

sortudo (sor.**tu**.do) adjetivo Que tem muita sorte.

sorvete (sor.**ve**.te) [ê] substantivo masculino Alimento gelado feito de frutas, cremes, chocolate etc., em creme ou no palito.

sósia (**só**.sia) substantivo de dois gêneros Pessoa que é muito parecida, quase igual a outra.

sossego (sos.**se**.go) [ê] substantivo masculino **1.** Calma, tranquilidade, paz. **2.** Repouso, descanso.

sozinho (so.**zi**.nho) adjetivo **1.** Sem ajuda, por si mesmo, só: *conseguiu andar sozinho com um ano de idade*. **2.** Solitário, sem companhia, sem outras pessoas perto; só: *sua tia morava sozinha*.

suar (su.**ar**) verbo Soltar pelos poros um líquido chamado suor; transpirar. ▸ É diferente de soar.

suave (su.**a**.ve) adjetivo Que é feito sem esforço nem exagero; que não é intenso nem forte; ameno, sutil: *voz suave, gosto suave*.

subida (su.**bi**.da) substantivo feminino **1.** Ação de subir, de seguir para cima em um terreno inclinado. **2.** Esse trecho do caminho.

subir (su.**bir**) verbo **1.** Elevar-se, ir para cima no ar: *o balão subiu depressa*. **2.** Transportar-se, ir para um lugar mais alto: *subiu o morro; subia nas árvores*. **3.** Aumentar, ficar maior: *o preço subiu*.

súbito (**sú**.bi.to) adjetivo **1.** Que aparece sem ninguém esperar, ou inesperadamente: *sentiu uma tontura súbita e sentou-se*. ★ advérbio **2.** De modo inesperado, de uma hora para outra: *súbito caiu uma chuva*.

sublinhado (su.bli.**nha**.do) [sub-li ou su-bli] adjetivo Escrito com uma linha embaixo; grifado, destacado com um risco embaixo: *a palavra atenção está sublinhada*.

submarino (sub.ma.**ri**.no) adjetivo **1.** Que existe no fundo do mar: *plantas submarinas*. ★ substantivo masculino **2.** Navio que navega embaixo da água.

subsolo (sub.**so**.lo) substantivo masculino **1.** Camada do solo que fica abaixo da terra. **2.** Em um edifício, pavimento abaixo do térreo: *a garagem fica no subsolo*.

substância (subs.**tân**.cia) substantivo feminino **1.** Matéria de que uma coisa é formada; essência, natureza. **2.** A parte essencial de alguma coisa. **3.** A parte nutritiva dos alimentos.

substantivo (subs.tan.**ti**.vo) substantivo masculino Palavra que nomeia um ser, um estado, ações ou processos etc.: *as palavras "menino", "jantar" e "passeio" são substantivos em "o menino comeu o jantar e saiu para um passeio"*.

substituição (subs.ti.tu.i.**ção**) substantivo feminino Ato de substituir; troca, permuta. ▸ Plural: *substituições*.

substituir (subs.ti.tu.**ir**) verbo **1.** Colocar uma coisa ou uma pessoa no lugar de: *substituiu as peças quebradas do carro; substituiu um jogador na equipe*. **2.** Fazer as vezes de, funcionar como se fosse o mesmo: *o adoçante e o mel substituem o açúcar*.

substituto (subs.ti.**tu**.to) adjetivo Que substitui ou que faz as funções de outro: *o professor substituto dá aula quando a professora não vem*.

subtítulo (sub.**tí**.tu.lo) substantivo masculino Título colocado abaixo do título principal, como complemento.

subtração (sub.tra.**ção**) substantivo feminino **1.** Uma das quatro operações matemáticas, a diminuição. **2.** Retirada, eliminação: *a subtração de algumas mercadorias sem pagamento é roubo*.

subtraído (sub.tra.í.do) adjetivo **1.** Que se subtraiu; retirado, diminuído. **2.** Roubado, furtado.

subtrair (sub.tra.ir) verbo **1.** Efetuar uma subtração; diminuir. **2.** Furtar, roubar.

subúrbio (su.búr.bio) substantivo masculino Região de uma cidade afastada do centro; arrabalde; arredores.

sucata (su.ca.ta) substantivo feminino **1.** Objeto que foi jogado fora e que se pode usar para fazer outra coisa; ferro-velho: *as latas de alumínio são uma sucata bem valorizada*. **2.** Qualquer outro tipo de lixo que se pode reaproveitar ou reutilizar: *sucata de papel; sucata de embalagens*.

sucesso (su.ces.so) substantivo masculino Resultado positivo, êxito: *as buscas tiveram sucesso e logo acharam o cão desaparecido*.

suco (su.co) substantivo masculino **1.** Caldo que se extrai de frutas, legumes ou carnes por meio de pressão ou de outro processo: *suco de laranja; suco de limão*. **2.** Líquido produzido por glândulas: *o estômago produz um suco que desmancha os alimentos*.

suçuarana (su.çu.a.ra.na) substantivo feminino Felino selvagem de hábitos noturnos, grande, com pelagem amarelada sem pintas, encontrada do Canadá até a Patagônia; onça-parda.

suculento (su.cu.len.to) adjetivo **1.** Que contém suco, que não é seco: *a melancia é uma fruta suculenta*. **2.** Substancial, nutritivo. **3.** Apetitoso, gostoso.

sudeste (su.des.te) substantivo masculino **1.** Ponto situado entre o sul e o leste. (Veja apêndice da página 257) **2.** Região aí localizada. **3.** Região brasileira que abrange os estados de Minas Gerais, Espírito Santo, Rio de Janeiro e São Paulo. ▶Como região brasileira, é um nome próprio e deve ser escrito com letra maiúscula no início.

sudoeste (su.do.es.te) substantivo masculino **1.** Ponto situado entre o sul e o oeste. (Veja apêndice da página 257) **2.** Região aí localizada: *o sudoeste da África*.

sugar (su.gar) verbo Chupar, puxar o ar para dentro para beber um líquido: *sugava o refrigerante pelo canudinho lentamente*.

suíno (su.í.no) substantivo masculino **1.** Porco. ★adjetivo **2.** Relacionado a porco ou a esse grupo de animais: *carne suína*.

sujeito (su.jei.to) substantivo masculino **1.** Pessoa indeterminada, de quem não se sabe ou não se quer falar o nome: *era um sujeito alto*. **2.** Termo da oração do qual se diz alguma coisa: *em "o cachorro latiu", cachorro é o sujeito da oração*.

sujo (su.jo) adjetivo Que tem sujeira ou lixo; que tem terra, óleo etc. onde não deveria: *o chão e os brinquedos estavam sujos de lama*.

sul substantivo masculino **1.** Ponto cardeal oposto ao norte. (Veja apêndice da página 257) **2.** Região aí localizada. **3.** Região brasileira que abrange os estados do Paraná, Rio Grande do Sul e Santa Catarina. ▶ Como região brasileira, é um nome próprio e deve ser escrito com letra maiúscula no início.

sulista (su.**lis**.ta) adjetivo **1.** Que é do sul, da região Sul. ★ substantivo de dois gêneros **2.** Pessoa que nasceu ou que mora no sul ou na região Sul.

sumir (su.**mir**) verbo **1.** Desaparecer: *os doces sumiram*. **2.** Ir embora sem dizer o motivo: *o amigo sumia e depois voltava*. **3.** Dar sumiço em; esconder, ocultar: *sumiu com todas as bagunças do quarto*.

suor (su.**or**) [ó] substantivo masculino Líquido que sai pelos poros da pele, incolor, salgado e com cheiro característico; transpiração. ▶ Plural: *suores*.

superfície (su.per.**fí**.cie) substantivo feminino A parte de fora, exterior, que se pode ver de um corpo: *a superfície da maçã é vermelha e o lado de dentro é branco*.

super-herói (su.per.he.**rói**) substantivo masculino Personagem de quadrinhos ou filme dotado de poderes especiais, que defende o bem e combate o mal. ▶ Plural: *super-heróis*.

superior (su.pe.ri.**or**) [ô] adjetivo **1.** Que está na parte de cima: *coloque seu nome na parte superior da página*. **2.** Que tem mais altura, mais qualidade ou maior número: *a outra equipe estava em número superior*. **3.** Que está situado no alto ou acima de: *o quarto fica no andar superior*. **4.** Que atingiu um grau mais elevado: *cultura superior*. **5.** De excelente qualidade: *papel superior*.

supermercado (su.per.mer.**ca**.do) substantivo masculino Loja que vende alimentos, bebidas, produtos de limpeza, de higiene etc. embalados, que o cliente pode pegar sem ter de pedir para o vendedor na maioria dos casos.

suporte (su.**por**.te) substantivo masculino Objeto que sustenta ou apoia alguma coisa; apoio: *colocou a toalha no suporte*.

surdo (**sur**.do) adjetivo **1.** Que não ouve, que tem problemas de audição: *as pessoas surdas aprendem a entender o que os outros dizem lendo o movimento dos lábios*. ★ substantivo **2.** Pessoa que não ouve. **3.** Tambor grande, de som abafado.

surfar (sur.**far**) verbo Praticar surfe; pegar onda.

surfe (**sur**.fe) substantivo masculino Atividade e esporte em que a pessoa sobe em uma prancha e com ela desliza sobre as ondas do mar ou passa por dentro delas.

surpresa (sur.**pre**.sa) [ê] substantivo feminino
1. Acontecimento inesperado que causa impacto, em geral bom: *no fim da festa haveria uma surpresa com a chegada dos palhaços e do mágico montados em um elefante*. **2.** Sentimento causado por algo que não se esperava: *sentia surpresa e medo ao mesmo tempo*.

surpreso (sur.**pre**.so) [ê] adjetivo Admirado, espantado, perplexo: *ficamos surpresos e admirados com o tamanho do bolo*.

suspender (sus.pen.**der**) verbo **1.** Pendurar, deixar pender no ar. **2.** Levantar, erguer, puxar para cima. **3.** Interromper: *o médico suspendeu o remédio*. **4.** Impedir que alguém exerça suas funções por um tempo: *o diretor suspendeu o aluno por dois dias*.

suspensão (sus.pen.**são**) substantivo feminino Pena ou castigo em que a pessoa não pode exercer suas funções por um tempo: *os jogadores tiveram suspensão por dois jogos; os bagunceiros levaram suspensão*. ▶ Plural: *suspensões*.

suspenso (sus.**pen**.so) adjetivo **1.** Pendurado: *o cacho fica suspenso no pé de bananeira*. **2.** Que recebeu suspensão: *os alunos suspensos não podem entrar na escola*.

suspiro (sus.**pi**.ro) substantivo masculino **1.** Respiração profunda e prolongada, provocada por uma emoção, dor, alívio. **2.** Doce que desmancha na boca, feito com massa assada de claras batidas com açúcar.

sustentar (sus.ten.**tar**) verbo **1.** Segurar por baixo; suportar: *as colunas sustentam o edifício*. **2.** Dar alimentação e o necessário para viver: *sustentar a família*. **3.** Dar forças, prover de energia: *um bom lanche sustenta mais que doces*.

susto (**sus**.to) substantivo masculino Medo que acontece de repente, provocado por algum acontecimento, notícia, ruído; sobressalto: *levou um grande susto com o trovão*.

sutiã (su.ti.**ã**) substantivo feminino Roupa íntima feminina para sustentar e modelar os seios. (Veja apêndice da página 260)

T t

t, T substantivo masculino Vigésima letra do alfabeto, consoante, de nome "tê".

tabaco (ta.**ba**.co) substantivo masculino Planta cujas folhas são secas e usadas para fazer fumo de cigarros ou cachimbo: *o cigarro é feito de tabaco picado*.

tabela (ta.**be**.la) substantivo feminino 1. Quadro ou tábua em que se escreve algo: *tabela de preços*. 2. Quadro ou folha de papel onde se registram dados em linhas e colunas.

tablete (ta.**ble**.te) substantivo masculino Substância sólida em forma de placa, geralmente retangular: *tablete de chocolate*.

tábua (**tá**.bua) substantivo feminino Peça plana de madeira.

tabuada (ta.bu.**a**.da) substantivo feminino Tabela das quatro operações (adição, subtração, multiplicação e divisão), entre os números de um a dez: *aprendi a tabuada do nove*.

tabuleiro (ta.bu.**lei**.ro) substantivo masculino 1. Superfície plana, em geral retangular e feita de madeira: *um tabuleiro de doces*. 2. Superfície com traçado especial para jogos, com peças que se deslocam pelas casas: *tabuleiro de xadrez; tabuleiro de gamão*.

taça (ta.**ça**) substantivo feminino 1. Copo de boca larga e com pé, usado para bebidas como vinho: *todos ergueram as taças para fazer o brinde aos noivos*. 2. Troféu esportivo com essa forma: *o time ganhou a taça de ouro*.

taco (**ta**.co) substantivo masculino 1. Pequeno pedaço de madeira, para cobrir pisos. 2. Bastão roliço e longo, usado no jogo de bilhar. 3. Bastão usado para rebater bolas, em jogos como beisebol, golfe e outros.

tagarela (ta.ga.**re**.la) [é] adjetivo 1. Diz-se da pessoa que fala muito e à toa. ★substantivo de dois gêneros 2. Pessoa muito faladora.

taioba (tai.**o**.ba) [ó] substantivo feminino Erva de folhas grandes e de um verde escuro usadas na alimentação.

taipa (**tai**.pa) substantivo feminino Parede feita com massa de barro amassado com as mãos, socado em um trançado de galhos ou madeiras serradas; pau a pique.

tala (**ta**.la) substantivo feminino 1. Pedaço de madeira usado como reforço em certos objetos. 2. Chicote de uma só tira de couro. 3. Largura das rodas de um veículo: *os carros de corrida usam rodas de tala bem larga*.

talão (ta.**lão**) substantivo masculino 1. Parte de trás do pé ou do calçado. 2. Bloco de formulários destacáveis: *talão de cheques*. ▶ Plural: *talões*.

talco (**tal**.co) substantivo masculino Pó branco extraído de algumas rochas, que se põe na pele para retirar umidade: *colocou talco no pé para absorver o suor*.

talher (ta.**lher**) [é] substantivo masculino Conjunto de garfo, faca e colher.

talvez (tal.**vez**) advérbio Indica possibilidade ou dúvida: *talvez vamos à praia, se não chover.*

tamanco (ta.**man**.co) substantivo masculino Calçado com sola grossa e dura, geralmente de madeira. (Veja apêndice da página 260)

tamanduá (ta.man.du.**á**) substantivo masculino Mamífero de focinho longo, sem dentes, de língua comprida e pegajosa, que se alimenta de formigas e cupins.

tamanho (ta.**ma**.nho) substantivo masculino **1.** O volume, a largura, o comprimento, a área de alguma coisa ou pessoa: *catei conchas de vários tamanhos, ela está quase do meu tamanho.* ⭐ adjetivo **2.** Tão grande: *nunca viu tamanha chuva.*

tambor (tam.**bor**) [ô] substantivo masculino **1.** Instrumento musical de forma cilíndrica, com as extremidades cobertas por uma membrana de pele esticada, tocada com baquetas ou com as mãos. **2.** Recipiente cilíndrico.

tamborim (tam.bo.**rim**) substantivo masculino Tambor pequeno que cabe em uma mão e é tocado com uma vareta.

tampar (tam.**par**) verbo Pôr tampa em; fechar. O mesmo que *tapar*.

tanajura (ta.na.**ju**.ra) substantivo feminino Fêmea da formiga saúva, com abdome grande e que, no início do verão, cria asas e vai formar um novo formigueiro, perdendo as asas após a fecundação; içá.

tanga (**tan**.ga) substantivo feminino **1.** Pedaço de tecido usado por alguns povos para cobrir o corpo, da cintura ao joelho. **2.** Calcinha ou biquíni pequeno, com tiras laterais finas.

tapar (ta.**par**) verbo **1.** Fechar, vedar, cobrir. **2.** Pôr tampa em. O mesmo que *tampar*.

tapete (ta.**pe**.te) [ê] substantivo masculino Peça usada para cobrir e enfeitar pisos, assoalhos, escadas ou paredes.

tapioca (ta.pi.**o**.ca) [ó] substantivo feminino **1.** Tipo de farinha extraída da mandioca, usada para preparar pratos doces e salgados. **2.** Beiju recheado com coco ralado.

tapume (ta.**pu**.me) substantivo masculino Cerca para fechar ou proteger provisoriamente um terreno, em geral feita de tábuas.

tarde (**tar**.de) substantivo feminino **1.** Tempo entre o meio-dia e o começo da noite: *estudavam no período da tarde.* ⭐ advérbio **2.** Depois da hora esperada ou marcada: *chegou tarde para a corrida; foi dormir tarde da noite.*

tarefa (ta.**re**.fa) substantivo feminino **1.** Trabalho com prazo marcado: *sua tarefa é colocar os livros em ordem.* **2.** Trabalho que se faz por dever ou por vontade.

tartaruga (tar.ta.**ru**.ga) substantivo feminino **1.** Réptil aquático que tem o corpo protegido por uma carapaça óssea. **2.** A carapaça desse animal, usada na fabricação de vários objetos: *óculos de tartaruga.*

tato (**ta**.to) substantivo masculino Sentido pelo qual se percebem as sensações de calor, frio, dor, contato e pressão.

tatu (ta.**tu**) substantivo masculino Mamífero que tem uma carapaça de placas ósseas, típico da América do Sul, que cava buracos e se alimenta de insetos ou plantas.

tatuado (ta.tu.**a**.do) substantivo masculino e adjetivo Que tem tatuagens: *braços tatuados*.

tatuagem (ta.tu.**a**.gem) substantivo feminino **1.** Desenho ou pintura feito com tinta permanente colocada sob a camada superficial da pele através de agulhas: *fez uma tatuagem de dragão*. **2.** Desenho ou pintura que se coloca sobre a pele: *com o chiclete vinha uma tatuagem lavável*.

tatuzinho (ta.tu.**zi**.nho) substantivo masculino **1.** Pequeno tatu. **2.** Crustáceo pequeno que vive em jardins e que, quando incomodado, se enrola formando uma bola; tatuzinho-de--jardim.

táxi (**tá**.xi) [cs] substantivo masculino Automóvel de aluguel para transporte de passageiros, com taxímetro que marca o valor da corrida.

teatro (te.**a**.tro) substantivo masculino **1.** Arte de representar: *faz teatro desde jovem*. **2.** Lugar destinado à representação de peças, óperas e outros espetáculos.

tecido (te.**ci**.do) adjetivo **1.** Que se teceu. ★substantivo masculino **2.** Aquilo que se teceu, à mão, no tear ou na máquina de tecer e que é usado para fazer roupas, estofados etc.; pano, fazenda.

tecla (**te**.cla) substantivo feminino **1.** Peça que se aciona pressionando e soltando o dedo, para produzir som em instrumentos como piano, órgão etc. **2.** Peça acionada da mesma maneira, para comandar uma máquina: *aperte a tecla para ligar a televisão*.

teclado (te.**cla**.do) substantivo masculino Conjunto de teclas de um instrumento musical, máquina etc.

teia (**tei**.a) substantivo feminino **1.** Conjunto de fios que as aranhas produzem para capturar insetos. **2.** Tecido formado pelo entrelaçamento de fios; tela.

tela (**te**.la) substantivo feminino **1.** Tecido, teia. **2.** Tecido sobre o qual se pintam os quadros. **3.** Quadro pintado sobre tela. **4.** Painel ou parte de um equipamento sobre o qual aparecem as imagens: *tela de cinema; tela de tevê; tela de computador*.

teleférico (te.le.**fé**.ri.co) substantivo masculino Meio de transporte entre lugares altos, com uma cabine ou cadeiras suspensas por cabos.

telefone (te.le.**fo**.ne) [ô] substantivo masculino
Aparelho para conversar com pessoas que estão longe, que transmite a voz em um tipo de sinal que segue por fio ou por ondas.

telejornal (te.le.jor.**nal**) substantivo masculino
Jornal ou noticiário na televisão.

telescópio (te.les.**có**.pio) substantivo masculino
Instrumento para observação de objetos muito distantes, como a Lua.

televisão (te.le.vi.**são**) substantivo feminino
1. Aparelho que recebe programas com imagens e sons, em um tipo de sinal transmitido por ondas ou por cabo; televisor. **2.** Qualquer programa feito para esse aparelho: *gostava de assistir à televisão, principalmente programas educativos e documentários*. **3.** Empresa que cria ou transmite programas: *foi trabalhar na televisão*. ▸ Plural: *televisões*. ▸ É o mesmo que tevê e TV.

telha (**te**.lha) [ê] substantivo feminino **1.** Peça usada para a cobertura de edifícios, em geral feita de barro. **2.** Cabeça, mente, vontade, em sentido figurado: *me deu na telha vontade de jogar bola*.

telhado (te.**lha**.do) substantivo masculino
1. Parte externa da cobertura de um edifício. **2.** Conjunto das telhas que cobrem uma construção.

tema (**te**.ma) [ê] substantivo masculino
1. Assunto, ideia. **2.** Música de fundo em filme, novela etc.

temperatura (tem.pe.ra.**tu**.ra) substantivo feminino Quantidade de calor no ambiente ou que um corpo possui: *no frio a temperatura é mais baixa, no calor a temperatura é mais alta; o termômetro mede a temperatura do corpo*.

tempero (tem.**pe**.ro) [ê] substantivo masculino
Ingrediente que se põe na comida, durante o preparo ou na hora de comer, para dar mais sabor, como ervas, molho etc.; condimento.

tempestade (tem.pes.**ta**.de) substantivo feminino Agitação violenta da atmosfera, com chuvas, trovões, ventos etc.

templo (**tem**.plo) substantivo masculino Edifício onde são realizadas cerimônias religiosas.

tempo (**tem**.po) substantivo masculino
1. Sucessão das horas, dias, anos etc. **2.** Época, era, idade. **3.** Ocasião, momento. **4.** Clima, condições da atmosfera: *tempo bom; tempo ruim*. **5.** Cada uma das partes de um jogo de futebol ou outras disputas: *marcou um gol no primeiro tempo*. (Veja apêndice das páginas 254-255)

têmpora (**têm**.po.ra) substantivo feminino Cada uma das duas partes laterais da cabeça, entre o olho, a orelha, a testa e a bochecha.

tênis (**tê**.nis) substantivo masculino **1.** Calçado de couro, náilon ou lona, com sola de borracha, usado para praticar esportes, fazer caminhadas etc. (Veja apêndice da página 260) **2.** Jogo de quadra em que se bate na bola com uma raquete para que esta passe sobre a rede. **Tênis de mesa:** jogo semelhante ao tênis, praticado sobre uma mesa, com bola e raquete menores; pingue-pongue. ▶ Plural: *tênis*.

tentáculo (ten.**tá**.cu.lo) substantivo masculino Parte do corpo de alguns animais invertebrados, longa e flexível, usada para locomoção e captura de alimentos.

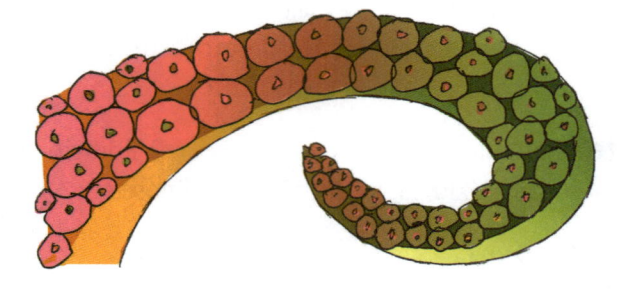

tentar (ten.**tar**) verbo **1.** Empregar meios para conseguir: *tentou uma vaga na equipe*. **2.** Buscar; procurar: *tentou acalmar os irmãos*. **3.** Pôr em prática: *tentou organizar a festa*. **4.** Experimentar: *tentou várias chaves mas nenhuma abriu a porta*.

ter verbo **1.** Possuir: *tenho uma coleção de carrinhos*. **2.** Conter: *o que tem nessa caixa?* **3.** Carregar; trazer consigo: *você tem uma caneta?* **4.** Dar à luz: *teve uma menina*. **5.** Sofrer de: *ele tem bronquite*. **6.** Contar o tempo de existência: *ela tem sete anos*.

terço (**ter**.ço) [ê] numeral **1.** Cada uma das partes de um todo que foi dividido igualmente em três partes. ★substantivo masculino **2.** Objeto religioso cristão, usado durante as orações, formado por um conjunto de contas em um fio ou corrente circular com uma cruz.

termo (**ter**.mo) [ê] substantivo masculino **1.** Término, fim. **2.** Prazo, limite. **3.** Maneira, forma. **4.** Palavra, expressão: *termo difícil, termo antigo*.

terra (**ter**.ra) substantivo feminino **1.** O planeta em que vivemos: *a Terra gira em torno do Sol*. **2.** Solo: *colocou terra no vaso*. **3.** Pátria; localidade: *o Brasil é nossa terra; trouxe uma lembrança da sua terra*. **4.** Terreno, área: *comprou terras no interior*.

terráqueo (ter.**rá**.queo) adjetivo **1.** Relativo ou pertencente ao planeta Terra. ★substantivo masculino **2.** Habitante da Terra, seres deste planeta: *os terráqueos recebiam visita de habitantes de outros planetas*.

terremoto (ter.re.**mo**.to) substantivo masculino Tremor na superfície terrestre causado por movimentos no interior da Terra; abalo sísmico.

térreo (**tér**.reo) adjetivo **1.** Que fica no mesmo nível do chão, que só tem um pavimento no nível do chão: *casa térrea*. ★substantivo masculino **2.** O pavimento ou andar que fica no nível do chão: *o elevador desceu até o térreo*.

terrestre (ter.**res**.tre) adjetivo **1.** Relativo ou próprio da Terra: *globo terrestre*. **2.** Que vive sobre a Terra: *animais terrestres*.

tesoura (te.**sou**.ra) substantivo feminino Instrumento de metal cortante, formado por duas lâminas parafusadas a um eixo, sobre o qual se movem, abrindo e fechando.

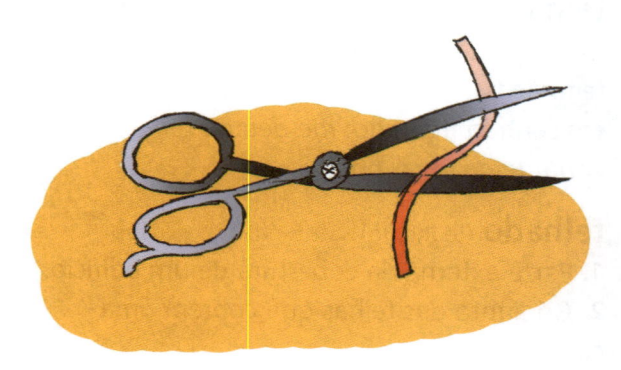

tesouro (te.**sou**.ro) substantivo masculino
1. Grande quantidade de dinheiro, joias ou objetos valiosos. **2.** Coisa ou pessoa muito querida, que tem grande valor afetivo.

testa (**tes**.ta) substantivo feminino Parte do rosto entre os olhos e a raiz dos cabelos; fronte.

teste (**tes**.te) substantivo masculino **1.** Exame para avaliar a qualidade ou comportamento de uma pessoa ou coisa. **2.** Método empregado para esse exame.

teto (**te**.to) substantivo masculino **1.** Parte de cima e de dentro de uma construção. **2.** Abrigo, lugar para morar ou dormir: *era tão pobre que não tinha nem um teto*.

texto (**tex**.to) [ês] substantivo masculino **1.** Conjunto de palavras, de frases escritas: *texto do livro*. **2.** Trecho ou parte da obra de um autor: *um texto de Monteiro Lobato*.

tiara (ti.**a**.ra) substantivo feminino Arco para enfeitar ou segurar os cabelos.

tíbia (**tí**.bia) substantivo feminino O maior e mais interno osso da perna, abaixo do joelho.

tico-tico (ti.co-**ti**.co) substantivo masculino **1.** Passarinho pardo que possui um pequeno topete. **2.** Veículo de três rodas, para crianças pequenas; velocípede.

tigela (ti.**ge**.la) substantivo feminino **1.** Vasilha redonda, na qual se servem sopas e caldos. **2.** O conteúdo dessa vasilha: *tomou uma tigela de sopa*.

tigrado (ti.**gra**.do) adjetivo Que tem listras parecidas com as do tigre.

tigre (**ti**.gre) substantivo masculino Mamífero carnívoro, felino grande, que tem pelagem amarelada com listras escuras e caça seu alimento nas florestas.

tijolo (ti.**jo**.lo) [ô] substantivo masculino Peça de barro cozido, geralmente em forma de paralelepípedo, utilizada em construções. ▶ Plural: *tijolos* [ó].

til substantivo masculino Sinal (~) escrito sobre as letras **a** ou **o** para indicar que sua pronúncia é nasalada, como em *mão, mãe, pão, põe, botões*.

time (**ti**.me) substantivo masculino **1.** Grupo de atletas que disputam juntos um jogo ou partida; equipe. **2.** Grupo de pessoas empenhadas em uma atividade comum.

tinta (**tin**.ta) substantivo feminino Substância líquida ou pastosa, de várias cores, usada para escrever, imprimir, pintar ou tingir.

tio (**ti**.o) substantivo masculino **1.** Irmão do pai ou da mãe em relação aos filhos destes. **2.** Marido da tia em relação aos sobrinhos desta. **3.** Tratamento carinhoso que as crianças ou jovens dão aos amigos de seus pais ou aos pais de seus amigos. ▶ Feminino: *tia*. (Veja apêndice da página 262)

tio-avô (ti.o-a.**vô**) substantivo masculino Irmão do avô ou da avó em relação aos netos destes. ▶ Feminino: *tia-avó*. Plural: *tios-avós*. (Veja apêndice da página 262)

tipo (**ti**.po) substantivo masculino Modelo, espécie: *tênis é um tipo de calçado*.

típico (**tí**.pi.co) adjetivo Que faz parte do tipo ou caráter, que está sempre presente naquele tipo de ser: *a agilidade e os passos macios são típicos do gato*.

tique (**ti**.que) substantivo masculino Sinal ou marca colocada nos itens de uma lista, para indicar que ela foi conferida: *ponha um tique nos filmes que já assistiu*. **Tique nervoso:** movimento que a pessoa faz muitas vezes ou repete sem querer; cacoete, mania: *tinha o tique de roer unhas*.

tira (**ti**.ra) substantivo feminino **1.** Pedaço de pano, papel, couro, mais comprido que largo. **2.** Faixa. **3.** História em quadrinhos contada em poucos quadros, geralmente na mesma linha; tirinha.

tirar (**ti**.rar) verbo **1.** Mudar de onde estava, levar para outro lugar; retirar: *tirou os pratos da mesa; tirou o sapato*. **2.** Libertar, livrar, soltar: *tirou o passarinho da gaiola*. **3.** Excetuar, excluir: *tirando ela, vão todos*. **4.** Fazer (foto, cópia etc.): *tirar uma foto*.

tiro (**ti**.ro) substantivo masculino **1.** Ato ou efeito de atirar ou disparar uma arma de fogo. **2.** O projétil disparado; bala. **3.** Lugar onde se aprende a atirar com armas de fogo: *clube de tiro*.

título (**tí**.tu.lo) substantivo masculino **1.** Nome que se dá a livros, revistas, peças de teatro, filmes, poemas etc. **2.** Nome que exprime um cargo, uma profissão ou posição de honra: *título de duque; título de mestre-sala*.

toalha (to.**a**.lha) substantivo feminino **1.** Peça de tecido felpudo, para enxugar as mãos e o corpo. **2.** Peça de tecido usada para cobrir a mesa durante as refeições.

toca (**to**.ca) [ó] substantivo feminino Buraco onde se abrigam certos animais; esconderijo.

tocar (to.**car**) verbo **1.** Pôr a mão em: *tocou de leve no ombro da mãe*. **2.** Ter contato com: *seus pés tocaram o fundo da piscina*. **3.** Executar (uma música): *tocou violão*. **4.** Comover: *o filme tocou-a*. **5.** Conduzir (o gado): *tocar a boiada*. **6.** Soar: *o telefone está tocando*.

toco (**to**.co) [ô] substantivo masculino **1.** Parte do tronco que fica ligada à terra, depois que a árvore foi cortada. **2.** Pedaço de vela. **3.** Resto de coisa partida.

todo (**to**.do) [ô] adjetivo **1.** Completo, inteiro, total: *estudou o ano todo; comeu a pizza toda*. ⭐pronome **2.** Inteiro. **3.** Qualquer. **4.** Cada: *por toda parte há pessoas felizes*. ⭐substantivo masculino **5.** Aquilo que não foi dividido; totalidade: *quando o todo é dividido em duas partes, ficam duas metades*.

tom substantivo masculino **1.** Expressão da voz: *falou com um tom suave*. **2.** Altura de um som: *tom agudo, tom grave*. **3.** Grau de intensidade de uma cor: *queria uma blusa azul mas num tom mais claro; pintou o quarto em tons de rosa*.

tomada (to.**ma**.da) substantivo feminino **1.** Ato ou efeito de tomar. **2.** Invasão; conquista. **3.** Peça para ligar aparelhos elétricos.

tomar (to.**mar**) verbo **1.** Pegar; embarcar: *tomou o avião para o Rio*. **2.** Agarrar; segurar: *tomou o bebê nos braços*. **3.** Tirar algo de alguém; apoderar-se: *tomou o brinquedo do irmão; tomou as terras para si*. **4.** Beber; ingerir: *tomar água*. **5.** Seguir em uma direção: *tomou o caminho de casa*.

tomate (to.**ma**.te) substantivo masculino Fruto do tomateiro, redondo ou alongado, vermelho, consumido ao natural e muito apreciado para fazer molhos.

tombo (**tom**.bo) substantivo masculino **1.** Ato ou efeito de tombar ou cair; queda. **2.** Cachoeira alta, muito volumosa.

topete (to.**pe**.te) substantivo masculino **1.** Cabelo levantado à frente da cabeça. **2.** Penas que se levantam na cabeça de algumas aves.

toque (**to**.que) substantivo masculino **1.** Ato ou efeito de tocar; contato: *chamou com um leve toque*. **2.** Ato de tocar um instrumento: *o toque da sanfona animou a festa*. **3.** Som ou ruído. **4.** Som que determina a execução de certos atos: *toque de recolher*. **5.** Sugestão, dica, palpite: *Diana me deu uns toques sobre a decoração do quarto*.

tórax (**tó**.rax) [cs] substantivo masculino Parte do corpo situada entre o pescoço e o abdome, que aloja os pulmões e o coração; peito. ▶ Plural: *tórax*. (Veja apêndice da página 261)

torcer (tor.**cer**) verbo **1.** Fazer girar ou dobrar sobre si mesmo: *torcer o pano molhado; torcer um arame*. **2.** Desejar sucesso a alguém: *vou torcer para ser aprovado nos exames*. **3.** Gritar, fazer gestos para animar um atleta ou um time em uma competição: *torci tanto que até fiquei rouco*.

torcida (tor.**ci**.da) substantivo feminino Grupo de torcedores, de pessoas que gritam e gesticulam para estimular um atleta ou um time: *no final da partida, os jogadores agradeceram o apoio da torcida*.

tornar (tor.**nar**) verbo **1.** Voltar; regressar: *tornou à casa*. **2.** Fazer virar, transformar: *tornou o dia mais alegre; tornou-se médico*. **3.** Fazer de novo, voltar a fazer: *tornou a pedir ajuda*.

torneira (tor.**nei**.ra) substantivo feminino Dispositivo para controlar a saída de um líquido ou de gás de um recipiente ou cano.

tornozelo (tor.no.**ze**.lo) [ê] substantivo masculino Parte do membro inferior que se situa entre a perna e o pé. (Veja apêndice da página 261)

torre (**tor**.re) [ô] substantivo feminino **1.** Construção alta e estreita, usada para defesa nos palácios antigos, para colocar o sino nas igrejas ou para apoiar antenas de comunicação. **2.** Peça do jogo de xadrez que fica nas extremidades e anda em linha reta.

torta (**tor**.ta) [ó] substantivo feminino Alimento feito com massa de farinha, com recheio doce ou salgado: *torta de maçã; torta de palmito*.

torto (**tor**.to) [ô] adjetivo **1.** Que não é reto, que tem traçado ou forma irregular: *linhas tortas; grades tortas*. **2.** Que está inclinado ou fora do alinhamento: *quadro torto*. ▶ Plural: *tortos* [ó].

total (to.**tal**) substantivo masculino **1.** Reunião de várias partes que formam um todo; totalidade. **2.** Resultado de uma adição; soma. ★ adjetivo **3.** Completo, inteiro, sem faltar nada: *a pintura total da parede*. ▶ Plural: *totais*.

touro (**tou**.ro) substantivo masculino Boi forte e grande, usado para reprodução do rebanho.

tóxico (**tó**.xi.co) [cs] adjetivo **1.** Que intoxica, que é venenoso: *algumas plantas têm folhas tóxicas, não as coloque na boca*. ★ substantivo masculino **2.** Droga, veneno; substância que faz mal à saúde ou ao meio ambiente.

trabalhador (tra.ba.lha.**dor**) [ô] adjetivo **1.** Que trabalha. ★ substantivo masculino **2.** Aquele que trabalha. **3.** Operário; empregado.

trabalhar (tra.ba.**lhar**) verbo **1.** Dedicar-se a uma atividade produtiva ou a um serviço; fazer um trabalho: *trabalha como professora*. **2.** Dedicar-se a uma atividade; empenhar-se: *trabalhou a tarde toda para arrumar a festa*. **3.** Funcionar, executar um trabalho: *o relógio parou de trabalhar*.

trabalho (tra.**ba**.lho) substantivo masculino **1.** Atividade que produz alguma coisa ou realiza um serviço: *trabalho escolar; trabalho de engenheiro*. **2.** Ocupação, emprego, lugar para trabalhar: *procurava trabalho na escola*. **3.** Obra realizada, resultado de uma atividade: *trabalhos de música*.

traça (**tra**.ça) substantivo feminino Inseto sem asas cujas larvas se alimentam de papel e tecidos.

tramela (tra.**me**.la) substantivo feminino Peça de madeira que serve para trancar portas, janelas etc.

trampolim (tram.po.**lim**) substantivo masculino Prancha longa que serve de impulso para saltos.

trança (**tran**.ça) substantivo feminino **1.** Conjunto de três fios ou elementos flexíveis, entrelaçados. **2.** Penteado feito dessa maneira.

tranquilo (tran.**qui**.lo) [qUi] adjetivo **1.** Calmo, quieto, sem agitação: *uma pessoa tranquila*. **2.** Sem barulho ou movimento; sossegado, parado: *foram para um lugar tranquilo*. Esta palavra era escrita com um sinal sobre o **u**, para indicar como é pronunciada.

transatlântico (tran.sa.**tlân**.ti.co) [za] adjetivo **1.** Que atravessa o oceano Atlântico, que vai além desse oceano: *viagens transatlânticas*. ★ substantivo masculino **2.** Navio que atravessa o Atlântico.

trânsito (trân.si.to) [zi] substantivo masculino **1.** Ato ou efeito de caminhar, de passar: *é proibido o trânsito de bicicletas*. **2.** Movimento de veículos e de pedestres nas ruas, estradas; tráfego: *essa avenida tem muito trânsito*.

transporte (trans.por.te) substantivo masculino **1.** Ato ou efeito de transportar, ir ou levar de um lugar a outro: *precisava de transporte até a escola*. **2.** Veículo que serve para levar pessoas ou coisas de um lugar para outro: *o ônibus é um meio de transporte*.

trapézio (tra.pé.zio) substantivo masculino **1.** Quadrilátero com dois lados paralelos. **2.** Aparelho para ginástica ou acrobacias, formado por uma barra horizontal sustentada em suas extremidades por duas cordas verticais.

traquina (tra.**qui**.na) substantivo e adjetivo Travesso, sapeca, peralta, arteiro: *eram crianças muito traquinas, faziam arte a tarde toda*.

trás preposição Atrás: *o gato saiu de trás da porta e correu para trás da cortina*.

traseiro (tra.**sei**.ro) adjetivo **1.** Situado atrás; que fica na parte posterior. ★substantivo masculino **2.** As nádegas, a parte de trás do quadril; bunda.

trator (tra.**tor**) [ô] substantivo masculino Veículo motorizado, que serve para rebocar cargas ou realizar serviços agrícolas.

trave (tra.ve) substantivo feminino **1.** Viga de madeira usada para sustentar partes elevadas de uma construção. **2.** Os postes laterais do gol. **3.** Aparelho de ginástica onde se realizam exercícios de equilíbrio.

trazer (tra.**zer**) verbo **1.** Transportar ou conduzir para cá, aproximar deste lugar: *trouxe as crianças da escola*. **2.** Vestir, trajar, usar: *trazia um cachecol de lã no pescoço*. **3.** Ocasionar, produzir, causar: *este ato trouxe muitas consequências*. **4.** Chamar; atrair: *só dinheiro não traz felicidade*.

trem substantivo masculino **1.** Série de vagões puxados pela mesma máquina. **2.** Conjunto de objetos que formam a bagagem de um viajante. **3.** Objeto qualquer, coisa, treco.

trema (**tre**.ma) [ê] substantivo masculino Sinal (¨) colocado sobre o **u** em alguns nomes próprios e palavras derivadas deles (como Müller e mülleriano). ▶ Na ortografia antiga, esse sinal aparecia também nas sílabas **gue**, **gui**, **que** e **qui** quando o **u** é pronunciado, como *aguentar, linguiça, frequente, tranquilo*.

tremer (tre.**mer**) verbo **1.** Movimentos repetidos que não se pode controlar, causados por frio, medo etc.: *esqueceu o casaco e ficou tremendo*. **2.** Sacudir, agitar, balançar: *o trem passou e as janelas tremeram*. **3.** Ter medo. **4.** Assustar-se: *tremeu com o barulho*.

trepar (tre.**par**) verbo **1.** Subir em algum lugar usando as mãos e os pés: *trepou na árvore*. **2.** Deslocar-se para um lugar mais alto; subir: *o gato trepou no armário*. **3.** Elevar-se ao longo de: *o pé de chuchu trepa pela cerca, o maracujá precisa de um apoio para trepar*.

trepa-trepa (tre.pa-**tre**.pa) substantivo masculino Brinquedo em que as crianças trepam nas barras.

trevo (**tre**.vo) [ê] substantivo masculino **1.** Planta cujas folhas se dividem em três partes. **2.** Local onde se cruzam duas ou mais vias de circulação.

triângulo (tri.**ân**.gu.lo) substantivo masculino **1.** Figura formada por três lados e três ângulos. **2.** Instrumento musical de metal, de forma triangular, tocado por uma varinha de metal. (Veja apêndice da página 256)

tribo (**tri**.bo) substantivo feminino **1.** Grupo de pessoas com a mesma língua, costumes e tradições, que vive em comunidade. **2.** Grupo indígena. **3.** Grupo de pessoas com interesses comuns.

triciclo (tri.**ci**.clo) substantivo masculino Veículo para crianças, com três rodas, impulsionado por pedal.

tricô (tri.**cô**) substantivo masculino **1.** Tecido de malhas entrelaçadas feito à mão com duas agulhas especiais: *fiz uma blusa de tricô*. **2.** O mesmo tecido feito à máquina.

tricolor (tri.co.**lor**) [ô] adjetivo Que tem três cores.

trigo (**tri**.go) substantivo masculino **1.** Planta cultivada no Brasil e em várias partes do mundo, com longas espigas e frutos que constituem o cereal mais utilizado na alimentação humana. **2.** Grão dessa planta, de onde se extrai a farinha, utilizada para fazer pães, massas, biscoitos, bolos etc.

trilha (**tri**.lha) substantivo feminino **1.** Rastro, vestígio, pista da passagem; pegadas: *viram na areia da praia a trilha dos animais*. **2.** Caminho rústico, improvisado entre a vegetação; picada: *pegaram uma trilha pelo meio da mata*. **3.** Exemplo, modelo, em linguagem figurada: *seguiu a trilha do pai*. **4.** A parte sonora, musical de um filme de cinema ou produção para televisão: *comprou um disco com a trilha da novela*.

trilho (**tri**.lho) substantivo masculino **1.** Cada uma das duas barras metálicas sobre as quais andam trens, bondes etc. **2.** Utensílio para debulhar cereais. **3.** Utensílio com que se bate o leite, para fabricar queijo. **4.** Suporte para cortinas.

trinco (**trin**.co) substantivo masculino Objeto geralmente de metal usado para fechar, trancar coisas: *passou o trinco na porta, fechou o trinco da caixa*.

tripé (tri.**pé**) substantivo masculino **1.** Banco com três pés; tripeça. **2.** Suporte de três pés, para apoiar diversos objetos.

triplo (**tri**.plo) substantivo masculino **1.** Quantidade três vezes maior que outra: *seis sorvetes é o triplo de dois sorvetes*. ★adjetivo **2.** Que é três vezes maior: *uma dose tripla tem três vezes o tamanho da simples*.

tripulação (tri.pu.la.**ção**) substantivo feminino Pessoal que trabalha em uma aeronave ou embarcação. ▶ Plural: *tripulações.*

triste (**tris**.te) adjetivo **1.** Sem alegria, infeliz. **2.** Melancólico, abatido, deprimido. **3.** Choroso, magoado.

tristeza (tris.**te**.za) [ê] substantivo feminino **1.** Sentimento de infelicidade, melancolia ou pesar. **2.** Falta de prazer, de alegria: *uma tristeza o invadiu*. **3.** Qualidade ou condição de triste.

triunfo (tri.**un**.fo) substantivo masculino **1.** Vitória; êxito. **2.** Grande sucesso.

troca (**tro**.ca) substantivo feminino **1.** Ato ou efeito de trocar. **2.** Colocação de uma coisa em lugar de outra.

trocadilho (tro.ca.**di**.lho) substantivo masculino Jogo de palavras semelhantes no som mas diferentes no significado, que podem provocar interpretações engraçadas ou de duplo sentido.

trocado (tro.**ca**.do) adjetivo **1.** Que se trocou; substituído. **2.** Dinheiro de pequeno valor, recebido como troco.

trocar (tro.**car**) verbo **1.** Fazer troca; substituir: *trocou a roupa*. **2.** Substituir uma coisa por outra: *trocou uma figurinha por dois adesivos*, *trocou o carro*. **3.** Alterar: *trocar os móveis de lugar*. **4.** Permutar entre si: *trocaram de lugar*.

troco (**tro**.co) [ô] substantivo masculino **1.** Dinheiro que o vendedor devolve ao comprador, que pagou uma mercadoria com moeda de valor maior que o combinado. **2.** Resposta, em linguagem popular: *chegou a hora de dar o troco*.

troféu (tro.**féu**) substantivo masculino Taça, placa ou outro objeto que os vencedores de uma competição recebem. ▶ Plural: *troféus.*

tromba (**trom**.ba) substantivo feminino Nariz comprido e flexível de alguns animais, como o elefante e a anta.

trombone (trom.**bo**.ne) [ô] substantivo masculino Instrumento musical de sopro que produz um som grave.

trompete (trom.**pe**.te) substantivo masculino Instrumento musical de sopro, semelhante à corneta.

tronco (**tron**.co) substantivo masculino **1.** Caule das árvores e arbustos. **2.** Parte do corpo ligada à cabeça pelo pescoço, que compreende o tórax, o abdome e a bacia, e de onde saem os braços e as pernas. (Veja apêndice da página 261)

trono (**tro**.no) [ô] substantivo masculino **1.** Cadeira usada por reis e soberanos em ocasiões solenes. **2.** Poder ou autoridade do rei: *quando alguém sobe ao trono de um país, torna-se rei ou rainha desse reino*.

tropa (**tro**.pa) substantivo feminino **1.** Conjunto de pessoas; multidão. **2.** Conjunto de militares. **3.** Caravana de animais de carga.

trova (**tro**.va) substantivo feminino **1.** Composição poética popular. **2.** Quadra popular.

trovão (tro.**vão**) substantivo masculino Barulho muito forte causado por descarga elétrica ou raio; trovoada.

trovoada (tro.vo.**a**.da) substantivo feminino
1. Série de trovões. **2.** Tempestade com trovões.

truque (**tru**.que) substantivo masculino
1. Maneira habilidosa de enganar alguém; ardil: *usou um truque para enganar o público*. **2.** Ação que tem por objetivo criar ilusão; mágica: *tentava descobrir os truques do mágico*. **3.** Engano, ilusão.

tubarão (tu.ba.**rão**) substantivo masculino Peixe marinho, de médio e grande porte, muito voraz e que não apresenta escamas. ▶ Plural: *tubarões*.

tubo (**tu**.bo) substantivo masculino **1.** Canal cilíndrico por onde circulam líquidos ou fluidos; cano. **2.** Canal cilíndrico de vidro usado em aparelhos como o termômetro. **3.** Embalagem de metal ou plástico para substâncias pastosas: *tubo de creme dental*.

tucano (tu.**ca**.no) substantivo masculino Ave de penas coloridas, bico grande e forte, que vive em bandos e se alimenta de frutos.

tufão (tu.**fão**) substantivo masculino Vento muito forte; vendaval. ▶ Plural: *tufões*.

tulipa (tu.**li**.pa) substantivo feminino Planta originária da Europa cultivada como ornamental pelas belas flores, geralmente vermelhas.

túmulo (**tú**.mu.lo) substantivo masculino
1. Sepultura. **2.** Construção feita em homenagem ou em memória de um morto no lugar onde está sepultado.

tumulto (tu.**mul**.to) substantivo masculino
1. Movimento desordenado; agitação.
2. Confusão. **3.** Briga.

túnel (**tú**.nel) substantivo masculino Caminho ou passagem por baixo da terra ou através de uma montanha. ▶ Plural: *túneis*.

tupi (tu.**pi**) substantivo de dois gêneros
1. Indivíduo dos tupis, grupo de povos indígenas de língua semelhante que, no século XV, viviam nas regiões hoje correspondentes ao Norte e Centro-Oeste do Brasil. ★ adjetivo **2.** Relacionado a um desses povos ou línguas. ★ substantivo masculino **3.** Língua falada por esses povos, que passou por várias mudanças e ainda é falada hoje na Amazônia, com o nome de língua geral.

turma (**tur**.ma) substantivo feminino **1.** Grupo de pessoas que se revezam em certas tarefas: *turma da limpeza*. **2.** Cada um dos grupos de estudantes que compõe uma sala de aula: *cada turma vai apresentar um trabalho diferente*. **3.** Grupo de amigos, galera, em linguagem popular: *vou ao cinema com a turma*.

Uu

u, U ••• unicórnio

u, U substantivo masculino Vigésima primeira letra de nosso alfabeto e quinta vogal, de nome "u".

úbere (ú.be.re) adjetivo **1.** Fértil; farto; produtivo. ★ substantivo masculino **2.** Mama, teta de vaca, de cabra ou de ovelha.

uivo (ui.vo) substantivo masculino **1.** Som longo e triste, emitido por cães e lobos. **2.** Grito longo, berro de uma pessoa: *quando a pedra caiu no pé dele, soltou uivos de dor.*

último (úl.ti.mo) substantivo masculino **1.** Aquele ou aquilo que vem ou que está depois de todos os outros: *era sempre o último da fila.* **2.** Que é o pior de todos. **3.** Que ocupa a posição menos importante: *os últimos serão os primeiros.* ★ adjetivo **4.** Que está ou vem depois de todos os outros: *o último lugar.* **5.** Que é o mais moderno: *última moda.* **6.** Que sobrou: *comprei a última calça da loja.*

ultraleve (ul.tra.le.ve) substantivo masculino Avião pequeno, com motor de pequena potência, muito leve, usado para voos curtos.

umbigo (um.bi.go) substantivo masculino Cicatriz no centro do abdome formada com a queda do cordão umbilical, que serve para o bebê receber alimento durante a gestação. (Veja apêndice da página 261)

umbu (um.bu) substantivo masculino Fruta pequena, amarela e alongada, muito suculenta e levemente ácida, apreciada ao natural e em compotas e sucos. O mesmo que *imbu*. (Veja apêndice da página 249)

úmero (ú.me.ro) substantivo masculino Osso do braço que vai do ombro até o cotovelo.

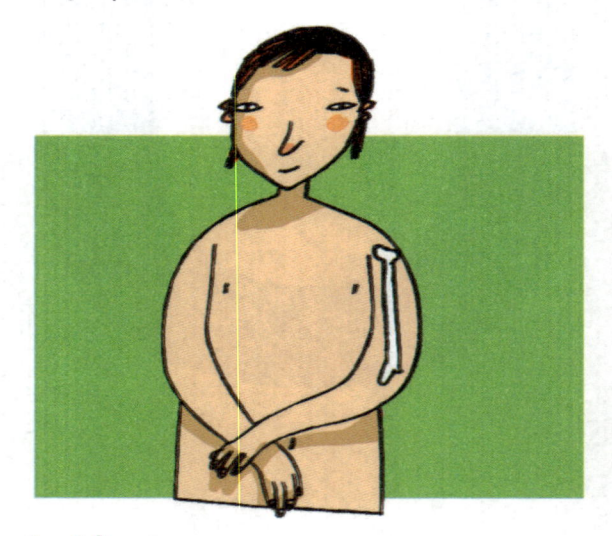

úmido (ú.mi.do) adjetivo Levemente molhado.

unha (u.nha) substantivo feminino **1.** Lâmina dura que reveste uma parte da ponta dos dedos. **2.** Garra dos animais. **À unha:** à força, com uso de força ou violência.

união (u.ni.ão) substantivo feminino **1.** Ato de unir, de juntar coisas ou pessoas. **2.** Reunião de forças; aliança: *para vencer é preciso união.* **3.** Casamento. ▶ Plural: *uniões*.

único (ú.ni.co) adjetivo **1.** Que não tem outro igual; exclusivo. **2.** Que é um só: *filho único.* **3.** Superior aos demais; incomparável: *uma tarde única; um acontecimento único.*

unicórnio (u.ni.cór.nio) substantivo masculino Ser fantástico, representado por um cavalo com um chifre no meio da testa e barba de bode.

uniforme (u.ni.**for**.me) adjetivo **1.** Que tem uma só forma, que não muda; invariável. ⭐ substantivo masculino **2.** Modelo de roupa igual para todos, que identifica um grupo, como de alunos, funcionários, jogadores etc.

universal (u.ni.ver.**sal**) adjetivo **1.** Que diz respeito ou pertence ao universo. **2.** Comum a todos os homens: *história universal*. **3.** Que está presente em todos os lugares do mundo, que é o mesmo em todos os lugares. ▶ Plural: *universais*.

universo (u.ni.**ver**.so) substantivo masculino Conjunto de tudo o que existe.

urina (u.**ri**.na) substantivo feminino Líquido eliminado pelos rins; xixi.

urso (**ur**.so) substantivo masculino Mamífero carnívoro em geral muito grande, peludo e de rabo curto, com várias espécies que vivem em diversas partes do mundo.

urubu (u.ru.**bu**) substantivo masculino Ave preta, de bico curvo, que se alimenta de carniça, ou seja, carne em decomposição.

urucum (u.ru.**cum**) substantivo masculino **1.** Fruto do urucuzeiro, de cuja polpa se extrai uma tintura vermelha e cuja semente moída é utilizada como tempero em culinária. **2.** O corante vermelho extraído dessas sementes. O mesmo que urucu. (Veja apêndice da página 249)

usar (u.**sar**) verbo **1.** Fazer uso de; servir-se de: *o leite é usado também para fazer vitaminas, bolos, pães*. **2.** Vestir; trajar: *usava bermuda e camiseta*. **3.** Empregar com frequência: *prefere usar a escova para pentear os cabelos*.

usuário (u.su.**á**.rio) substantivo masculino Pessoa que usa habitualmente um bem ou serviço: *os usuários do metrô colaboram na limpeza não jogando papéis no chão*.

útero (**ú**.te.ro) substantivo masculino Órgão oco, musculoso e elástico, onde são gerados e se desenvolvem os filhos e filhotes no corpo das fêmeas dos mamíferos.

uva (**u**.va) substantivo feminino Fruta de cor verde ou roxa, que dá em cachos, comestível ao natural ou utilizada para fazer geleias, doces, sucos e vinho. (Veja apêndice da página 249)

úvula (**ú**.vu.la) substantivo feminino Pequena massa carnosa, situada perto da garganta, conhecida popularmente como campainha.

Vv

v, V substantivo masculino Vigésima segunda letra do alfabeto, consoante, de nome "vê".

vaca (**va**.ca) substantivo feminino Fêmea do boi ou do touro.

vacina (va.**ci**.na) substantivo feminino Substância que, quando introduzida em um organismo de um animal ou de uma pessoa, faz com que este desenvolva uma proteção natural contra certas doenças.

vaga (**va**.ga) substantivo feminino **1.** Onda grande formada pela ação do vento, em mar agitado. **2.** Lugar vazio, disponível. **3.** Cargo não preenchido: *naquela empresa existem vagas para motorista*.

vagabundo (va.ga.**bun**.do) substantivo masculino e adjetivo **1.** Que leva uma vida errante; nômade. **2.** Que não trabalha ou não gosta de trabalhar; vadio, desocupado. ⭐ adjetivo **3.** De qualidade inferior; ordinário: *tecido vagabundo*.

vaga-lume (va.ga.**lu**.me) substantivo masculino Inseto que apresenta órgãos produtores de luz no abdome; pirilampo.
▶ Plural: *vaga-lumes*.

vagem (**va**.gem) substantivo feminino **1.** Fruto seco que contém os grãos ou sementes da ervilha, do feijão e outras plantas. **2.** Fruto de formato comprido e coloração verde, cultivado em hortas, que se come cozido.

vagina (va.**gi**.na) substantivo feminino Órgão sexual feminino.

vaivém (vai.**vém**) substantivo masculino **1.** Movimento oscilatório; balanço. **2.** Movimento de objetos ou pessoas para um lado e para outro.

vale (**va**.le) substantivo masculino **1.** Terreno baixo e alongado situado na base de uma montanha ou à beira de rios; várzea. **2.** Adiantamento que se faz nas empresas do salário mensal.

valente (va.**len**.te) adjetivo Que tem valor e coragem; corajoso, bravo.

valer (va.**ler**) verbo **1.** Ter certo valor ou certo preço: *este carro vale pouco*. **2.** Ser equivalente; ser igual em valor ou em preço: *este lanche vale por um almoço*. **3.** Ser digno de; merecer: *o assunto vale sua atenção*.

vampiro (vam.**pi**.ro) substantivo masculino **1.** Criatura lendária que sai da sepultura à noite para sugar o sangue dos seres vivos. **2.** Designação que se dá aos morcegos que se alimentam do sangue de animais.

vão adjetivo **1.** Vazio; oco. **2.** Sem valor; insignificante. ⭐ substantivo masculino **3.** Espaço vazio entre duas coisas: *guardei a mala no vão da escada*.

vaqueiro (va.**quei**.ro) substantivo masculino Guardador ou condutor do gado; peão.

vaquejada (va.que.**ja**.da) substantivo feminino **1.** Rodeio de gado no fim do inverno. **2.** Ato de procurar e reunir o gado que está espalhado, para marcação, vacinação etc.

vara (**va**.ra) substantivo feminino **1.** Ramo fino e flexível de árvore ou arbusto. **2.** O cargo de juiz. **3.** Manada de porcos.

varal ••• velejar

varal (va.**ral**) substantivo masculino **1.** Corda ou fio esticado onde se penduram as roupas lavadas para secar. **2.** Cada uma das duas varas que saem dos lados de uma carroça e às quais se atrela o animal. ▶ Plural: *varais*.

varanda (va.**ran**.da) substantivo feminino Balcão ou sacada coberta; terraço; espécie de alpendre à frente ou em volta de uma casa.

vasilha (va.**si**.lha) substantivo feminino Recipiente de uso doméstico utilizado para guardar líquidos.

vasilhame (va.si.**lha**.me) substantivo masculino **1.** Conjunto de vasilhas. **2.** Embalagem para líquidos.

vaso (**va**.so) substantivo masculino **1.** Recipiente côncavo próprio para conter substâncias líquidas ou sólidas. **2.** Recipiente para flores e plantas. **3.** Bacia sanitária; latrina; privada. **4.** Canal do corpo humano em que circulam os líquidos do corpo.

vassoura (vas.**sou**.ra) substantivo feminino Utensílio feito com cerdas vegetais ou artificiais presas a um cabo longo usado para limpar o chão.

vazio (va.**zi**.o) adjetivo **1.** Que não contém nada; desocupado: *caixa vazia*. ★substantivo masculino **2.** Local onde não se percebe nada: *havia alguns vazios no jardim*. **3.** Sentimento de falta; carência, necessidade de preenchimento: *sentiu um vazio no estômago e foi procurar comida*.

vê substantivo masculino Nome da letra V.

vários (**vá**.ri.os) adjetivo plural **1.** Que é um dos elementos de um grupo ou conjunto com elementos diferentes: *pinte o desenho com várias cores; existem sorvetes de vários sabores*. **2.** Alguns, um número indefinido, diversos: *vários alunos estavam de boné*.

veado (ve.**a**.do) substantivo masculino Mamífero ruminante que vive em matas e campos, com chifres simples ou em forma de galhos e muito veloz, de que há várias espécies; cervo.

vegetal (ve.ge.**tal**) substantivo masculino **1.** Ser vivo que cresce fixo no solo ou na água; planta. ★adjetivo **2.** Que diz respeito a esses seres, às plantas: *mundo vegetal*.

veia (**vei**.a) substantivo feminino Vaso que conduz o sangue dos órgãos para o coração.

veículo (ve.**í**.cu.lo) substantivo masculino **1.** Qualquer meio de transporte. **2.** Tudo o que transmite ou conduz alguma coisa: *o mosquito pode ser um veículo transmissor de doenças*.

vela (**ve**.la) substantivo feminino **1.** Objeto feito de cera, com um pavio no centro, usado para iluminação. **2.** Pano de lona ou de brim preso a um mastro que aproveita a força do vento e movimenta as embarcações.

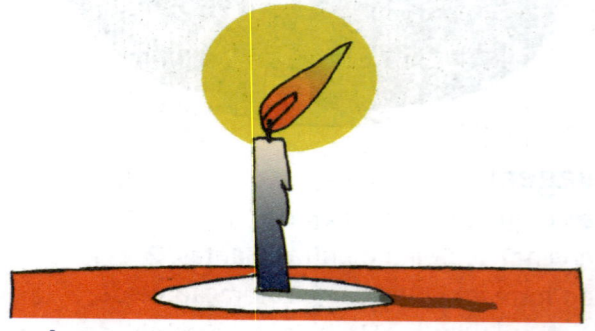

velejar (ve.le.**jar**) verbo Navegar em barco à vela.

velho (**ve**.lho) adjetivo **1.** Que tem muita idade; idoso. **2.** Que existe há muito tempo; antigo. **3.** Que se gastou pelo uso. **4.** Antiquado, obsoleto. ⭐ substantivo masculino **5.** Homem idoso.

velocidade (ve.lo.ci.**da**.de) substantivo feminino **1.** Característica do que é veloz; rapidez; pressa. **2.** Movimento rápido: *o carro andava a grande velocidade*.

velocípede (ve.lo.**cí**.pe.de) substantivo masculino Veículo infantil, um tipo de bicicleta com três rodas.

velódromo (ve.**ló**.dro.mo) substantivo masculino Pista para corridas de bicicletas.

veloz (ve.**loz**) adjetivo Que anda ou corre com grande velocidade; rápido; ligeiro.

vencedor (ven.ce.**dor**) [ô] substantivo masculino e adjetivo Que ou aquele que vence ou venceu; vitorioso.

vencer (ven.**cer**) verbo **1.** Conseguir vitória sobre; ganhar um jogo ou competição: *venceu todos os times adversários*. **2.** Controlar, dominar: *venceu o medo da água e aprendeu a nadar*. **3.** Ter sucesso em; superar obstáculos: *lutou muito para vencer na vida*. **4.** Terminar; expirar: *o prazo de validade venceu no dia 10*.

venda (**ven**.da) substantivo feminino **1.** Ato de vender. **2.** Pequena loja onde se vendem diversos artigos; mercearia. **3.** Tira de pano com que se cobrem os olhos.

vender (ven.**der**) verbo **1.** Trocar alguma coisa por dinheiro: *vender o carro*. **2.** Trabalhar como vendedor: *vendeu muito neste mês*.

veneno (ve.**ne**.no) [ê] substantivo masculino **1.** Substância que, ao entrar em um organismo, causa algum mal, intoxica ou mata. **2.** Sentimento ou ideia que faz mal ou prejudica: *as brigas eram um veneno para a amizade*.

vento (**ven**.to) substantivo masculino O ar em movimento.

ventre (**ven**.tre) substantivo masculino Cavidade abdominal; abdome; barriga.

ver verbo **1.** Perceber pela visão; enxergar: *viu a amiga de longe*. **2.** Olhar para; contemplar: *via tudo com interesse*. **3.** Ser espectador; assistir a: *viu um filme de terror*. **4.** Percorrer; viajar; visitar: *foi ver uma amiga; viu lugares novos*. **5.** Prestar serviços médicos a; examinar; notar; perceber. **6.** Deduzir; concluir; imaginar; fantasiar: *você anda vendo coisas*. **7.** Calcular; prever; ponderar; considerar: *veja bem o que vai fazer*. **8.** Ler; estudar. **9.** Perceber algo pelo sentido da visão.

verão (ve.**rão**) substantivo masculino Estação mais quente do ano, após a primavera e antes do outono. No hemisfério Sul se estende de 21 de dezembro a 20 de março. ▶ Plural: *verões*.

verbal (ver.**bal**) adjetivo **1.** Que diz respeito aos verbos. **2.** Que é falado e não escrito; oral. ▶ Plural: *verbais*.

verbete (ver.**be**.te) [ê] substantivo masculino **1.** Nota; apontamento; comentário. **2.** Cada um dos artigos de um dicionário ou enciclopédia, formado por uma entrada, que é a palavra que vai ser definida, e as informações sobre ela, como definição etc.

verbo (**ver**.bo) substantivo masculino Palavra que indica ação, processo, estado, qualidade ou existência: "correr", "estar", "ser", "existir" são verbos.

verdade (ver.**da**.de) substantivo feminino 1. Aquilo que é real; exatidão, realidade. 2. Aquilo que é sincero. 3. O que é certo, verdadeiro.

verde (**ver**.de) [ê] adjetivo 1. Que é da cor da grama, da maioria das folhas e das matas. 2. Diz-se da fruta que não está madura, que não está boa para ser comida. ⭐ substantivo masculino 3. Essa cor: *o verde é uma das cores da bandeira brasileira*. (Veja apêndice da página 256)

verdura (ver.**du**.ra) substantivo feminino Nome dado às hortaliças de folha, como alface, escarola, agrião etc.

verme (**ver**.me) substantivo masculino 1. Animal invertebrado de corpo longo, mole e sem pernas. 2. Larva de insetos. 3. Parasita que, em geral, vive no intestino do ser humano e dos animais.

vermelho (ver.**me**.lho) [ê] adjetivo 1. Que é da cor do sangue; rubro. ⭐ substantivo masculino 2. Essa cor: *o vermelho simboliza "pare" no trânsito*. (Veja apêndice da página 256)

verso (**ver**.so) substantivo masculino 1. Cada uma das linhas de um poema. 2. Lado de trás de uma página ou objeto.

vértebra (**vér**.te.bra) substantivo feminino Cada um dos ossos que formam a coluna vertebral do homem e de outros vertebrados.

vertebrado (ver.te.**bra**.do) adjetivo 1. Que tem vértebras. ⭐ substantivo masculino e adjetivo 2. Animal que possui um esqueleto interno, para sustentação do corpo: *os peixes, as aves e os mamíferos são vertebrados*.

vertical (ver.ti.**cal**) substantivo feminino e adjetivo Reta ou plano perpendicular ao horizonte. ▶ Plural: *verticais*.

vértice (**vér**.ti.ce) substantivo masculino 1. Ponto onde se reúnem os dois lados de um ângulo. 2. Ponto onde se reúnem as faces de uma pirâmide.

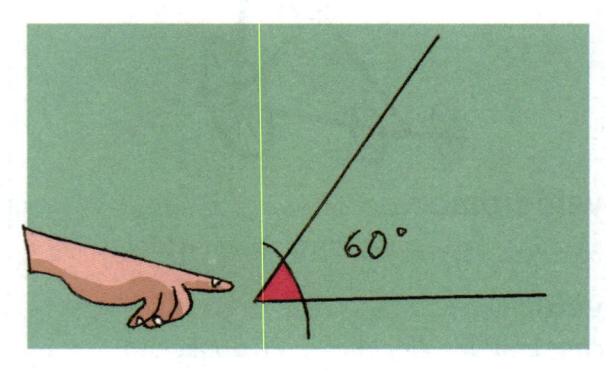

vespa (**ves**.pa) [ê] substantivo feminino Inseto com abdome listrado de preto e amarelo, com quatro asas e cuja fêmea tem um ferrão venenoso no lugar da cauda.

vestiário (ves.ti.**á**.rio) substantivo masculino Lugar onde os membros de uma equipe esportiva, alunos de uma escola, funcionários de uma empresa etc. trocam a roupa e guardam seus pertences.

vestido (ves.**ti**.do) substantivo masculino 1. Tipo de roupa feminina que cobre o tronco e as pernas ou parte delas, formada de saia e blusa em uma só peça. (Veja apêndice da página 260) ⭐ adjetivo 2. Coberto com algum tipo de vestimenta.

vestir (ves.**tir**) verbo **1.** Cobrir o corpo com roupa ou vestes. **2.** Cobrir-se com roupa; trajar-se.

vez [ê] substantivo feminino **1.** Certo momento; ocasião; oportunidade: *uma vez ela me disse que adora estudar*; *desta vez tudo vai dar certo*. **2.** Turno; hora: *um de cada vez*.
▶ Plural: *vezes*.

via (**vi**.a) substantivo feminino **1.** Caminho que conduz a algum lugar; estrada. **2.** Cada cópia de um documento. **3.** Maneira; modo: *transmissão via satélite*.

viaduto (vi.a.**du**.to) substantivo masculino Construção que passa por cima de uma via, vale, rio, ferrovia etc.

viagem (vi.**a**.gem) substantivo feminino Ato de ir de um a outro lugar relativamente afastado; passeio; excursão.

viajante (vi.a.**jan**.te) substantivo de dois gêneros Aquele que viaja, que faz viagens ou que está em uma viagem: *os viajantes queriam tomar um banho*.

viajar (vi.a.**jar**) verbo **1.** Deslocar-se de um lugar para outro, em percurso distante; ir de uma cidade para outra; conhecer lugares distantes. **2.** Percorrer em viagem; visitar.

vice-campeão (vi.ce-cam.pe.**ão**) substantivo masculino Clube ou atleta que conquistou o segundo lugar em um campeonato. ▶ Plural: *vice-campeões*.

vice-presidente (vi.ce-pre.si.**den**.te) substantivo masculino Pessoa eleita para substituir o presidente, na sua ausência.
▶ Plural: *vice-presidentes*.

vício (**ví**.cio) substantivo masculino **1.** Hábito prejudicial que uma pessoa tem dificuldade para evitar; mania: *o vício de roer unhas passou no ano seguinte*. **2.** Dependência química: *beber pode tornar-se um vício*.

vida (**vi**.da) substantivo feminino **1.** Conjunto de propriedades e qualidades que mantêm um ser vivo em contínua atividade. **2.** Espaço de tempo que vai do nascimento à morte; existência. **3.** Modo de viver: *levava uma vida simples*.

videira (vi.**dei**.ra) substantivo feminino Arbusto trepador cultivado pelos frutos, as uvas. (Veja apêndice da página 249)

vídeo (**ví**.deo) substantivo masculino **1.** Parte visual de uma transmissão de televisão ou de um filme. **2.** Aparelho para ver essas imagens.

videogame [inglês: "vídeo-gueime"] substantivo masculino **1.** Aparelho que se liga à televisão para executar jogos eletrônicos. **2.** Jogo eletrônico para esse aparelho; *game*.

vidro (**vi**.dro) substantivo masculino **1.** Substância sólida, transparente e quebradiça, feita de areia misturada a outras substâncias, usada na fabricação de garrafas, vidraças, vasos etc. **2.** Frasco, garrafa ou outro objeto feito dessa substância: *vidro de perfume*.

vigia (vi.**gi**.a) substantivo de dois gêneros Pessoa que vigia; guarda; sentinela.

vigiar (vi.gi.**ar**) verbo Tomar conta, olhar, observar com atenção.

vigor ••• virar

vigor (vi.**gor**) [ô] substantivo masculino
1. Força; robustez; energia: *vigor da juventude*. **2.** Manifestação de firmeza, segurança: *sempre defendeu suas ideias com vigor*.

vil adjetivo Que tem pouco valor, que não vale nada; ruim, desprezível, infame. ▶ Plural: *vis*.

vila (**vi**.la) substantivo feminino **1.** Povoação maior que uma aldeia ou arraial e menor que uma cidade. **2.** Conjunto de casas que formam uma rua ou praça particular. **3.** Casa de campo elegante, requintada.

vinagre (vi.**na**.gre) substantivo masculino Líquido resultante da fermentação de certas bebidas alcoólicas, como o vinho, usado como tempero.

vínculo (**vín**.cu.lo) substantivo masculino **1.** Coisa que ata, liga ou aperta; nó. **2.** Ligação moral.

violão (vi.o.**lão**) substantivo masculino Instrumento musical de cordas feito de madeira com a forma de oito.

violência (vi.o.**lên**.cia) adjetivo **1.** Ação em que se usa força: *abriu a porta com violência*. **2.** Força muito grande: *o vento soprava com violência*.

violeta (vi.o.**le**.ta) [ê] substantivo feminino
1. Pequena planta herbácea de folhas arredondadas e flores isoladas e pequenas, cultivada pela sua beleza e por seu perfume peculiar. **2.** A cor dessa flor; roxo.

violino (vi.o.**li**.no) substantivo masculino Instrumento musical de quatro cordas, que se toca apoiado sobre o ombro com um arco.

violoncelo (vi.o.lon.**ce**.lo) substantivo masculino Instrumento musical de quatro cordas, tocadas com um arco, maior e com som mais grave que o do violino, que se toca apoiado no chão.

vir verbo **1.** Dirigir-se para cá: *minha avó virá para casa nas férias*. **2.** Regressar; voltar; chegar: *virá do interior amanhã*. **3.** Ser trazido: *veio de carro*. **4.** Ter origem: *esse tecido veio da França*.

vira-lata (vi.ra-**la**.ta) adjetivo **1.** Diz-se de cão sem dono, que busca alimento virando latas nas ruas. **2.** Que não tem raça definida: *gato vira-lata*. ★ substantivo masculino **3.** Cão de rua ou sem raça. ▶ Plural: *vira-latas*.

virar (vi.**rar**) verbo **1.** Inverter a direção ou a posição de; voltar: *virou o carro e foi para casa*. **2.** Colocar em posição contrária àquela em que estava: *virou o filé na frigideira*. **3.** Despejar; entornar: *de tanta sede, virou uma garrafa de água*. **4.** Dar a volta a; dobrar: *virou a esquina*.

vírgula (vír.gu.la) substantivo feminino Sinal de pontuação (,) que indica uma pequena pausa, usado para separar frases e elementos de uma frase.

virtude (vir.**tu**.de) substantivo feminino
1. Disposição para a prática do bem. **2.** Uma qualidade moral: *a paciência é uma virtude*. **3.** Prática do bem.

virtuoso (vir.tu.**o**.so) [ô] substantivo masculino
1. Músico ou artista de grande talento.
★ adjetivo **2.** Que tem virtudes. **3.** Honesto.
▸ Plural: *virtuosos* [ó].

vírus (**ví**.rus) substantivo masculino
1. Microrganismo que só vive e se reproduz no interior das células do organismo que infecta, causando doenças no ser humano, nos animais e nas plantas. **2.** Programa que se instala no computador e se reproduz, causando grandes danos aos arquivos e programas. ▸ Plural: *vírus*.

visão (vi.**são**) substantivo feminino **1.** Ato de ver. **2.** O sentido da vista. **3.** Imagem irreal, produto do medo, sonho, loucura ou superstição. ▸ Plural: *visões*.

viseira (vi.**sei**.ra) substantivo feminino **1.** Peça do capacete, que encobre e protege o rosto. **2.** Aba de tecido, plástico ou outro material, usada sobre a testa para proteger o rosto do sol.

visita (vi.**si**.ta) substantivo feminino **1.** Ato de visitar. **2.** Pessoa que visita; visitante: *as visitas chegaram*. **3.** Inspeção; fiscalização.

visitante (vi.si.**tan**.te) substantivo de dois gêneros **1.** Pessoa que faz uma visita, que foi visitar o local e não mora ali: *o museu recebia visitantes de todos os lugares do mundo*.
★ adjetivo **2.** Que é de fora: *o time visitante quase ganhou o jogo*.

visitar (vi.si.**tar**) verbo **1.** Ir ver uma pessoa por cortesia ou amizade: *visitou a tia*. **2.** Ir conhecer regiões, museus, monumentos etc. por interesse ou curiosidade: *visitou um museu*. **3.** Inspecionar; vistoriar; fiscalizar.

visível (vi.**sí**.vel) adjetivo Que pode ser visto; claro; perceptível.

visto (**vis**.to) adjetivo **1.** Percebido pela vista. **2.** Acolhido, aceito, recebido. ★ substantivo masculino **3.** Declaração de autoridade em um documento, atestando que foi examinado e aceito.

visual (vi.su.**al**) adjetivo **1.** Que diz respeito à vista ou à visão. ★ substantivo masculino **2.** Aparência; aspecto: *seu visual é moderno*.

vitamina (vi.ta.**mi**.na) substantivo feminino
1. Substância presente em pequenas quantidades nos alimentos e muito importante para a manutenção da saúde: *a laranja contém vitamina C*. **2.** Bebida preparada com frutas, cereais, legumes batidos com leite no liquidificador.

vítima (**ví**.ti.ma) substantivo feminino
1. Criatura sacrificada aos deuses. **2.** Pessoa morta, ferida ou que foi alvo de qualquer tipo de crime. **3.** Pessoa que sofre acidente, desastre ou outra desgraça: *foram muitas as vítimas do incêndio*.

vitória-régia (vi.tó.ria-**ré**.gia) substantivo feminino Planta aquática amazônica, de folhas redondas, com quase 2 metros, e flores que só abrem à noite. ▸ Plural: *vitórias-régias*.

viva (**vi**.va) interjeição Exprime aplauso, alegria, entusiasmo ou felicitação.

viveiro (vi.**vei**.ro) substantivo masculino **1.** Lugar onde se criam e reproduzem animais. **2.** Local onde se criam aves. **3.** Aquário natural ou artificial, onde se criam peixes ou plantas aquáticas. **4.** Canteiro onde se semeiam espécies vegetais que mais tarde serão transplantadas para outro lugar.

viver (vi.**ver**) verbo **1.** Ter vida; existir. **2.** Ter duração. **3.** Aproveitar ou passar a vida. **4.** Conviver: *vive com a família*. **5.** Alimentar-se; sustentar-se de. **6.** Fazer sempre: *vivia treinando para a corrida*. ★ substantivo masculino **7.** Vida; existência.

vivo (**vi**.vo) adjetivo **1.** Que tem vida; que vive. **2.** Animado; ativo; vivaz. ★ substantivo masculino **3.** Que brilha, que tem cor ou luz forte. **4.** Ser vivo.

vizinho (vi.**zi**.nho) substantivo masculino **1.** Aquele que mora perto ou está próximo de nós. ★ adjetivo **2.** Que está próximo ou perto: *viajou para a cidade vizinha*.

voar (vo.**ar**) verbo **1.** Sustentar-se ou mover-se no ar por meio de asas ou máquinas: *pássaros, aviões e balões voam*. **2.** Passar com rapidez: *passou por aqui voando*. **3.** Viajar de avião: *voou para sua cidade*.

vocabulário (vo.ca.bu.**lá**.rio) substantivo masculino **1.** Conjunto das palavras de uma língua. **2.** Conjunto de termos próprios de um grupo, de uma atividade técnica, de um dialeto, de uma ciência, de uma região etc.

vocábulo (vo.**cá**.bu.lo) substantivo masculino Cada uma das palavras que fazem parte de uma língua: *jururu é um vocábulo de origem indígena*.

vogal (vo.**gal**) substantivo feminino e adjetivo Fonema que é produzido sem obstrução à corrente de ar, como **a**, **e**, **i**, **o**, **u**.

volante (vo.**lan**.te) substantivo masculino **1.** Peça circular que controla um eixo, como a direção de um automóvel. **2.** Impresso onde se marcam apostas de jogos. ★ adjetivo **3.** Que pode voar. **4.** Que não tem residência fixa.

vôlei (**vô**.lei) substantivo masculino Jogo desportivo praticado entre duas equipes de seis jogadores, que jogam com as mãos e punhos uma bola por cima da rede, sem que toque o chão; voleibol.

volta (**vol**.ta) substantivo feminino **1.** Ato de voltar; regresso; retorno: *todos aguardavam sua volta*. **2.** Ato de virar ou girar; giro: *deu uma volta na chave*. **3.** Movimento que completa um percurso fechado; circuito: *deu três voltas na pista*. **4.** Passeio rápido, caminhada: *foi dar uma volta*. **5.** Curva de rua ou de estrada; sinuosidade: *estrada cheia de voltas*. **Por volta de:** mais ou menos em, aproximadamente: *a escrita foi inventada por volta de 4.000 a.C.*

voltar (vol.**tar**) verbo **1.** Dirigir-se ao ponto de partida; regressar, retornar: *voltou cedo para casa*. **2.** Ir ou vir pela segunda vez: *gostou tanto do museu que voltou na semana seguinte*. **3.** Tornar; recomeçar: *voltou a estudar*.

volume (vo.**lu**.me) substantivo masculino
1. Espaço ocupado por um corpo.
2. Tamanho; dimensão. **3.** Intensidade do som ou da voz. **4.** Livro. **5.** Pacote, embrulho, fardo.

vontade (von.**ta**.de) substantivo feminino
1. Capacidade de querer; aspiração; desejo.
2. Capacidade de escolha, de decisão.
3. Necessidade física ou moral; apetite; sede.
4. Determinação; firmeza.

voo (**vo**.o) substantivo masculino **1.** Modo de locomoção no ar próprio das aves, de muitos insetos ou ainda de aeronaves. **2.** Distância ou trajeto que uma ave ou aeronave percorre ou faz voando.

voraz (vo.**raz**) adjetivo Que devora, que come com avidez: *o tubarão é voraz*.

vovô (vo.**vô**) substantivo masculino Avô, em linguagem infantil ou afetiva. ▶ Feminino: *vovó*.

voz substantivo feminino **1.** Som ou conjunto de sons emitidos pelos órgãos da fala.
2. Faculdade de falar; fala. **3.** Manifestação verbal; palavra. ▶ Plural: *vozes*.

vulcão (vul.**cão**) substantivo masculino Abertura na crosta terrestre através da qual as lavas, cinzas, gases e vapores que estão no interior da Terra são lançados para a superfície.
▶ Plural: *vulcões*.

vulto (**vul**.to) substantivo masculino **1.** Rosto; aspecto. **2.** Corpo. **3.** Figura indistinta.
4. Tamanho; volume. **5.** Pessoa importante; personalidade histórica ou política.

Ww

w, W substantivo masculino Vigésima terceira letra do alfabeto de nome "dáblio" ou "vê duplo", que tem som de **v** ou de **u** e é usada para escrever nomes próprios como *Taiwan*, *Washington*; símbolos internacionais, como *W*, de *watt*; palavras estrangeiras, como *website*; ou derivadas de nomes próprios, como *wagneriano*.

web [inglês: "uébi"] substantivo feminino Rede das páginas na internet que são vistas ou acessadas com um programa navegador. *Web site* o mesmo que *site*, conjunto de páginas de internet interligadas.

Xx

x, X substantivo masculino **1.** Vigésima quarta letra do alfabeto, consoante. **2.** Aquilo que se desconhece. ▶ Quase sempre o **x** tem som de **ch**, como em: *xale, baixo*; entre duas vogais, pode corresponder a três sons: de **cs**, como em *fixo, fluxo*; de **z**, como em *exercício*; e de **ss**, como em *próximo*.

xadrez (xa.**drez**) substantivo masculino **1.** Jogo sobre um tabuleiro de 64 casas, de cores alternadas entre pretas e brancas, no qual dois parceiros movimentam um total de 32 figuras de diferentes tipos e valores. **2.** O tabuleiro desse jogo. **3.** Tecido com estampa em quadrados ou linhas cruzadas. **4.** Prisão, cadeia.

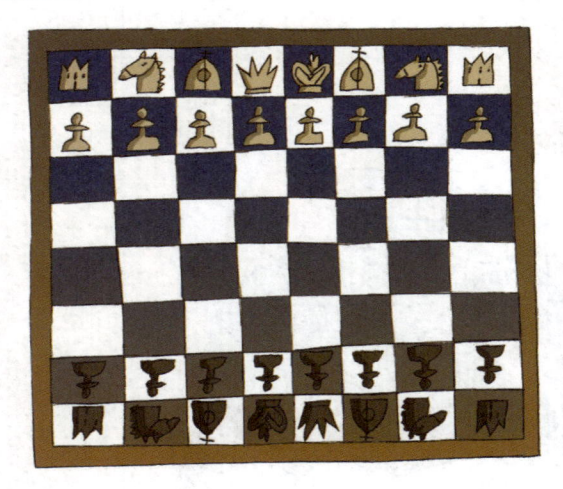

xale (**xa**.le) substantivo masculino Tecido de lã, seda ou outro material, que as mulheres usam nos ombros e nas costas. (Veja apêndice da página 260)

xampu (xam.**pu**) substantivo masculino Sabão líquido para lavar os cabelos e a cabeça. ▶ Corresponde à palavra inglesa *shampoo*.

xará (xa.**rá**) substantivo de dois gêneros Pessoa que tem o mesmo nome que outra.

xarope (xa.**ro**.pe) substantivo masculino **1.** Medicamento líquido, doce, usado geralmente contra a tosse. **2.** Remédio caseiro. **3.** Calda apurada.

xaxim (xa.**xim**) substantivo masculino Tronco de certas samambaias grandes, do tamanho de uma árvore, que foi muito usado em floricultura, servindo de vaso a outras plantas e hoje é protegido para evitar a extinção.

xereta (xe.**re**.ta) [ê] substantivo de dois gêneros e adjetivo Intrometido; bisbilhoteiro; abelhudo; fofoqueiro.

xícara (**xí**.ca.ra) substantivo feminino Pequena vasilha com asa de um dos lados, usada para servir bebidas quentes, como café, chá e leite.

xingar (xin.**gar**) verbo Insultar alguém com palavras; ofender; dizer grosserias.

xiquexique (xi.que.**xi**.que) substantivo masculino Cacto com caule espinhoso e rico em água, muito comum na caatinga e que em épocas de seca é tratado para alimentar os animais.

xis substantivo masculino Nome da letra X. ▶ Plural: *xis*.

Y y

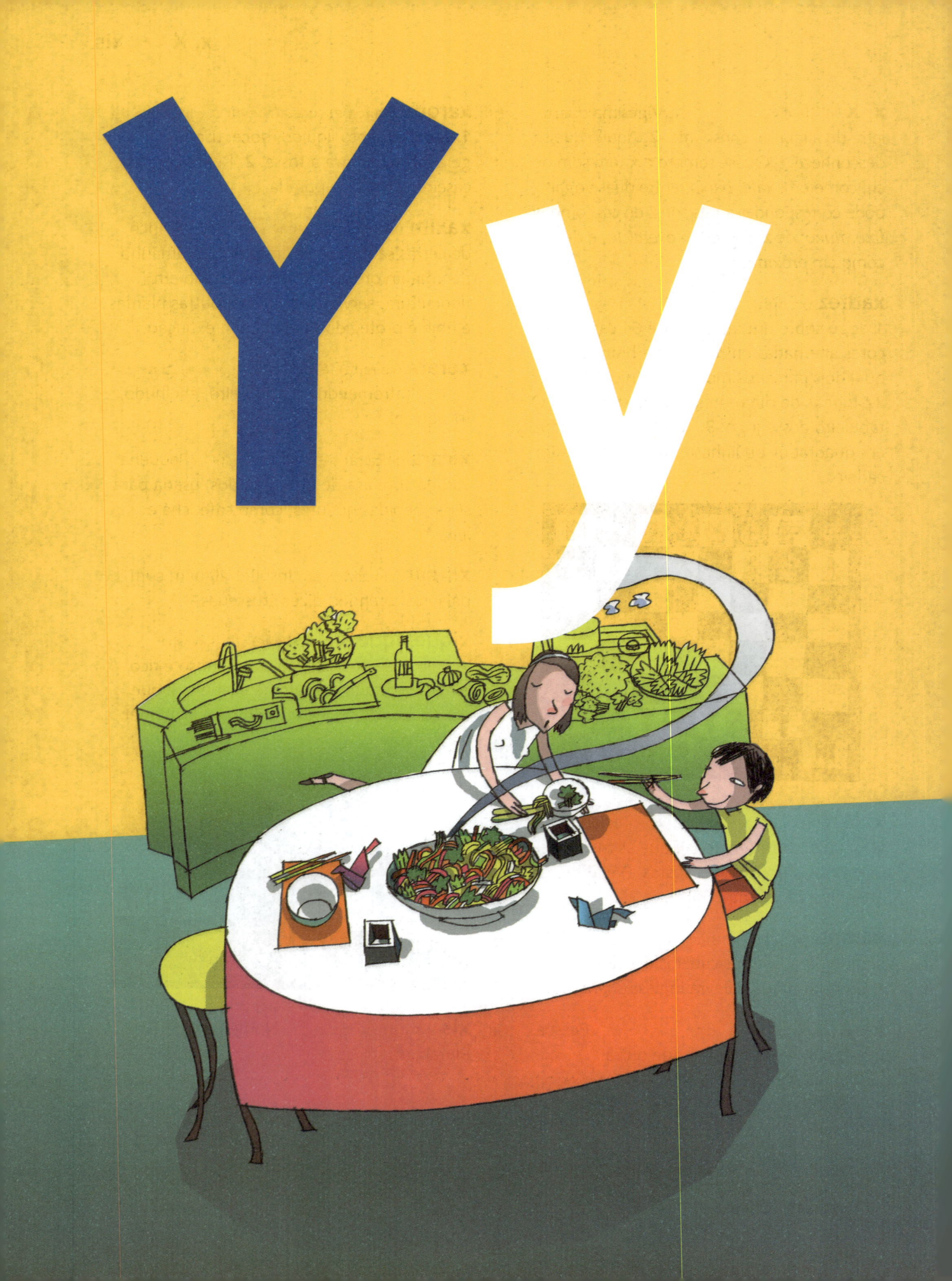

y, Y substantivo masculino Vigésima quinta letra do alfabeto, de nome "ípsilon", que tem valor de *i* e é empregada apenas para escrever nomes próprios, como *Yolanda* e *York*; palavras estrangeiras, como *boy* e *spray*; e derivadas, como *motoboy*.

yakisoba [japonês: "iaquissoba", ô] substantivo masculino Prato de origem oriental, feito com espaguete frito acompanhado de legumes fatiados, às vezes com tiras de carne ou frango e camarão, e molho de soja.

Zz

z, Z substantivo masculino Vigésima sexta letra do alfabeto, de nome "zê".

zabumba (za.**bum**.ba) substantivo feminino Tambor grande, com as duas extremidades fechadas, usado em ritmos nordestinos, como baião, xaxado e coco; bumbo.

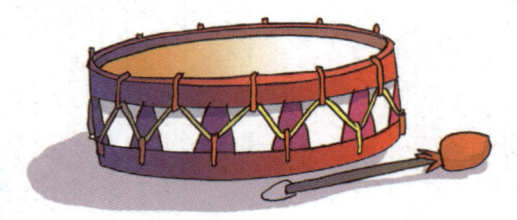

zangão (zan.**gão**) substantivo masculino O macho da abelha, que não possui ferrão, nem produz mel. ▶ Plural: *zangões*.

zangar (zan.**gar**) verbo **1.** Aborrecer, causar zanga a; irritar. **2.** Romper relações. **3.** Aborrecer-se. **4.** Irritar-se.

zarabatana (za.ra.ba.**ta**.na) substantivo feminino Tubo comprido, por onde se sopra para lançar setas ou dardos, usado como arma por indígenas. O mesmo que sarabatana.

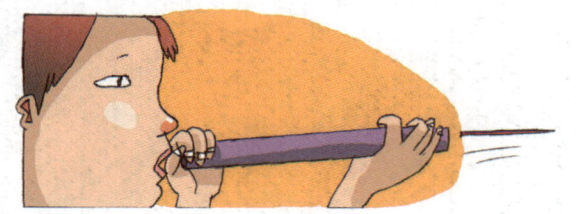

zê substantivo masculino Nome da letra Z.

zebra (**ze**.bra) [ê] substantivo feminino Mamífero da família do cavalo, de pelo branco com listras pretas que vive na África.

zelo (**ze**.lo) [ê] substantivo masculino **1.** Grande cuidado e preocupação que se tem com pessoas ou coisas. **2.** Dedicação no cumprimento de tarefas, deveres, trabalho. **3.** Grande afeição ou carinho por alguém.

zero (**ze**.ro) substantivo masculino **1.** Algarismo (0) que quando está sozinho representa nenhuma quantidade e quando é colocado depois de outro algarismo indica dezena, centena etc. ⭐ numeral **2.** Expressa um conjunto vazio, algo que não tem nada, a falta ou ausência de quantidade.

ziguezague (zi.gue.**za**.gue) substantivo masculino **1.** Série de linhas que forma ângulos alternadamente para a direita e para a esquerda. **2.** Modo de andar descrevendo esse tipo de linha.

zíper (**zí**.per) substantivo masculino Fecho de correr usado em roupas, malas etc. ▶ Plural: *zíperes*.

zona (**zo**.na) [ô] substantivo feminino **1.** Região, área, local: *uma zona cheia de animais*. **2.** Parte de uma cidade que se caracteriza pelas atividades ali exercidas: *zona industrial*. **3.** Grande bagunça, confusão, desordem, em linguagem popular.

zoo (**zo**.o) substantivo masculino O mesmo que *zoológico*.

zoológico (zo.o.**ló**.gi.co) adjetivo **1.** Relativo à zoologia, ao estudo dos animais. **2.** Que diz respeito aos animais. ⭐ substantivo masculino **3.** Lugar onde são criados animais de várias espécies para estudo, preservação e exposição pública, também chamado *zoo* e *jardim zoológico*.

zumbido (zum.**bi**.do) substantivo masculino **1.** Ruído que alguns insetos produzem. **2.** Qualquer som semelhante.

Quadros Temáticos

Partes das plantas

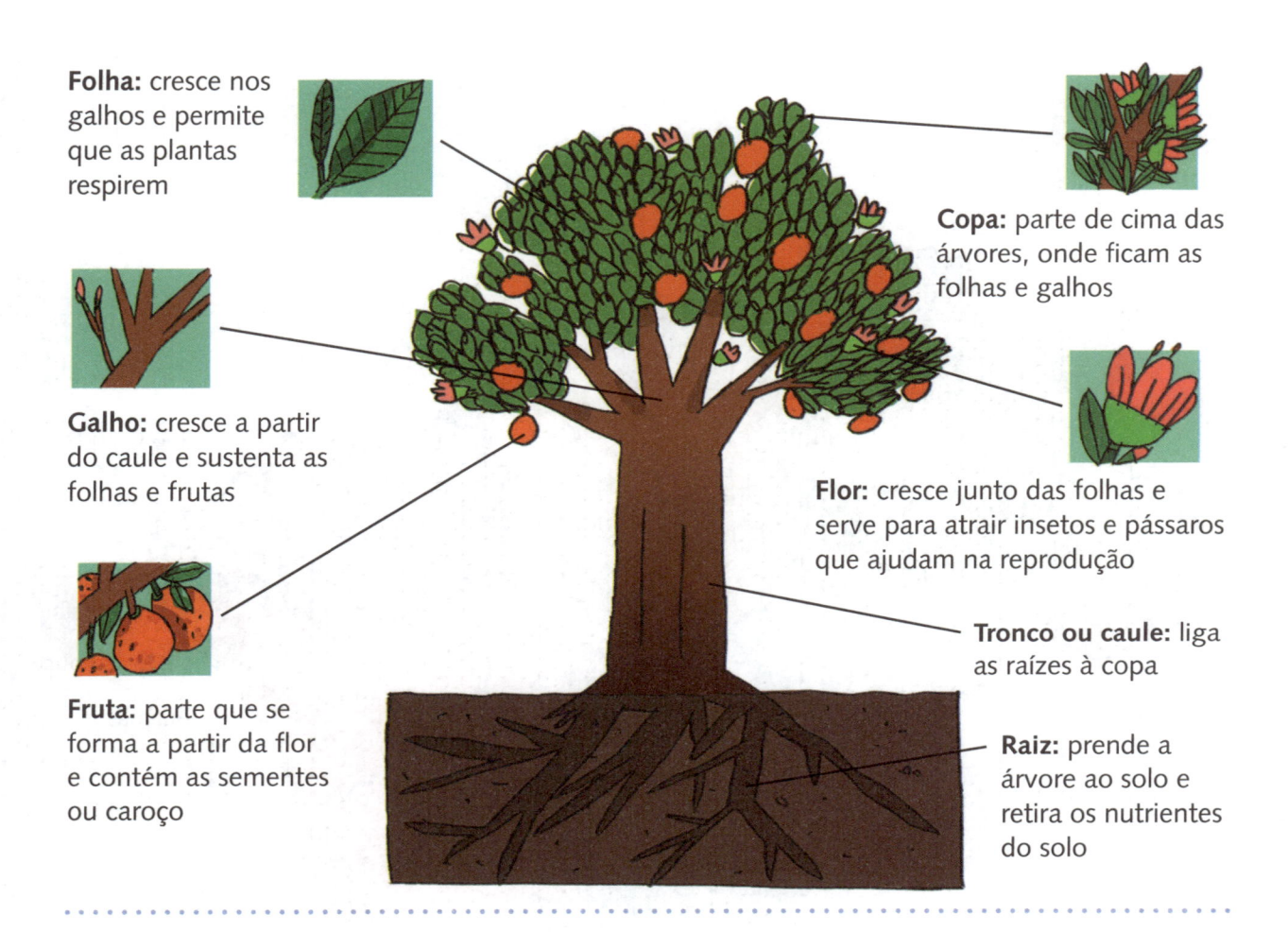

Folha: cresce nos galhos e permite que as plantas respirem

Galho: cresce a partir do caule e sustenta as folhas e frutas

Fruta: parte que se forma a partir da flor e contém as sementes ou caroço

Copa: parte de cima das árvores, onde ficam as folhas e galhos

Flor: cresce junto das folhas e serve para atrair insetos e pássaros que ajudam na reprodução

Tronco ou caule: liga as raízes à copa

Raiz: prende a árvore ao solo e retira os nutrientes do solo

Fruta	Árvore frutífera
abacate	abacateiro
açaí	açaizeiro
banana	bananeira
cacau	cacaueiro
caju	cajueiro
caqui	caquizeiro
carambola	caramboleira
coco	coqueiro
goiaba	goiabeira
jabuticaba	jabuticabeira
jaca	jaqueira
juá	juazeiro

Fruta	Árvore frutífera
laranja	laranjeira
limão	limoeiro
maçã	macieira
mamão	mamoeiro
manga	mangueira
mexerica	mexeriqueira
morango	morangueiro
pera	pereira
pêssego	pessegueiro
umbu	umbuzeiro
urucum	urucuzeiro
uva	videira

Estados brasileiros

Adjetivos pátrios

Quem nasce em:	É:
Acre	acreano
Alagoas	alagoano
Amapá	amapaense
Amazonas	amazonense
Bahia	baiano
Brasília	brasiliense
Ceará	cearense
Espírito Santo	capixaba ou espírito-santense
Goiás	goiano
Maranhão	maranhense
Mato Grosso	mato-grossense
Mato Grosso do Sul	mato-grossense-do-sul
Minas Gerais	mineiro
Pará	paraense
Paraíba	paraibano
Paraná	paranaense
Pernambuco	pernambucano
Piauí	piauiense
Rio de Janeiro (estado)	fluminense
Rio de Janeiro (cidade)	carioca
Rio Grande do Norte	potiguar ou rio-grandense-do-norte
Rio Grande do Sul	gaúcho ou rio-grandense-do-sul
Roraima	roraimense
Santa Catarina	santa-catarinense
São Paulo (estado)	paulista
São Paulo (cidade)	paulistano
Sergipe	sergipano
Tocantins	tocantinense

Numerais

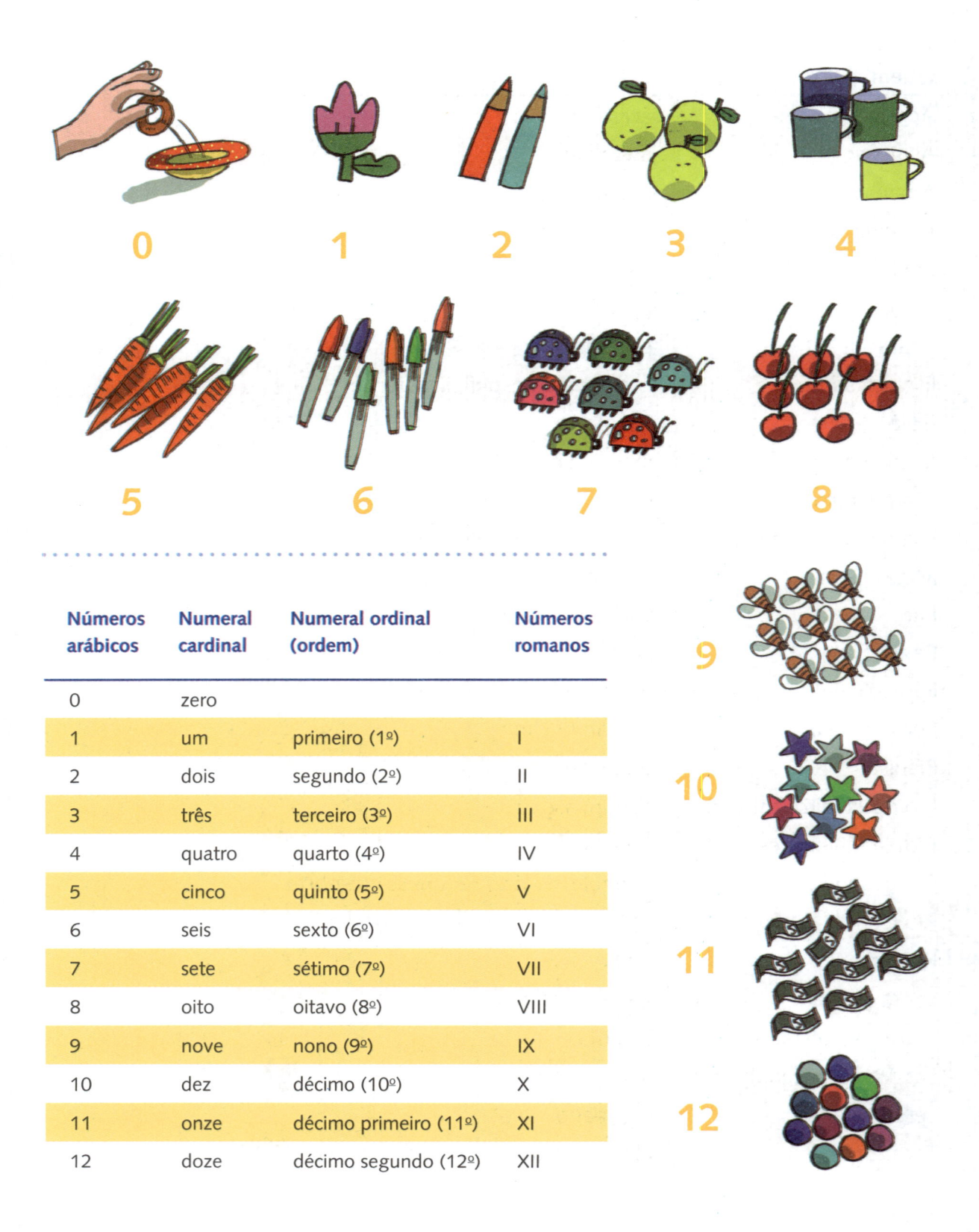

0 1 2 3 4

5 6 7 8

Números arábicos	Numeral cardinal	Numeral ordinal (ordem)	Números romanos
0	zero		
1	um	primeiro (1º)	I
2	dois	segundo (2º)	II
3	três	terceiro (3º)	III
4	quatro	quarto (4º)	IV
5	cinco	quinto (5º)	V
6	seis	sexto (6º)	VI
7	sete	sétimo (7º)	VII
8	oito	oitavo (8º)	VIII
9	nove	nono (9º)	IX
10	dez	décimo (10º)	X
11	onze	décimo primeiro (11º)	XI
12	doze	décimo segundo (12º)	XII

9 10 11 12

Números arábicos	Numeral cardinal	Numeral ordinal (ordem)	Números romanos
13	treze	décimo terceiro (13º)	XIII
14	catorze ou quatorze	décimo quarto (14º)	XIV
15	quinze	décimo quinto (15º)	XV
16	dezesseis	décimo sexto (16º)	XVI
17	dezessete	décimo sétimo (17º)	XVII
18	dezoito	décimo oitavo (18º)	XVIII
19	dezenove	décimo nono (19º)	XIX
20	vinte	vigésimo (20º)	XX
21	vinte e um	vigésimo primeiro (21º)	XXI
30	trinta	trigésimo (30º)	XXX
40	quarenta	quadragésimo (40º)	XL
50	cinquenta	quinquagésimo (50º)	L
60	sessenta	sexagésimo (60º)	LX
70	setenta	septuagésimo (70º)	LXX
80	oitenta	octogésimo (80º)	LXXX
90	noventa	nonagésimo (90º)	XC
100	cem	centésimo (100º)	C
101	cento e um	centésimo primeiro (101º)	CI
200	duzentos	ducentésimo (200º)	CC
300	trezentos	trecentésimo ou tricentésimo (300º)	CCC
400	quatrocentos	quadringentésimo (400º)	CD
500	quinhentos	quingentésimo (500º)	D
600	seiscentos	sexcentésimo (600º)	DC
700	setecentos	septingentésimo (700º)	DCC
800	oitocentos	octingentésimo (800º)	DCCC
900	novecentos	nongentésimo (900º)	CM
1.000	mil	milésimo (1000º)	M
1.001	mil e um	milésimo primeiro (1001º)	MI

Medindo o tempo

Um mês pode ter **30** ou **31** dias, ou **4** ou **5** semanas.

Uma **semana** tem **7** dias.

Um **ano** tem **12** meses ou **52** semanas ou **365** dias (**366** nos anos bissextos).

Um **dia** tem **24** horas.

Uma **hora** tem **60** minutos.

Um **minuto** tem **60** segundos.

Os meses são:

1	janeiro	31 dias
2	fevereiro	28 dias e a cada 4 anos tem 29 dias (nos anos bissextos)
3	março	31 dias
4	abril	30 dias
5	maio	31 dias
6	junho	30 dias
7	julho	31 dias
8	agosto	31 dias
9	setembro	30 dias
10	outubro	31 dias
11	novembro	30 dias
12	dezembro	31 dias

Os dias da semana são:

1º	domingo
2º	segunda-feira
3º	terça-feira
4º	quarta-feira
5º	quinta-feira
6º	sexta-feira
7º	sábado

Cores e formas

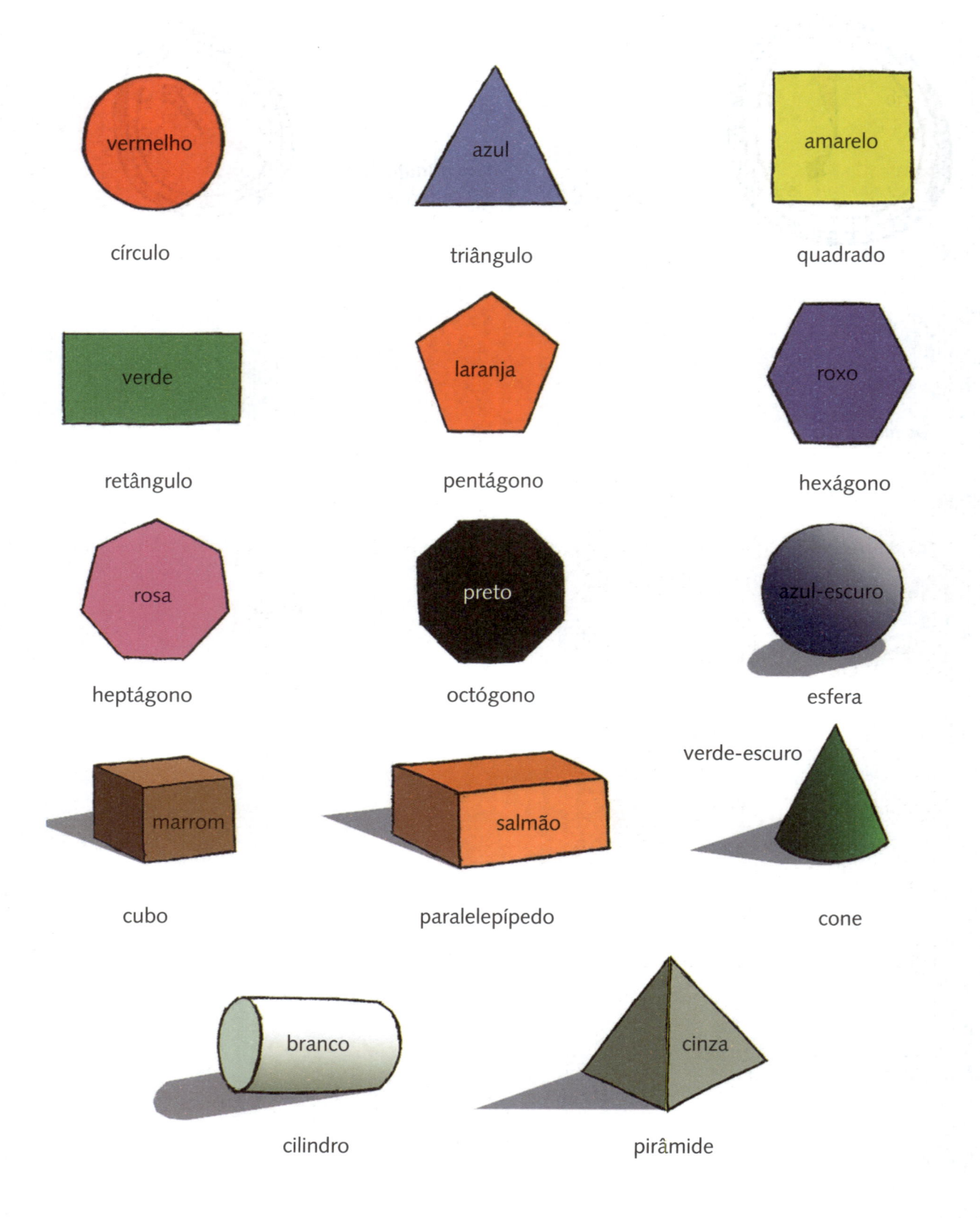

vermelho — círculo
azul — triângulo
amarelo — quadrado
verde — retângulo
laranja — pentágono
roxo — hexágono
rosa — heptágono
preto — octógono
azul-escuro — esfera
marrom — cubo
salmão — paralelepípedo
verde-escuro — cone
branco — cilindro
cinza — pirâmide

Pontos cardeais

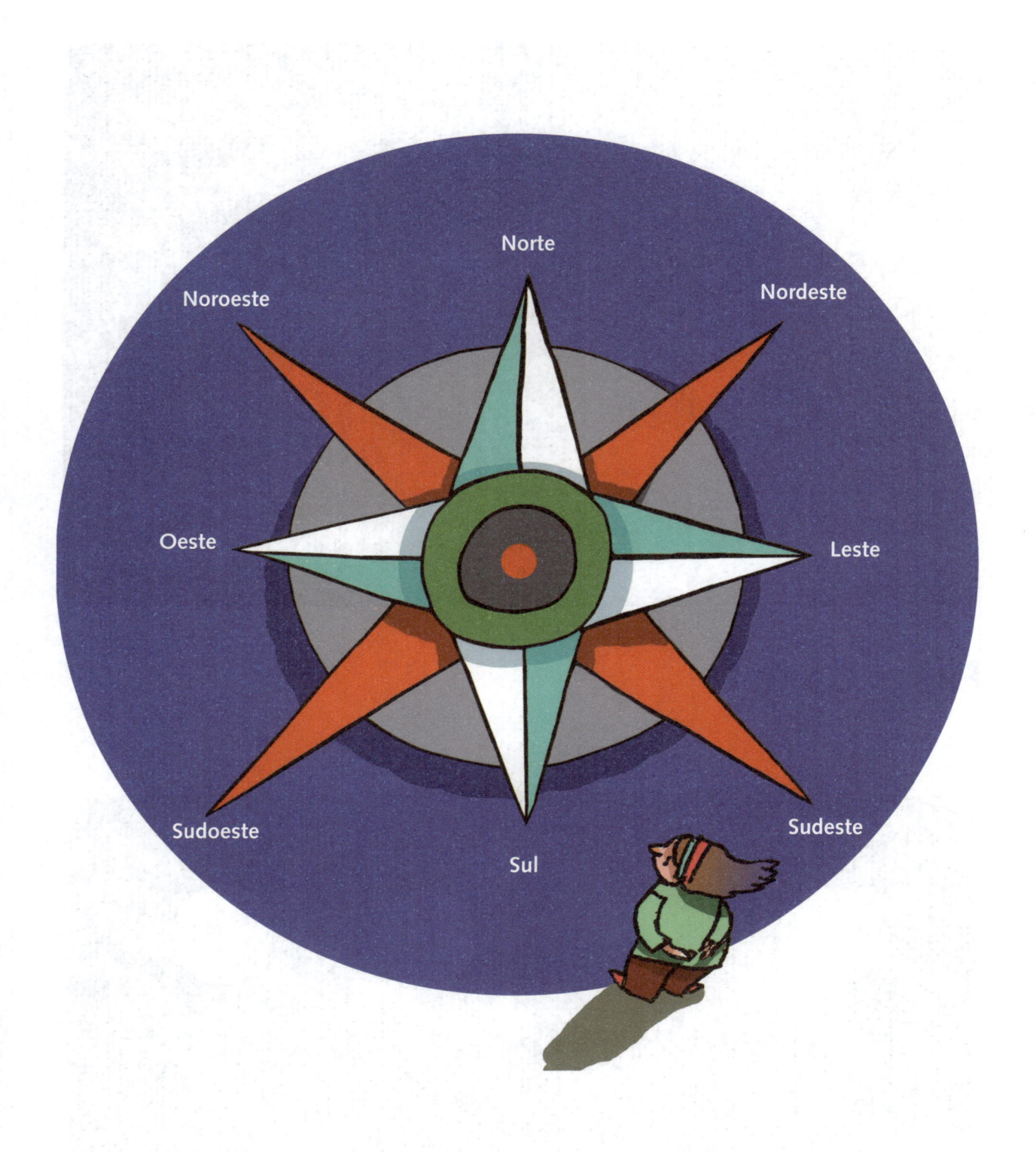

Sistema solar

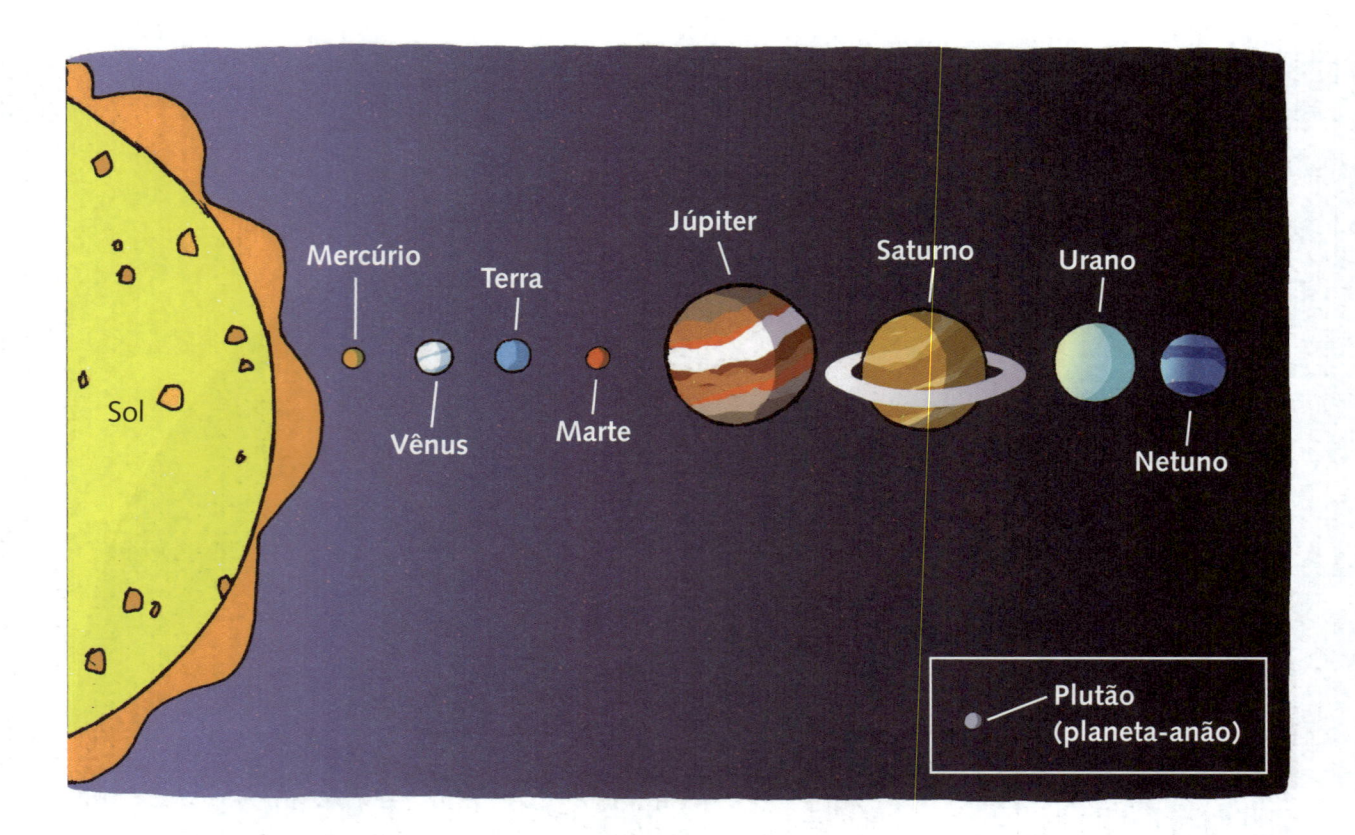

Sol · Mercúrio · Vênus · Terra · Marte · Júpiter · Saturno · Urano · Netuno

Plutão (planeta-anão)

Fases da lua

Nova · Crescente · Cheia · Minguante

Animais

O macho e a fêmea de alguns animais têm nomes diferentes. E alguns filhotes também recebem outros nomes. Cada animal emite um som diferente. Veja alguns exemplos:

Macho	Fêmea	Som	Filhote
galo	galinha	cacarejo, canto	pinto
bode	cabra	berro	cabrito
boi ou touro	vaca	mugido	bezerro
carneiro	ovelha	balido	cordeiro
cavalo	égua	relinchar	potro
porco	porca	grunhido	leitão, leitoa
sapo	sapa	coaxar	girino
jumento	jumenta	zurrar	
zangão	abelha	zunido ou zumbido	
cachorro	cadela	latido	
gato	gata	miado	

Vestuário

- xale
- macacão
- malha
- chapéu
- gorro
- cartola
- casaco
- blusa
- saia
- boné
- tamanco
- camiseta
- sapato
- cueca
- bermuda
- pulôver
- regata
- meias
- botas
- tênis
- bolsa
- gravata
- pantalona
- calção
- camisa
- vestido
- calça
- chuteira
- biquíni
- sandália
- sutiã
- quimono (de judô)
- calcinha
- maiô
- chinelo
- pijama
- cinto
- carteira
- luvas
- lenço

260

Partes do corpo

Família

bisavô · bisavó
tia-avó · tio-avô · tio-avô · mãe · pai · primo · avó · avô
irmão · irmã
neto · tia-avó · neta · bisneta · bisneto · prima · sobrinho · sobrinha
tio · tia

Sinais de pontuação

Sinais de pontuação	
ponto	.
ponto de exclamação	!
ponto de interrogação	?
vírgula	,
ponto e vírgula	;
dois-pontos	:
reticências	…
parênteses	( )
travessão	—
hífen	-
aspas	" "
colchetes	[ ]